MISAL ANUAL
Para niños 2017

SAN PABLO

MISAL ANUAL PARA NIÑOS 2017

Obra de la Sociedad de San Pablo al servicio del pueblo de Dios.
Texto oficial aprobado por la Conferencia del Episcopado Mexicano.

IMPRIMATUR

+José Francisco Card. Robles Ortega
Arzobispo de Guadalajara

NIHIL OBSTAT

+Víctor Sánchez Espinosa
Arzobispo de Puebla
Presidente de la Comisión Episcopal para la Pastoral Litúrgica de México

Comisión Episcopal de Pastoral Litúrgica
México, D. F. 18 de diciembre de 2014

Coordinador responsable:
José Antonio Hernández Pimienta, ssp.

Colaboradores:
Jorge Hernández Mejía, ssp.
Miguel Moreno Hernández, ssp.
Equipo Paulino

Diseño editorial:
Juan Jorge Arroyo M.

Portada e ilustraciones:
Alberto Eduardo Hernández Pérez

Editor y Propietario:
EDITORIAL ALBA, S.A. DE C.V.
Calle Alba 1914
San Pedrito, Tlaquepaque
Apartado Postal 180
45500 Guadalajara, Jal.

Tel (01/33) 36 00 15 27
Fax (01/33) 36 00 19 73
e-mail: editorialalba@sanpablo.com.mx

ISSN: 1665-9716

La familia: Fundamento de valores

La educación de los valores en la familia no se reduce a simples encuentros habituales sino en un auténtico diálogo que nace de los padres hacia los hijos buscando siempre el encuentro de personas que buscan construir una sociedad justa y equitativa; de igual modo la familia de Nazaret, buscaba formar en Jesús los principios y valores del momento, es por eso que Jesús iba creciendo en *sabiduría, estatura y gracia delante de Dios y de los hombres* (Lc 2,52). Ésta es la meta de toda familia, reflejar a los demás la gracia de Dios que en ellos habita y así continuamente dar testimonio de las grandezas que Dios realiza en cada uno de sus miembros.

El valor de la familia se basa en la presencia física y espiritual de las personas en el hogar, con disponibilidad al diálogo y a la convivencia, haciendo un esfuerzo por cultivar los valores en la persona misma, y así estar en condiciones de transmitirlos y enseñarlos.

Ahora bien, frente a distintas realidades que se viven en la familia, una de ellas que se debe enfrentar es el egoísmo en donde predomina lo personal: mi tiempo, mi trabajo, mi diversión, mis gustos, mi descanso... si todos esperan comprensión y cuidados ¿quién tendrá la iniciativa de servir a los demás? Si papá llega y se acomoda como jefe esperando a que le sirvan, si mamá se encierra en su cuarto o esta de mal humor y gritando por todos lados, o en definitiva ninguno de los dos está disponible para que se efectúe el encuentro y el diálogo ¿Qué formación de valores encontramos? Por el contrario, cuando los padres están comprometidos en la educación de sus hijos mediante la cercanía y el afecto se logra una base sólida en el amor y la comprensión. De este modo se hace realidad lo que dice el Papa Francisco: *tener un lugar a donde ir, se llama hogar. Tener personas a quien amar, se llama familia, y tener ambas se llama bendición.* Seamos bendición para todos los que nos rodean y personas de encuentro y diálogo en medio de una sociedad que anhela ser familia.

Ordinario de la Misa

ORDINARIO DE LA MISA

Ritos Iniciales

Terminado el canto de entrada, el sacerdote y los fieles, de pie, se santiguan con la señal de la cruz, mientras el sacerdote, vuelto al pueblo, dice:

En el nombre del Padre, y del Hijo, y del Espíritu Santo:
El pueblo responde: Amén.

Saludo

Después el sacerdote, extendiendo las manos, saluda al pueblo, diciendo:

1. La gracia de nuestro Señor Jesucristo, el amor del Padre y la comunión del Espíritu Santo estén con todos ustedes.
O bien:

2. La gracia y la paz de parte de Dios, nuestro Padre, y de Jesucristo, el Señor, estén con todos ustedes.
O bien:

3. El Señor esté con ustedes.
Todos: Y con tu espíritu.

Acto Penitencial

A continuación se hace el acto penitencial, al que el sacerdote invita a los fieles, diciendo:

1. Hermanos: para celebrar dignamente estos sagrados misterios, reconozcamos nuestros pecados.

O bien:

2. Al comenzar esta celebración eucarística, pidamos a Dios que nos conceda la conversión de nuestros corazones; así obtendremos la reconciliación y se acrecentará nuestra comunión con Dios y con nuestros hermanos.

Se hace una breve pausa en silencio. Después todos dicen en común la fórmula de la confesión general:

Yo confieso ante Dios todopoderoso y ante ustedes, hermanos, que he pecado mucho de pensamiento, palabra, obra y omisión. Por mi culpa, por mi culpa, por mi gran culpa. Por eso ruego a santa María, siempre Virgen, a los ángeles, a los santos y a ustedes, hermanos, que intercedan por mí ante Dios, nuestro Señor.

Sigue la absolución del sacerdote:

Dios todopoderoso tenga misericordia de nosotros, perdone nuestros pecados y nos lleve a la vida eterna.
Todos: **Amén.**

El sacerdote puede emplear otra fórmula para el acto penitencial:
Señor, ten misericordia de nosotros.
R. **Porque hemos pecado contra ti.**
Muéstranos, Señor, tu misericordia.
R. **Y danos tu salvación.**
Dios todopoderoso...

O bien:
Tú que has sido enviado para sanar a los contritos de corazón: Señor, ten piedad.
R. **Señor, ten piedad.**
Tú que has venido a llamar a los pecadores: Cristo, ten piedad.
R. **Cristo, ten piedad.**
Tú que estás sentado a la derecha del Padre para interceder por nosotros:
Señor, ten piedad.
R. **Señor, ten piedad.**
Dios todopoderoso...

Siguen las invocaciones Señor, ten piedad, si no se han dicho ya en algunas de las fórmulas del acto penitencial, se dice:

Señor, ten piedad. / R. **Señor, ten piedad.**
Cristo, ten piedad. / R. **Cristo, ten piedad.**
Señor, ten piedad. / R. **Señor, ten piedad.**

A continuación, cuando está prescrito, se canta o se dice el himno:

Gloria

Gloria a Dios en el cielo, y en la tierra paz a los hombres que ama el Señor. Por tu inmensa gloria te alabamos, te bendecimos, te adoramos, te glorificamos, te damos gracias, Señor Dios, Rey celestial, Dios Padre todopoderoso. Señor, Hijo único, Jesucristo; Señor Dios, Cordero de Dios, Hijo del Padre; tú que quitas el pecado del mundo, ten piedad de nosotros; tú que quitas el pecado del mundo, atiende nuestra súplica; tú que estás sentado a la derecha del Padre, ten piedad de nosotros; porque sólo tú eres Santo, sólo tú Señor, sólo tú Altísimo, Jesucristo, con el Espíritu Santo en la gloria de Dios Padre. **Amén.**

Oración Colecta

Liturgia De La Palabra

Primera Lectura

Los domingos se toma del Antiguo Testamento, excepto en el Tiempo pascual que se toma de los Hechos de los Apóstoles.

Salmo

El salmo se canta o recita por un (una) salmista desde el ambón. La asamblea participa con el canto de la "Respuesta" (R.).

Segunda Lectura

(en los domingos y solemnidades)

Está tomada de una carta escrita por un apóstol (casi siempre por san Pablo) dirigida a alguna de las comunidades primitivas.

Aclamación Antes Del Evangelio

Aclamamos a Cristo que nos va a hablar ahora en el Evangelio. Durante la Cuaresma el Aleluya se reemplaza con una aclamación distinta. El versículo lo canta un cantor (o una cantante) o el coro.

Evangelio

Es la cumbre de la Liturgia de la Palabra. Escuchamos al Señor que está vivo entre nosotros y nos habla hoy.

Homilía

Profesión De Fe

Se dice sobre todo en el Tiempo de Cuaresma y en el Tiempo Pascual el llamado:

Credo De Los Apóstoles

Creo en Dios, Padre todopoderoso,
Creador del cielo y de la tierra.
Creo en Jesucristo, su único Hijo, nuestro Señor,
*En las palabras que siguen, hasta "**María Virgen**", todos se inclinan.*
que fue concebido por obra y gracia del Espíritu Santo,
nació de santa María Virgen,
padeció bajo el poder de Poncio Pilato,
fue crucificado, muerto y sepultado,
descendió a los infiernos,
al tercer día resucitó de entre los muertos,
subió a los cielos

y está sentado a la derecha de Dios, Padre todopoderoso.
Desde allí ha de venir a juzgar a vivos y muertos.
Creo en el Espíritu Santo,
la santa Iglesia católica, la comunión de los santos,
el perdón de los pecados, la resurrección de la carne
y la vida eterna. Amén.

Credo Niceno-Constantinopolitano

Creo en un solo Dios,
Padre todopoderoso,
Creador del cielo y de la tierra,
de todo lo visible y lo invisible.

Creo en un solo Señor, Jesucristo,
Hijo único de Dios,
nacido del Padre antes de todos los siglos:
Dios de Dios, Luz de Luz,
Dios verdadero de Dios verdadero,
engendrado, no creado,
de la misma naturaleza del Padre,
por quien todo fue hecho;
que por nosotros, los hombres,
y por nuestra salvación bajó del cielo,

*En las palabras que siguen, hasta **se hizo hombre**, todos se inclinan.*

y por obra del Espíritu Santo
se encarnó de María, la Virgen, y se hizo hombre;
y por nuestra causa fue crucificado
en tiempos de Poncio Pilato;
padeció y fue sepultado,
y resucitó al tercer día, según las Escrituras,
y subió al cielo,
y está sentado a la derecha del Padre;
y de nuevo vendrá con gloria
para juzgar a vivos y muertos,
y su reino no tendrá fin.

Creo en el Espíritu Santo,
Señor y dador de vida,
que procede del Padre y del Hijo,
que con el Padre y el Hijo
recibe una misma adoración y gloria,
y que habló por los profetas.

Creo en la Iglesia,
que es una, santa, católica y apostólica.
Confieso que hay un solo bautismo
para el perdón de los pecados.
Espero la resurrección de los muertos
y la vida del mundo futuro.
Amén.

Plegaria Universal

Liturgia Eucarística

Preparación De Los Dones

Se lleva el pan y el vino al altar: También se recogen los dones para la Iglesia y para los pobres.

Presentación Del Pan

Bendito seas, Señor, Dios del universo, por este pan, fruto de la tierra y del trabajo del hombre, que recibimos de tu generosidad y ahora te presentamos; él será para nosotros pan de vida.

℟. **Bendito seas por siempre, Señor.**

Por el misterio de esta agua y este vino, haz que compartamos la divinidad de quien se ha dignado participar de nuestra humanidad.

Presentación Del Vino

Bendito seas, Señor, Dios del universo, por este vino, fruto de la vid y del trabajo del hombre, que recibimos de tu generosidad y ahora te presentamos; él será para nosotros bebida de salvación.

℟. **Bendito seas por siempre, Señor.**

Acepta, Señor, nuestro corazón contrito y nuestro espíritu humilde; que éste sea hoy nuestro sacrificio y que sea agradable en tu presencia, Señor, Dios nuestro.

Lava del todo mi delito, Señor, y limpia mi pecado.

Oren, hermanos, para que este sacrificio, mío y de ustedes, sea agradable a Dios, Padre todopoderoso.

℟. **El Señor reciba de tus manos este sacrificio, para alabanza y gloria de su nombre, para nuestro bien y el de toda su santa Iglesia.**

Oración Sobre Las Ofrendas

Plegaria Eucarística

El Señor esté con ustedes. ℟. **Y con tu espíritu.**

Levantemos el corazón. ℟. **Lo tenemos levantado hacia el Señor.**

Demos gracias al Señor, nuestro Dios. ℟. **Es justo y necesario.**

Aclamación

Santo, Santo, Santo es el Señor, Dios del universo. Llenos están el cielo y la tierra de tu gloria. Hosanna en el cielo. Bendito el que viene en nombre del Señor. Hosanna en el cielo.

Plegaria Eucarística II

En verdad es justo y necesario, es nuestro deber y salvación darte gracias, Padre santo, siempre y en todo lugar, por Jesucristo, tu Hijo amado. Por él, que es tu Palabra, hiciste todas las cosas; tú nos lo enviaste para que, hecho hombre por obra del Espíritu Santo y nacido de María, la Virgen, fuera nuestro Salvador y Redentor. Él, en cumplimiento de tu voluntad, para destruir la muerte y manifestar la resurrección, extendió sus brazos en la cruz, y así adquirió para ti un pueblo santo. Por eso, con los ángeles y los santos, proclamamos tu gloria, diciendo: **Santo, Santo, Santo...**

Santo eres en verdad, Señor, fuente de toda santidad; por eso te pedimos que santifiques estos dones con la efusión de tu Espíritu, de manera que se conviertan para nosotros en el Cuerpo y † la Sangre de Jesucristo, nuestro Señor.

El cual, cuando iba a ser entregado a su Pasión, voluntariamente aceptada, tomó pan, dándote gracias, lo partió y lo dio a sus discípulos, diciendo:
**Tomen y coman todos de él,
porque esto es mi Cuerpo,
que será entregado por ustedes.**

Del mismo modo, acabada la cena, tomó el cáliz, y, dándote gracias de nuevo, lo pasó a sus discípulos, diciendo:
**Tomen y beban todos de él,
porque éste es el cáliz de mi Sangre,
Sangre de la alianza nueva y eterna,
que será derramada
por ustedes y por muchos
para el perdón de los pecados.
Hagan esto en conmemoración mía.**

Luego se dice una de las siguientes fórmulas de aclamación:

I. CP. Éste es el Misterio de la fe.
O bien: Éste es el Sacramento de nuestra fe.
Y el pueblo prosigue, aclamando:

> **Anunciamos tu muerte,**
> **proclamamos tu resurrección.**
> **¡Ven, Señor Jesús!**

II. Éste es el Misterio de la fe. Cristo nos redimió.
Y el pueblo prosigue, aclamando:

> **Cada vez que comemos de este pan**
> **y bebemos de este cáliz,**
> **anunciamos tu muerte, Señor,**
> **hasta que vuelvas.**

III. Éste es el Misterio de la fe. Cristo se entregó por nosotros.
Y el pueblo prosigue, aclamando:

> **Salvador del mundo, sálvanos,**
> **tú que nos has liberado por tu cruz y resurrección.**

Así, pues, Padre, al celebrar ahora el memorial de la muerte y resurrección de tu Hijo, te ofrecemos el pan de vida y el cáliz de salvación, y te damos gracias porque nos haces dignos de servirte en tu presencia.

Te pedimos humildemente que el Espíritu Santo congregue en la unidad a cuantos participamos del Cuerpo y la Sangre de Cristo.

Acuérdate, Señor, de tu Iglesia extendida por toda la tierra;

En los domingos:

Acuérdate, Señor, de tu Iglesia extendida por toda la tierra y reunida aquí en el domingo, día en que Cristo ha vencido a la muerte y nos ha hecho partícipes de su vida inmortal;

y con el Papa N., con nuestro Obispo N., y todos los pastores que cuidan de tu pueblo, llévala a su perfección por la caridad.

En las misas de difuntos se puede añadir:

† Recuerda a tu hijo (hija) N., a quien llamaste (hoy) de este mundo a tu presencia; concédele que, así como ha compartido ya la muerte de Jesucristo, comparta también con él la gloria de la resurrección.

† Acuérdate también de nuestros hermanos que se durmieron en la esperanza de la resurrección, y de todos los que han muerto en tu misericordia; admítelos a contemplar la luz de tu rostro.

Ten misericordia de todos nosotros, y así, con María, la Virgen Madre de Dios, su esposo san José, los apóstoles y cuantos vivieron en tu amistad a través de los tiempos, merezcamos, por tu Hijo Jesucristo, compartir la vida eterna y cantar tus alabanzas.

Por Cristo, con él y en él, a ti, Dios Padre omnipotente, en la unidad del Espíritu Santo, todo honor y toda gloria por los siglos de los siglos. **Amén.**

Plegaria Eucarística III

Santo eres en verdad, Padre, y con razón te alaban todas tus criaturas, ya que por Jesucristo, tu Hijo, Señor nuestro, con la fuerza del Espíritu Santo, das vida y santificas todo, y congregas a tu pueblo sin cesar, para que ofrezca en tu honor un sacrificio sin mancha desde donde sale el sol hasta el ocaso.

Por eso, Padre, te suplicamos que santifiques por el mismo Espíritu estos dones que hemos separado para ti, de manera que se conviertan en el Cuerpo y † la Sangre de Jesucristo, Hijo tuyo y Señor nuestro, que nos mandó celebrar estos misterios.

Porque él mismo, la noche en que iba a ser entregado, tomó pan, y dando gracias te bendijo, lo partió y lo dio a sus discípulos, diciendo:

TOMEN Y COMAN TODOS DE ÉL,
PORQUE ESTO ES MI CUERPO,
QUE SERÁ ENTREGADO POR USTEDES.

Del mismo modo, acabada la cena, tomó el cáliz, dando gracias te bendijo, y lo pasó a sus discípulos, diciendo:

TOMEN Y BEBAN TODOS DE ÉL,
PORQUE ÉSTE ES EL CÁLIZ DE MI SANGRE,
SANGRE DE LA ALIANZA NUEVA Y ETERNA,
QUE SERÁ DERRAMADA
POR USTEDES Y POR MUCHOS
PARA EL PERDÓN DE LOS PECADOS.
HAGAN ESTO EN CONMEMORACIÓN MÍA.

Luego se dice una de las siguientes fórmulas:

I. CP. Éste es el Misterio de la fe.

O bien: Éste es el Sacramento de nuestra fe.
Y el pueblo prosigue, aclamando:
> **Anunciamos tu muerte,
> proclamamos tu resurrección.
> ¡Ven, Señor Jesús!**

II. Éste es el Misterio de la fe. Cristo nos redimió.
Y el pueblo prosigue, aclamando:

> **Cada vez que comemos de este pan
> y bebemos de este cáliz,
> anunciamos tu muerte, Señor,
> hasta que vuelvas.**

III. Éste es el Misterio de la fe. Cristo se entregó por nosotros.
Y el pueblo prosigue, aclamando:
> **Salvador del mundo, sálvanos,
> Tú que nos has liberado por tu cruz y resurrección.**

Así, pues, Padre, al celebrar ahora el memorial de la pasión salvadora de tu Hijo, de su admirable resurrección y ascensión al cielo, mientras esperamos su venida gloriosa, te ofrecemos, en esta acción de gracias, el sacrificio vivo y santo.

Dirige tu mirada sobre la ofrenda de tu Iglesia, y reconoce en ella la Víctima por cuya inmolación quisiste devolvernos tu amistad, para que, fortalecidos con el Cuerpo y la Sangre de tu Hijo y llenos de su Espíritu Santo, formemos en Cristo un solo cuerpo y un solo espíritu.

Que él nos transforme en ofrenda permanente, para que gocemos de tu heredad junto con tus elegidos: con María, la Virgen Madre de Dios, su esposo san José, los apóstoles y los mártires, **(san N.: santo del día o patrono)** y todos los santos, por cuya intercesión confiamos obtener siempre tu ayuda.

Te pedimos, Padre, que esta Víctima de reconciliación traiga la paz y la salvación al mundo entero.

Confirma en la fe y en la caridad a tu Iglesia, peregrina en la tierra: a tu servidor, el Papa N., a nuestro Obispo N., al orden episcopal, a los presbíteros y diáconos, y a todo el pueblo redimido por ti.

Atiende los deseos y súplicas de esta familia que has congregado en tu presencia.

En los domingos:

Atiende los deseos y súplicas de esta familia que has congregado en tu presencia en el domingo, día en que Cristo ha vencido a la muerte y nos ha hecho partícipes de su vida inmortal.

———————

Reúne en torno a ti, Padre misericordioso, a todos tus hijos dispersos por el mundo.

† A nuestros hermanos difuntos y a cuantos murieron en tu amistad recíbelos en tu reino, donde esperamos gozar todos juntos de la plenitud eterna de tu gloria, por Cristo, Señor nuestro, por quien concedes al mundo todos los bienes.

Cuando esta Plegaria eucarística se utiliza en las Misas de difuntos, puede decirse:

† Recuerda a tu hijo (hija) N., a quien llamaste (hoy) de este mundo a tu presencia: concédele que, así como ha compartido ya la muerte de Jesucristo, comparta también con él la gloria de la resurrección, cuando Cristo haga resurgir de la tierra a los muertos, y transforme nuestro cuerpo frágil en cuerpo glorioso como el suyo. Y a todos nuestros hermanos difuntos y a cuantos murieron en tu amistad recíbelos en tu reino, donde esperamos gozar todos juntos de la plenitud eterna de tu gloria; allí enjugarás las lágrimas de nuestros ojos, porque, al contemplarte como tú eres, Dios nuestro, seremos para siempre semejantes a ti y cantaremos eternamente tus alabanzas, por Cristo, Señor nuestro, por quien concedes al mundo todos los bienes.

Por Cristo, con él y en él, a ti, Dios Padre omnipotente, en la unidad del Espíritu Santo, todo honor y toda gloria por los siglos de los siglos. **Amén.**

Ordinario de la Misa

Rito De La Comunión

Padre Nuestro

Fieles a la recomendación del Salvador y siguiendo su divina enseñanza, nos atrevemos a decir:

Padre nuestro, que estás en el cielo, santificado sea tu nombre; venga a nosotros tu reino; hágase tu voluntad en la tierra como en el cielo. Danos hoy nuestro pan de cada día; perdona nuestras ofensas, como también nosotros perdonamos a los que nos ofenden; no nos dejes caer en la tentación, y líbranos del mal.

Líbranos de todos los males, Señor, y concédenos la paz en nuestros días, para que, ayudados por tu misericordia, vivamos siempre libres de pecado y protegidos de toda perturbación, mientras esperamos la gloriosa venida de nuestro Salvador Jesucristo.

R. **Tuyo es el reino, tuyo el poder y la gloria, por siempre, Señor.**

Rito De La Paz

Señor Jesucristo, que dijiste a tus apóstoles: "La paz les dejo, mi paz les doy", no tengas en cuenta nuestros pecados, sino la fe de tu Iglesia y, conforme a tu palabra, concédele la paz y la unidad. Tú que vives y reinas por los siglos de los siglos.

R. **Amén.**

La paz del Señor esté siempre con ustedes.

R. **Y con tu espíritu.**

Si es oportuno, el diácono o el sacerdote invita a los fieles a darse la paz.

Dense fraternalmente la paz.

Fracción Del Pan

El gesto de la fracción del pan significa que formamos un solo cuerpo los que nos alimentamos del Pan de vida, que es Cristo.

Cordero de Dios, que quitas el pecado del mundo, ten piedad de nosotros.

Cordero de Dios, que quitas el pecado del mundo, ten piedad de nosotros.

Cordero de Dios, que quitas el pecado del mundo, danos la paz.

Ordinario de la Misa

Comunión

El sacerdote completa su preparación personal diciendo en voz baja, una de estas oraciones.

Señor Jesucristo, Hijo de Dios vivo, que por voluntad del Padre, cooperando el Espíritu Santo, diste con tu muerte la vida al mundo, líbrame, por la recepción de tu Cuerpo y de tu Sangre, de todas mis culpas y de todo mal. Concédeme cumplir siempre tus mandamientos y jamás permitas que me separe de ti.

O bien:

Señor Jesucristo, la comunión de tu Cuerpo y de tu Sangre no sea para mí un motivo de juicio y condenación, sino que, por tu piedad, me aproveche para defensa de alma y cuerpo y como remedio saludable.

Muestra a los fieles el pan eucarístico.

Éste es el Cordero de Dios, que quita el pecado del mundo. Dichosos los invitados a la cena del Señor.

R. **Señor, no soy digno de que entres en mi casa, pero una palabra tuya bastará para sanarme.**

Canto De Comunión

Si no hay canto se dice la Antífona de la comunión. Terminada la comunión, se puede orar en silencio por algún espacio de tiempo. También se puede cantar algún salmo de alabanza.

Rito De Conclusión

El Señor esté con ustedes.

R. **Y con tu espíritu.**

La bendición de Dios todopoderoso,
Padre, Hijo †, y Espíritu Santo,
descienda sobre ustedes.

R. **Amén.**

El diácono o el sacerdote dice:

Pueden ir en paz.

R. **Demos gracias a Dios.**

Guardaba todas estas cosas y las meditaba en su corazón

(S) (Blanco)

Antífona de entrada

Te aclamamos, santa Madre de Dios, porque has dado a luz al Rey, que gobierna el cielo y la tierra por los siglos de los siglos.

Se dice Gloria

Oración Colecta

Señor Dios, que por la fecunda virginidad de María diste al género humano el don de la salvación eterna, concédenos sentir la intercesión de aquella por quien recibimos al autor de la vida, Jesucristo, tu Hijo, Señor nuestro. Él, que vive y reina contigo. *Todos:* **Amén.**

1ª Lectura

Del libro de los Números
(Núm 6, 22-27)

En aquel tiempo, el Señor habló a Moisés y le dijo: "Di a Aarón y a sus hijos: 'De esta manera bendecirán a los israelitas: El Señor te bendiga y te proteja, haga resplandecer su rostro sobre ti y te conceda su favor. Que el Señor te mire con benevolencia y te conceda la paz'.

Así invocarán mi nombre sobre los israelitas y yo los bendeciré".
Palabra de Dios.
Todos: **Te alabamos, Señor.**

Salmo Responsorial

(Sal 66)

Respuesta: **Ten piedad de nosotros, Señor, y bendícenos.**

Lector: Ten piedad de nosotros y bendícenos; vuelve, Señor, tus ojos a nosotros. Que conozca la tierra tu bondad y los pueblos tu obra salvadora. / R.

Lector: Las naciones con júbilo te canten, porque juzgas al mundo con justicia; con equidad tú juzgas a los pueblos y riges en la tierra a las naciones. / R.

Lector: Que te alaben, Señor, todos los pueblos, que los pueblos te aclamen todos juntos. Que nos bendiga Dios y que le rinda honor el mundo entero. / R.

2ª Lectura

De la carta del apóstol san Pablo a los gálatas (Gál 4, 4-7)

Hermanos: Al llegar la plenitud de los tiempos, envió Dios a su Hijo, nacido de una mujer, nacido bajo la ley, para rescatar a los que estábamos bajo la ley, a fin de hacernos hijos suyos.

Puesto que ya son ustedes hijos, Dios envió a sus corazones el Espíritu de su Hijo, que clama "¡Abbá!", es decir, ¡Padre! Así que ya no eres siervo, sino hijo; y siendo hijo, eres también heredero por voluntad de Dios.

Palabra de Dios.

Todos: Te alabamos, Señor.

Aclamación antes del Evangelio

(Heb 1, 1-2)

R. **Aleluya, aleluya.** En distintas ocasiones y de muchas maneras habló Dios en el pasado a nuestros padres, por boca de los profetas. Ahora, en estos tiempos, nos ha hablado por medio de su Hijo.

R. **Aleluya, aleluya.**

Evangelio

Del santo Evangelio según san Lucas
(Lc 2, 16-21)
Todos: Gloria a ti, Señor.

En aquel tiempo, los pastores fueron a toda prisa hacia Belén y encontraron a María, a José y al niño, recostado en el pesebre. Después de verlo, contaron lo que se les había dicho de aquel niño y cuantos los oían quedaban maravillados. María, por su parte, guardaba todas estas cosas y las meditaba en su corazón.

Los pastores se volvieron a sus campos, alabando y glorificando a Dios por todo cuanto habían visto y oído, según lo que se les había anunciado.

Cumplidos los ocho días, circuncidaron al niño y le pusieron el nombre de Jesús, aquel mismo que había dicho el ángel, antes de que el niño fuera concebido.

Palabra del Señor.
Todos: Gloria a ti, Señor Jesús.

Se dice Credo

Oración sobre las Ofrendas

Señor Dios, que das origen y plenitud a todo bien, concédenos que, al celebrar, llenos de gozo, la solemnidad de la Santa Madre de Dios, así como nos gloriamos de las primicias de su gracia, podamos gozar también de su plenitud. Por Jesucristo, nuestro Señor. *Todos: Amén.*

Antífona de la Comunión

Jesucristo es el mismo ayer, hoy y por todos los siglos (Heb 13, 8).

Oración después de la Comunión

Señor, que estos sacramentos celestiales que hemos recibido con alegría, sean fuente de vida eterna para nosotros, que nos gloriamos de proclamar a la siempre Virgen María como Madre de tu Hijo y Madre de la Iglesia. Por Jesucristo, nuestro Señor. *Todos: Amén.*

Juegos y Actividades

¡Vamos a escribir un poco!
¿Cuántas palabras pueden salir
de las letras de éstas
que están aquí?
¡Observa los ejemplos!

BONDADOSAMENTE _banda, dame_

TESTIMONIO _monte_

BAUTIZADO _tiza_

COMPLACENCIAS _palco_

Él los bautizará
con el Espíritu Santo

(Blanco)

Antífona de entrada

Una luz se levanta en las tinieblas para los hombres de corazón recto: el Señor clemente, justo y compasivo (Sal 111, 4).

Oración Colecta

Te rogamos, Señor, que ilumines bondadosamente a tus fieles e inflames siempre sus corazones con el resplandor de tu gloria, para que constantemente reconozcamos a nuestro Salvador y lo acojamos de verdad. Él, que vive y reina contigo. *Todos:* **Amén.**

1ª Lectura

De la primera carta del apóstol san Juan
(1 Jn 5, 5-13)

Queridos hijos: ¿Quién es el que vence al mundo? Sólo el que cree que Jesús es el Hijo de Dios. Jesucristo se manifestó por medio del agua y de la sangre; él vino, no sólo con agua, sino con agua y con sangre. Y el Espíritu es el que da testimonio, porque el Espíritu es la verdad. Así pues, los testigos son tres: el Espíritu, el agua y la sangre. Y los tres están de acuerdo.

Si aceptamos el testimonio de los hombres, el testimonio de Dios vale mucho más y ese testimonio es el que Dios ha dado de su Hijo.

El que cree en el Hijo de Dios tiene en sí ese testimonio. El que no le cree a Dios, hace de él un mentiroso, porque no cree en el testimonio que Dios ha dado de su Hijo. Y el testimonio es éste: que Dios nos ha dado la vida eterna y esa vida está en su Hijo. Quien tiene al Hijo, tiene la vida; quien no tiene al Hijo, no tiene la vida.

A ustedes, los que creen en el nombre del Hijo de Dios, les he escrito estas cosas para que sepan que tienen la vida eterna.

Palabra de Dios.

*Todos: **Te alabamos, Señor.***

Salmo Responsorial

(Sal 147)

Respuesta: Bendito sea el Señor.

Lector: Glorifica al Señor, Jerusalén, a Dios ríndele honores, Israel. Él refuerza el cerrojo de tus puertas y bendice a tus hijos en tu casa. / R.

Lector: Él mantiene la paz en tus fronteras, con su trigo mejor sacia tu hambre. Él envía a la tierra su mensaje y su palabra corre velozmente. / R.

Lector: Le muestra a Jacob su pensamiento, sus normas y designios a Israel. No ha hecho nada igual con ningún pueblo, ni le ha confiado a otro sus proyectos. / R.

Aclamación antes del Evangelio

(Cfr. Mc 9, 7)

R. Aleluya, aleluya. En el resplandor de la nueve se oyó la voz del Padre, que decía: "Éste es mi Hijo amado; escúchenlo".

R. Aleluya, aleluya.

Evangelio

Del santo Evangelio según san Marcos
(Mc 1, 7-11)
Todos: Gloria a ti, Señor.

En aquel tiempo, Juan predicaba diciendo: "Ya viene detrás de mí uno que es más poderoso que yo, uno ante quien no merezco ni siquiera inclinarme para desatarle la correa de sus sandalias. Yo los he bautizado a ustedes con agua, pero él los bautizará con el Espíritu Santo".

Por esos días, vino Jesús desde Nazaret de Galilea y fue bautizado por Juan en el Jordán. Al salir Jesús del agua, vio que los cielos se rasgaban y que el Espíritu, en figura de paloma, descendía sobre él. Se oyó entonces una voz del cielo que decía: "Tú eres mi Hijo amado; yo tengo en ti mis complacencias".

Palabra del Señor.
*Todos: **Gloria a ti, Señor Jesús.***

Oración sobre las Ofrendas

Acepta benignamente, Señor, los dones de tu pueblo, para que recibamos, por este sacramento celestial, aquello mismo que el fervor de nuestra fe nos mueve a proclamar. Por Jesucristo, nuestro Señor. *Todos:* **Amén.**

Antífona de la Comunión

En esto se manifiesta el amor que Dios nos tiene: en que envió al mundo a su Hijo único, para que vivamos por él (1 Jn 4, 9).

Oración después de la Comunión

Señor Dios, que nos unes a ti al permitirnos participar en tus sacramentos, realiza su poderoso efecto en nuestros corazones, y que la misma recepción de este don tuyo nos haga más dignos de seguirlo recibiendo. Por Jesucristo, nuestro Señor. *Todos:* **Amén.**

(Blanco)

Antífona de entrada

Miren que ya viene el Señor todopoderoso; en su mano están el reino, la potestad y el imperio (Cfr. Mal 3, 1; 1 Crón 29, 12).

Se dice Gloria

Oración Colecta

Señor Dios, que en este día manifestaste a tu Unigénito a las naciones, guiándolas por la estrella, concede a los que ya te conocemos por la fe, que lleguemos a contemplar la hermosura de tu excelsa gloria. Por nuestro Señor Jesucristo. *Todos: Amén.*

1ª Lectura

Del libro del profeta Isaías
(Is 60, 1-6)

Levántate y resplandece, Jerusalén, porque ha llegado tu luz y la gloria del Señor alborea sobre ti. Mira: las tinieblas cubren la tierra y espesa niebla envuelve a los pueblos; pero sobre ti resplandece el Señor y en ti se manifiesta su gloria. Caminarán los pueblos a tu luz y los reyes, al resplandor de tu aurora.

Levanta los ojos y mira alrededor: todos se reúnen y vienen a ti; tus hijos llegan de lejos, a tus hijas las traen en brazos. Entonces verás esto radiante de alegría; tu corazón se alegrará, y se ensanchará, cuando se vuelquen sobre ti los tesoros del mar y te traigan las riquezas de los pueblos. Te inundará una multitud de camellos y dromedarios, procedentes de Madián y de Efá. Vendrán todos los de Sabá trayendo incienso y oro y proclamando las alabanzas del Señor.

Palabra de Dios.

Todos: Te alabamos, Señor.

Salmo Responsorial

(Sal 71)

Respuesta: **Que te adoren, Señor, todos los pueblos.**

Lector: Comunica, Señor, al rey tu juicio y tu justicia, al que es hijo de reyes; así tu siervo saldrá en defensa de tus pobres y regirá a tu pueblo justamente. / R.

Lector: Florecerá en sus días la justicia y reinará la paz, era tras era. De mar a mar se extenderá su reino y de un extremo al otro de la tierra. / R.

Lector: Los reyes de occidente y de las islas le ofrecerán sus dones. Ante él se postrarán todos los reyes y todas las naciones. / R.

Lector: Al débil librará del poderoso y ayudará al que se encuentra sin amparo; se apiadará del desvalido y pobre y salvará la vida al desdichado. / R.

2ª Lectura

De la carta del apóstol san Pablo
a los efesios (Ef 3, 2-3. 5-6)

Hermanos: Han oído hablar de la distribución de la gracia de Dios, que se me ha confiado en favor de ustedes. Por revelación se me dio a conocer este misterio, que no había sido manifestado a los hombres en otros tiempos, pero que ha sido revelado ahora por el Espíritu a sus santos apóstoles y profetas: es decir, que por el Evangelio, también los paganos son coherederos de la misma herencia, miembros del mismo cuerpo y partícipes de la misma promesa en Jesucristo.

Palabra de Dios.

Todos: Te alabamos, Señor.

Aclamación antes del Evangelio

(Mt 2, 2)

R. **Aleluya, aleluya.** Hemos visto su estrella en el oriente y hemos venido a adorar al Señor.

R. **Aleluya, aleluya.**

Evangelio

Del santo Evangelio según san Mateo
(Mt 2, 1-12)
Todos: Gloria a ti, Señor.

Jesús nació en Belén de Judá, en tiempos del rey Herodes. Unos magos de oriente llegaron entonces a Jerusalén y preguntaron: "¿Dónde está el rey de los judíos que acaba de nacer? Porque vimos surgir su estrella y hemos venido a adorarlo".

Al enterarse de esto, el rey Herodes se sobresaltó y toda Jerusalén con él. Convocó entonces a los sumos sacerdotes y a los escribas del pueblo y les preguntó dónde tenía que nacer el Mesías. Ellos le contestaron: "En Belén de Judá, porque así lo ha escrito el profeta: *Y tú, Belén, tierra de Judá, no eres en manera alguna la menor entre las ciudades ilustres de Judá, pues de ti saldrá un jefe, que será el pastor de mi pueblo, Israel*".

Entonces Herodes llamó en secreto a los magos, para que le precisaran el tiempo en que se les había aparecido la estrella y los mandó a Belén, diciéndoles: "Vayan a averiguar cuidadosamente qué hay de ese niño, y cuando lo encuentren, avísenme para que yo también vaya a adorarlo".

Después de oír al rey, los magos se pusieron en camino, y de pronto la estrella que habían visto surgir, comenzó a guiarlos, hasta que se detuvo encima de donde estaba el niño. Al ver de nuevo la estrella, se llenaron de inmensa alegría. Entraron en la casa y vieron al niño con María, su madre, y postrándose, lo adoraron. Después, abriendo sus cofres, le ofrecieron regalos: oro, incienso y mirra. Advertidos durante el sueño de que no volvieran a Herodes, regresaron a su tierra por otro camino.

Palabra del Señor.
Todos: Gloria a ti, Señor Jesús.

Se dice Credo

Oración sobre las Ofrendas

Mira con bondad, Señor, los dones de tu Iglesia, que no consisten ya en oro, incienso y mirra, sino en lo que por esos dones se representa, se inmola y se recibe como alimento, Jesucristo, Señor nuestro. Él, que vive y reina por los siglos de los siglos. *Todos: **Amén.***

Antífona de la Comunión

Hemos visto su estrella en el Oriente y venimos con regalos a adorar al Señor (Cfr. Mt 2, 2).

Oración después de la Comunión

Te pedimos, Señor, que tu luz celestial siempre y en todas partes vaya guiándonos, para que contemplemos con ojos puros y recibamos con amor sincero el misterio del que quisiste hacernos partícipes. Por Jesucristo, nuestro Señor. *Todos: **Amén.***

Juegos y Actividades

¡Estos dos dibujos de los Reyes Magos no son iguales! ¡Encontremos las 6 diferencias!

Éste es el Hijo de Dios

(Verde)

Antífona de entrada

Que se postre ante ti, Señor, la tierra entera; que todos canten himnos en tu honor y alabanzas a tu nombre (Sal 65, 4).

Se dice gloria

Oración Colecta

Dios todopoderoso y eterno, que gobiernas los cielos y la tierra, escucha con amor las súplicas de tu pueblo y haz que los días de nuestra vida transcurran en tu paz. Por nuestro Señor Jesucristo. *Todos: Amén.*

1ª Lectura

Del libro del profeta Isaías
(Is 49, 3. 5-6)

El Señor me dijo: "Tú eres mi siervo, Israel; en ti manifestaré mi gloria". Ahora habla el Señor, el que me formó desde el seno materno, para que fuera su servidor, para hacer que Jacob volviera a él y congregar a Israel en torno suyo —tanto así me honró el Señor y mi Dios fue mi fuerza—. Ahora, pues, dice el Señor: "Es poco que seas mi siervo sólo para restablecer a las tribus de Jacob y reunir a los sobrevivientes de Israel; te voy a convertir en luz de las naciones, para que mi salvación llegue hasta los últimos rincones de la tierra".

Palabra de Dios.
Todos: Te alabamos, Señor.

Salmo Responsorial

(Sal 39)

Respuesta: Aquí estoy, Señor, para hacer tu voluntad.

Lector: Esperé en el Señor con gran confianza, él se inclinó hacia mí y escuchó mis plegarias. Él me puso en la boca un canto nuevo, un himno a nuestro Dios. / R.

Lector: Sacrificios y ofrendas no quisiste, abriste, en cambio, mis oídos a tu voz. No exigiste holocaustos por la culpa, así que dije: "Aquí estoy". / R.

Lector: En tus libros se me ordena hacer tu voluntad; esto es, Señor, lo que deseo: tu ley en medio de mi corazón. / R.

Lector: He anunciado tu justicia en la gran asamblea; no he cerrado mis labios, tú lo sabes, Señor. / R.

2ª Lectura

De la primera carta del apóstol san Pablo a los corintios (1 Cor 1, 1-3)

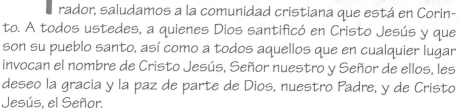

Yo, Pablo, apóstol de Jesucristo por voluntad de Dios, y Sóstenes, mi colaborador, saludamos a la comunidad cristiana que está en Corinto. A todos ustedes, a quienes Dios santificó en Cristo Jesús y que son su pueblo santo, así como a todos aquellos que en cualquier lugar invocan el nombre de Cristo Jesús, Señor nuestro y Señor de ellos, les deseo la gracia y la paz de parte de Dios, nuestro Padre, y de Cristo Jesús, el Señor.

Palabra de Dios.

Todos: **Te alabamos, Señor.**

Aclamación antes del Evangelio

(Jn 1, 14. 12)

R. **Aleluya, aleluya.** Aquel que es la Palabra se hizo hombre y habitó entre nosotros. A todos los que lo recibieron les concedió poder llegar a ser hijos de Dios.

R. **Aleluya, aleluya.**

Evangelio

Del santo Evangelio según san Juan
(Jn 1, 29-34)
Todos: Gloria a ti, Señor.

En aquel tiempo, vio Juan el Bautista a Jesús, que venía hacia él, y exclamó: "Éste es el Cordero de Dios, el que quita el pecado del mundo. Éste es aquel de quien yo he dicho: 'El que viene después de mí, tiene precedencia sobre mí, porque ya existía antes que yo'. Yo no lo conocía, pero he venido a bautizar con agua, para que él sea dado a conocer a Israel".

Entonces Juan dio este testimonio: "Vi al Espíritu descender del cielo en forma de paloma y posarse sobre él. Yo no lo conocía, pero el que me envió a bautizar con agua me dijo: 'Aquel sobre quien veas que baja y se posa el Espíritu Santo, ése es el que ha de bautizar con el Espíritu Santo'. Pues bien, yo lo vi y doy testimonio de que éste es el Hijo de Dios".

Palabra del Señor.
Todos: Gloria a ti, Señor Jesús.

Se dice Credo

Oración sobre las Ofrendas

Concédenos, Señor, participar dignamente en estos misterios, porque cada vez que se celebra el memorial de este sacrificio, se realiza la obra de nuestra redención. Por Jesucristo, nuestro Señor. *Todos: Amén.*

Antífona de la Comunión

Para mí, Señor, has preparado la mesa y has llenado mi copa hasta los bordes (Cfr. Sal 22, 5).

Oración después de la Comunión

Infúndenos, Señor, el espíritu de tu caridad, para que, saciados con el pan del cielo, vivamos siempre unidos en tu amor. Por Jesucristo, nuestro Señor. *Todos: Amén.*

Dejaron las redes y lo siguieron

(Verde)

Antífona de entrada

Canten al Señor un cántico nuevo, hombres de toda la tierra, canten al Señor. Hay brillo y esplendor en su presencia, y en su templo, belleza y majestad (Cfr. Sal 95, 1. 6).

Se dice gloria

Oración Colecta

Dios todopoderoso y eterno, dirige nuestros pasos de manera que podamos agradarte en todo y así merezcamos, en nombre de tu Hijo amado, abundar en toda clase de obras buenas. Por nuestro Señor Jesucristo. *Todos:* **Amén.**

1ª Lectura

Del libro del profeta Isaías
(Is 8, 23-9, 3)

En otro tiempo el Señor humilló al país de Zabulón y al país de Neftalí; pero en el futuro llenará de gloria el camino del mar, más allá del Jordán, en la región de los paganos.

El pueblo que caminaba en tinieblas vio una gran luz. Sobre los que vivían en tierra de sombras, una luz resplandeció.

Engrandeciste a tu pueblo e hiciste grande su alegría. Se gozan en tu presencia como gozan al cosechar, como se alegran al repartirse el botín.

Porque tú quebrantaste su pesado yugo, la barra que oprimía sus hombros y el cetro de su tirano, como en el día de Madián.

Palabra de Dios.

Todos: Te alabamos, Señor.

Salmo Responsorial

(Sal 26)

Respuesta: El Señor es mi luz y mi salvación.

Lector: El Señor es mi luz y mi salvación, ¿a quién voy a tenerle miedo? El Señor es la defensa de mi vida, ¿quién podrá hacerme temblar? / R.

Lector: Lo único que pido, lo único que busco es vivir en la casa del Señor toda mi vida, para disfrutar las bondades del Señor y estar continuamente en su presencia. / R.

Lector: La bondad del Señor espero ver en esta misma vida. Ármate de valor y fortaleza y en el Señor confía. / R.

2ª Lectura

De la primera carta del apóstol san Pablo
a los corintios (1 Cor 1, 10-13. 17)

Hermanos: Los exhorto, en nombre de nuestro Señor Jesucristo, a que todos vivan en concordia y no haya divisiones entre ustedes, a que estén perfectamente unidos en un mismo sentir y en un mismo pensar.

Me he enterado, hermanos, por algunos servidores de Cloe, de que hay discordia entre ustedes. Les digo esto, porque cada uno de ustedes ha tomado partido, diciendo: "Yo soy de Pablo", "yo soy de Apolo", "yo soy de Pedro", "yo soy de Cristo". ¿Acaso Cristo está dividido? ¿Es que Pablo fue crucificado por ustedes? ¿O han sido bautizados ustedes en nombre de Pablo?

Por lo demás, no me envió Cristo a bautizar, sino a predicar el Evangelio, y eso, no con sabiduría de palabras, para no hacer ineficaz la cruz de Cristo.

Palabra de Dios.

Todos: Te alabamos, Señor.

Aclamación antes del Evangelio

(Cfr. Mt 4, 23)

R. **Aleluya, aleluya.** Jesús predicaba la buena nueva del Reino y curaba las enfermedades y dolencias del pueblo.
R. **Aleluya, aleluya.**

Evangelio

Del santo Evangelio según san Mateo
(Mt 4, 12-23)

Todos: Gloria a ti, Señor.

Al enterarse Jesús de que Juan había sido arrestado, se retiró a Galilea, y dejando el pueblo de Nazaret, se fue a vivir a Cafarnaúm, junto al lago, en territorio de Zabulón y Neftalí, para que así se cumpliera lo que había anunciado el profeta Isaías:

Tierra de Zabulón y Neftalí, camino del mar, al otro lado del Jordán, Galilea de los paganos. El pueblo que caminaba en tinieblas vio una gran luz. Sobre los que vivían en tierra de sombras una luz resplandeció.

Desde entonces comenzó Jesús a predicar, diciendo: "Conviértanse, porque ya está cerca el Reino de los cielos".

Una vez que Jesús caminaba por la ribera del mar de Galilea, vio a dos hermanos, Simón, llamado después Pedro, y Andrés, los cuales estaban echando las redes al mar, porque eran pescadores. Jesús les dijo: "Síganme y los haré pescadores de hombres". Ellos inmediatamente dejaron las redes y lo siguieron.

Pasando más adelante, vio a otros dos hermanos, Santiago y Juan, hijos de Zebedeo, que estaban con su padre en la barca, remendando las redes, y los llamó también. Ellos, dejando enseguida la barca y a su padre, lo siguieron.

Andaba por toda Galilea, enseñando en las sinagogas y proclamando la buena nueva del Reino de Dios y curando a la gente de toda enfermedad y dolencia.

Palabra del Señor.
Todos: Gloria a ti, Señor Jesús.

Se dice Credo

Oración sobre las Ofrendas

Recibe, Señor, benignamente, nuestros dones, y santifícalos, a fin de que nos sirvan para nuestra salvación. Por Jesucristo, nuestro Señor. *Todos:* **Amén.**

Antífona de la Comunión

Acudan al Señor; quedarán radiantes y sus rostros no se avergonzarán (Cfr. Sal 33, 6).

Oración después de la Comunión

Concédenos, Dios todopoderoso, que al experimentar el efecto vivificante de tu gracia, nos sintamos siempre dichosos por este don tuyo. Por Jesucristo, nuestro Señor. *Todos:* **Amén.**

Juegos y Actividades

¡Estas cuatro palabras tienen las letras revueltas! Ayúdame a ordenarlas uniendo cada una al dibujo que le corresponde!

GOVELEANI

MALPOA

OPCA

MISOTABU

Dichosos los limpios de corazón

(Verde)

Antífona de entrada

Sálvanos, Señor y Dios nuestro; reúnenos de entre las naciones, para que podamos agradecer tu poder santo y nuestra gloria sea alabarte (Sal 105, 47).

Se dice gloria

Oración Colecta

Concédenos, Señor Dios nuestro, adorarte con toda el alma y amar a todos los hombres con afecto espiritual. Por nuestro Señor Jesucristo. *Todos: Amén.*

1ª Lectura

Del libro del profeta Sofonías
(Sof 2, 3; 3, 12-13)

Busquen al Señor, ustedes los humildes de la tierra, los que cumplen los mandamientos de Dios. Busquen la justicia, busquen la humildad. Quizá puedan así quedar a cubierto el día de la ira del Señor.

"Aquel día, dice el Señor, yo dejaré en medio de ti, pueblo mío, un puñado de gente pobre y humilde.

Este resto de Israel confiará en el nombre del Señor. No cometerá maldades ni dirá mentiras; no se hallará en su boca una lengua

29 de enero

embustera. Permanecerán tranquilos y descansarán sin que nadie los moleste".

Palabra de Dios.

Todos: Te alabamos, Señor.

Salmo Responsorial

(Sal 145)

Respuesta: Dichosos los pobres de espíritu, porque de ellos es el Reino de los cielos.

Lector: El Señor siempre es fiel a su palabra, y es quien hace justicia al oprimido; él proporciona pan a los hambrientos y libera al cautivo. / **R.**

Lector: Abre el Señor los ojos de los ciegos y alivia al agobiado. Ama el Señor al hombre justo y toma al forastero a su cuidado. / **R.**

Lector: A la viuda y al huérfano sustenta y trastorna los planes del inicuo. Reina el Señor eternamente, reina tu Dios, oh Sión, reina por siglos. / **R.**

2ª Lectura

De la primera carta del apóstol san Pablo a los corintios (1 Cor 1, 26-31)

Hermanos: Consideren que entre ustedes, los que han sido llamados por Dios, no hay muchos sabios, ni muchos poderosos, ni muchos nobles, según los criterios humanos. Pues Dios ha elegido a los ignorantes de este mundo, para humillar a los sabios; a los débiles del mundo, para avergonzar a los fuertes; a los insignificantes y despreciados del mundo, es decir, a los que no valen nada, para reducir a la nada a los que valen; de manera que nadie pueda presumir delante de Dios.

En efecto, por obra de Dios, ustedes están injertados en Cristo Jesús, a quien Dios hizo nuestra sabiduría, nuestra justicia, nuestra santificación y nuestra redención. Por lo tanto, como dice la Escritura: *El que se gloría, que se gloríe en el Señor.*

Palabra de Dios.

Todos: Te alabamos, Señor.

Aclamación antes del Evangelio

(Mt 5, 12)

R **Aleluya, aleluya.** Alégrense y salten de contento, porque su premio será grande en los cielos.

R. **Aleluya, aleluya.**

Evangelio

Del santo Evangelio según san Mateo
(Mt 5, 1-12)

Todos: Gloria a ti, Señor.

En aquel tiempo, cuando Jesús vio a la muchedumbre, subió al monte y se sentó. Entonces se le acercaron sus discípulos. Enseguida comenzó a enseñarles, hablándoles así:

"Dichosos los pobres de espíritu, porque de ellos es el Reino de los cielos. Dichosos los que lloran, porque serán consolados. Dichosos los sufridos, porque heredarán la tierra. Dichosos los que tienen hambre y sed de justicia, porque serán saciados. Dichosos los misericordiosos, porque obtendrán misericordia. Dichosos los limpios de corazón, porque verán a Dios. Dichosos los que trabajan por la paz, porque se les llamará hijos de Dios. Dichosos los perseguidos por causa de la justicia, porque de ellos es el Reino de los cielos.

Dichosos serán ustedes cuando los injurien, los persigan y digan cosas falsas de ustedes por causa mía. Alégrense y salten de contento, porque su premio será grande en los cielos.

Palabra del Señor.

Todos: Gloria a ti, Señor Jesús.

Se dice Credo

Oración sobre las Ofrendas

Recibe, Señor, complacido, estos dones que ponemos sobre tu altar en señal de nuestra sumisión a ti y conviértelos en el sacramento de nuestra redención. Por Jesucristo, nuestro Señor. *Todos: Amén.*

Antífona de la Comunión

Vuelve, Señor, tus ojos a tu siervo y sálvame por tu misericordia. A ti, Señor, me acojo, que no quede yo nunca defraudado (Cfr. Sal 30, 17-18).

Oración después de la Comunión

Te rogamos, Señor, que, alimentados con el don de nuestra redención, este auxilio de salvación eterna afiance siempre nuestra fe en la verdad. Por Jesucristo, nuestro Señor. **Todos: Amén.**

Juegos y Actividades

Ayudemos a Jesús a subir al monte para que de su sermón.
¡Remarca el camino correcto!

Herodes había mandado
apresar a Juan

(Verde)

Antífona de entrada

Los proyectos de su corazón subsisten de generación en generación, para librar de la muerte a sus fieles y reanimarlos en tiempo de hambre (Sal 32, 11. 19).

Oración Colecta

Señor Dios, haz que nos revistamos con las virtudes del corazón de tu Hijo y nos encendamos con el amor que lo inflama, para que, configurados a imagen suya, merezcamos ser partícipes de la redención eterna. Por nuestro Señor Jesucristo. *Todos: **Amén.***

1ª Lectura

De la carta a los hebreos
(Heb 13, 1-8)

Hermanos: Conserven entre ustedes el amor fraterno y no se olviden de practicar la hospitalidad, ya que por ella, algunos han hospedado ángeles sin saberlo. Acuérdense de los que están presos, como si ustedes mismos estuvieran también con ellos en la cárcel. Piensen en los que son maltratados, pues también ustedes tienen un cuerpo que puede sufrir.

Que todos tengan gran respeto al matrimonio y lleven una vida conyugal irreprochable, porque a los que cometen fornicación y adulterio, Dios los habrá de juzgar.

Que no haya entre ustedes avidez de riquezas, sino que cada quien se contente con lo que tiene. Dios ha dicho: *Nunca te dejaré ni te abandonaré;* por lo tanto, nosotros podemos decir con plena confianza: *El Señor cuida de mí, ¿por qué les he de tener miedo a los hombres?*

Acuérdense de sus pastores, que les predicaron la palabra de Dios. Consideren cómo terminaron su vida e imiten su fe. Jesucristo es el mismo ayer, hoy y siempre. **Palabra de Dios.**

Todos: **Te alabamos, Señor.**

Salmo Responsorial

(Sal 26)

Respuesta: El Señor es mi luz y mi salvación.

Lector: El Señor es mi luz y mi salvación, ¿a quién voy a tenerle miedo? El Señor es la defensa de mi vida, ¿quién podrá hacerme temblar? / R.

Lectura: Aunque se lance contra mí un ejército, no temerá mi corazón; aun cuando hagan la guerra contra mí, tendré plena confianza en el Señor. / R.

Lector: Porque el Señor me procuró un refugio en los tiempos aciagos; me esconderá en lo oculto de su tienda y él me pondrá a salvo. / R.

Lector: El corazón me dice que te busque y buscándote estoy. No me abandones ni me dejes solo, mi Dios y salvador. / R.

Aclamación antes del Evangelio

(Cfr. Lc 8, 15)

R. **Aleluya, aleluya.** Dichosos los que cumplen la palabra del Señor con un corazón bueno y sincero, y perseveran hasta dar fruto.
R. **Aleluya.**

Evangelio

Del santo Evangelio según san Marcos
(Mc 6, 14-29) / *Todos:* **Gloria a ti, Señor.**

En aquel tiempo, como la fama de Jesús se había extendido tanto, llegó a oídos del rey Herodes el rumor de que Juan el Bautista había resucitado y sus poderes actuaban en Jesús. Otros decían que era Elías; y otros, que era un profeta, comparable a los antiguos. Pero Herodes insistía: "Es Juan, a quien yo le corté la cabeza, y que ha resucitado".

Herodes había mandado apresar a Juan y lo había metido y encadenado en la cárcel. Herodes se había casado con Herodías, esposa de su hermano Filipo, y Juan le decía: "No te está permitido tener por mujer a la esposa de tu hermano". Por eso Herodes lo mandó encarcelar.

Herodías sentía por ello gran rencor contra Juan y quería quitarle la vida; pero no sabía cómo, porque Herodes miraba con respeto a Juan, pues sabía que era un hombre recto y santo, y lo tenía custodiado. Cuando lo oía hablar, quedaba desconcertado, pero le gustaba escucharlo.

La ocasión llegó cuando Herodes dio un banquete a su corte, a sus oficiales y a la gente principal de Galilea, con motivo de su cumpleaños. La hija de Herodías bailó durante la fiesta y su baile les gustó mucho a Herodes y a sus invitados. El rey le dijo entonces a la joven: "Pídeme lo que quieras y yo te lo daré". Y le juró varias veces: "Te daré lo que me pidas, aunque sea la mitad de mi reino".

Ella fue a preguntarle a su madre: "¿Qué le pido?" Su madre le contestó: "La cabeza de Juan el Bautista". Volvió ella inmediatamente junto al rey y le dijo: "Quiero que me des ahora mismo, en una charola, la cabeza de Juan el Bautista".

El rey se puso muy triste, pero debido a su juramento y a los convidados, no quiso desairar a la joven, y enseguida mandó a un verdugo que trajera la cabeza de Juan. El verdugo fue, lo decapitó en la cárcel, trajo la cabeza en una charola, se la entregó a la joven y ella se la entregó a su madre.

Al enterarse de esto, los discípulos de Juan fueron a recoger el cadáver y lo sepultaron.

Palabra del Señor.
Todos: Gloria a ti, Señor Jesús.

Oración sobre las Ofrendas

Dios nuestro, Padre de misericordia, que por el inmenso amor con que nos has amado, nos diste con inefable bondad a tu Unigénito, concédenos que, unidos íntimamente a él, te ofrezcamos una digna oblación. Por Jesucristo, nuestro Señor. *Todos: Amén.*

Antífona de la Comunión

Dice el Señor: Si alguno tiene sed, que venga a mí y beba, aquel que cree en mí. Como dice la Escritura: De sus entrañas brotarán ríos de agua viva (Cfr. Jn 7, 37-38).

Oración después de la Comunión

Habiendo participado de tu sacramento de amor, imploramos, Señor, tu clemencia, para que, configurados con Cristo en la tierra, merezcamos compartir su gloria en el cielo. Él, que vive y reina por los siglos de los siglos. *Todos:* **Amén.**

Juegos y Actividades

Fíjate bien en las tablas de la ley.
Sólo una de estas siluetas corresponde a la imagen a color.
¿Cuál es?

Ustedes son la luz del mundo

(Verde)

Antífona de entrada

Entremos y adoremos de rodillas al Señor, creador nuestro, porque él es nuestro Dios (Sal 94, 6-7).

Se dice gloria

Oración Colecta

Te rogamos, Señor, que guardes con incesante amor a tu familia santa, que tiene puesto su apoyo sólo en tu gracia, para que halle siempre en tu protección su fortaleza. Por nuestro Señor Jesucristo. **Todos: Amén.**

1ª Lectura

Del libro del profeta Isaías
(Is 58, 7-10)

Esto dice el Señor: "Comparte tu pan con el hambriento, abre tu casa al pobre sin techo, viste al desnudo y no des la espalda a tu propio hermano.

Entonces surgirá tu luz como la aurora y cicatrizarán de prisa tus heridas; te abrirá camino la justicia y la gloria del Señor cerrará tu marcha.

Entonces clamarás al Señor y él te responderá; lo llamarás, y él te dirá: 'Aquí estoy'.

Cuando renuncies a oprimir a los demás y destierres de ti el gesto amenazador y la palabra ofensiva; cuando compartas tu pan con el hambriento y sacies la necesidad del humillado, brillará tu luz en las tinieblas y tu oscuridad será como el mediodía".

Palabra de Dios.

Todos: Te alabamos, Señor.

Salmo Responsorial

(Sal 111)

Respuesta: El justo brilla como una luz en las tinieblas.

Lector: Quien es justo, clemente y compasivo, como una luz en las tinieblas brilla. Quienes, compadecidos, prestan y llevan su negocio honradamente, jamás se desviarán. / R.

Lector: El justo no vacilará; vivirá su recuerdo para siempre. No temerá malas noticias, porque en el Señor vive confiadamente. / R.

Lector Firme está y sin temor su corazón. Al pobre da limosna, obra siempre conforme a la justicia; su frente se alzará llena de gloria. / R.

2ª Lectura

De la primera carta del apóstol san Pablo a los corintios (1 Cor 2, 1-5)

Hermanos: Cuando llegué a la ciudad de ustedes para anunciarles el Evangelio, no busqué hacerlo mediante la elocuencia del lenguaje o la sabiduría humana, sino que resolví no hablarles sino de Jesucristo, más aún, de Jesucristo crucificado.

Me presenté ante ustedes débil y temblando de miedo. Cuando les hablé y les prediqué el Evangelio, no quise convencerlos con palabras de hombre sabio; al contrario, los convencí por medio del Espíritu y del poder de Dios, a fin de que la fe de ustedes dependiera del poder de Dios y no de la sabiduría de los hombres.

Palabra de Dios.

Todos: Te alabamos, Señor.

Aclamación antes del Evangelio

(Jn 8, 12)

R. **Aleluya, aleluya.** Yo soy la luz del mundo, dice el Señor; el que me sigue tendrá la luz de la vida.

R. **Aleluya, aleluya.**

Evangelio

Del santo Evangelio según san Mateo
(Mt 5, 13-16)
Todos: Gloria a ti, Señor.

En aquel tiempo, Jesús dijo a sus discípulos: "Ustedes son la sal de la tierra. Si la sal se vuelve insípida, ¿con qué se le devolverá el sabor? Ya no sirve para nada y se tira a la calle para que la pise la gente.

Ustedes son la luz del mundo. No se puede ocultar una ciudad construida en lo alto de un monte; y cuando se enciende una vela, no se esconde debajo de una olla, sino que se pone sobre un candelero, para que alumbre a todos los de la casa.

Que de igual manera brille la luz de ustedes ante los hombres, para que viendo las buenas obras que ustedes hacen, den gloria a su Padre, que está en los cielos".

Palabra del Señor.
Todos: Gloria a ti, Señor Jesús.

Se dice Credo

Oración sobre las Ofrendas

Señor Dios nuestro, que has creado los frutos de la tierra sobre todo para ayuda de nuestra fragilidad, concédenos que también se conviertan para nosotros en sacramento de eternidad. Por Jesucristo, nuestro Señor. **Todos: Amén.**

Antífona de la Comunión

Demos gracias al Señor por su misericordia, por las maravillas que hace en favor de su pueblo; porque da de beber al que tiene sed y les da de comer a los hambrientos (Cfr. Sal 106, 8-9).

Oración después de la Comunión

Señor Dios, que quisiste hacernos participar de un mismo pan y un mismo cáliz, concédenos vivir de tal manera, que, hechos uno en Cristo, demos fruto con alegría para la salvación del mundo. Por Jesucristo, nuestro Señor.

Juegos y Actividades

¡Estas cuatro palabras tienen las letras revueltas! Ayúdame a ordenarlas uniendo cada una al dibujo que le corresponde!

GOVELEANI

MALPOA

OPCA

MISOTABU

Ve primero a reconciliarte con tu hermano

(Verde)

12 de febrero

Antífona de entrada

Sírveme de defensa, Dios mío, de roca y fortaleza salvadoras. Tú eres mi baluarte y mi refugio, por tu nombre condúceme y guíame (Cfr. Sal 30, 3-4).

Se dice gloria

Oración Colecta

Señor Dios, que prometiste poner tu morada en los corazones rectos y sinceros, concédenos, por tu gracia, vivir de tal manera que te dignes habitar en nosotros. Por nuestro Señor Jesucristo. *Todos:* **Amén.**

1ª Lectura

Del libro del Sirácide (Eclesiástico)
(Sir 15, 16-21)

Si tú lo quieres, puedes guardar los mandamientos; permanecer fiel a ellos es cosa tuya. El Señor ha puesto delante de ti fuego y agua; extiende la mano a lo que quieras. Delante del hombre están la muerte y la vida; le será dado lo que él escoja.

Es infinita la sabiduría del Señor; es inmenso su poder y él lo ve todo. Los ojos del Señor ven con agrado a quienes lo temen; el Señor conoce todas las obras del hombre. A nadie le ha mandado ser impío y a nadie le ha dado permiso de pecar.

Palabra de Dios.
Todos: **Te alabamos, Señor.**

Salmo Responsorial

(Sal 118)

Respuesta: Dichoso el que cumple la voluntad del Señor.

Lector: Dichoso el hombre de conducta intachable, que cumple la ley del Señor. Dichoso el que es fiel a sus enseñanzas y lo busca de todo corazón. / **R.**

Lector: Tú, Señor, has dado tus preceptos para que se observen exactamente. Ojalá que mis pasos se encaminen al cumplimiento de tus mandamientos. / **R.**

Lector: Favorece a tu siervo para que viva y observe tus palabras. Ábreme los ojos para ver las maravillas de tu voluntad. / **R.**

Lector: Muéstrame, Señor, el camino de tus leyes y yo lo seguiré con cuidado. Enséñame a cumplir tu voluntad y a guardarla de todo corazón. / **R.**

2ª Lectura

**De la primera carta del apóstol san Pablo
a los corintios (1 Cor 2, 6-10)**

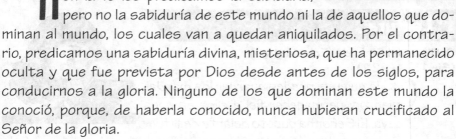

Hermanos: Es cierto que a los adultos en la fe les predicamos la sabiduría, pero no la sabiduría de este mundo ni la de aquellos que dominan al mundo, los cuales van a quedar aniquilados. Por el contrario, predicamos una sabiduría divina, misteriosa, que ha permanecido oculta y que fue prevista por Dios desde antes de los siglos, para conducirnos a la gloria. Ninguno de los que dominan este mundo la conoció, porque, de haberla conocido, nunca hubieran crucificado al Señor de la gloria.

Pero lo que nosotros predicamos es, como dice la Escritura, que *lo que Dios ha preparado para los que lo aman, ni el ojo lo ha visto, ni el oído lo ha escuchado, ni la mente del hombre pudo siquiera haberlo imaginado.* A nosotros, en cambio, Dios nos lo ha revelado por el Espíritu que conoce perfectamente todo, hasta lo más profundo de Dios.

Palabra de Dios.
Todos: Te alabamos Señor.

Aclamación antes del Evangelio

(Cfr. Mt 11, 25)

R. **Aleluya, aleluya.** Te doy gracias, Padre, Señor del cielo y de la tierra, porque has revelado los misterios del Reino a la gente sencilla. R. **Aleluya, aleluya.**

Evangelio

Del santo Evangelio según san Mateo

(Mt 5, 17-37)

Todos: Gloria a ti, Señor.

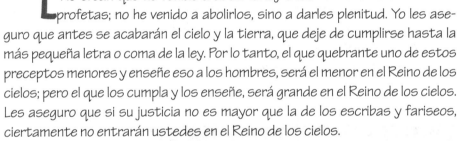

En aquel tiempo, Jesús dijo a sus discípulos: "No crean que he venido a abolir la ley o los profetas; no he venido a abolirlos, sino a darles plenitud. Yo les aseguro que antes se acabarán el cielo y la tierra, que deje de cumplirse hasta la más pequeña letra o coma de la ley. Por lo tanto, el que quebrante uno de estos preceptos menores y enseñe eso a los hombres, será el menor en el Reino de los cielos; pero el que los cumpla y los enseñe, será grande en el Reino de los cielos. Les aseguro que si su justicia no es mayor que la de los escribas y fariseos, ciertamente no entrarán ustedes en el Reino de los cielos.

Han oído ustedes que se dijo a los antiguos: *No matarás y el que mate será llevado ante el tribunal.* Pero yo les digo: Todo el que se enoje con su hermano, será llevado también ante el tribunal; el que insulte a su hermano, será llevado ante el tribunal supremo, y el que lo desprecie, será llevado al fuego del lugar de castigo.

Por lo tanto, si cuando vas a poner tu ofrenda sobre el altar, te acuerdas allí mismo de que tu hermano tiene alguna queja contra ti, deja tu ofrenda junto al altar y ve primero a reconciliarte con tu hermano, y vuelve luego a presentar tu ofrenda. Arréglate pronto con tu adversario, mientras vas con él por el camino; no sea que te entregue al juez, el juez al policía y te metan a la cárcel. Te aseguro que no saldrás de allí hasta que hayas pagado el último centavo.

También han oído ustedes que se dijo a los antiguos: *No cometerás adulterio;* Pero yo les digo que quien mire con malos deseos a una mujer, ya cometió adulterio con ella en su corazón. Por eso, si tu ojo derecho es para ti ocasión de pecado, arráncatelo y tíralo lejos, porque más te vale perder una parte de tu cuerpo y no que todo él sea arrojado al lugar de castigo. Y si tu mano derecha es para ti ocasión de pecado, córtatela y arrójala lejos de ti, porque más te vale perder una parte de tu cuerpo y no que todo él sea arrojado al lugar de castigo.

También se dijo antes: *El que se divorcie, que le dé a su mujer un certificado de divorcio; Pero yo les digo que el que se divorcia, salvo el caso de que vivan en unión ilegítima, expone a su mujer al adulterio y el que se casa con una divorciada comete adulterio.*

Han oído ustedes que se dijo a los antiguos: *No jurarás en falso y le cumplirás al Señor lo que le hayas prometido con juramento. Pero yo les digo: No juren de ninguna manera, ni por el cielo, que es el trono de Dios; ni por la tierra, porque es donde él pone los pies; ni por Jerusalén, que es la ciudad del gran Rey.*

Tampoco jures por tu cabeza, porque no puedes hacer blanco o negro uno solo de tus cabellos. Digan simplemente sí, cuando es sí; y no, cuando es no. Lo que se diga de más, viene del maligno".
Palabra del Señor.
*Todos: **Gloria a ti, Señor Jesús.***

Se dice Credo

Oración sobre las Ofrendas

Que esta ofrenda, Señor, nos purifique y nos renueve, y se convierta en causa de recompensa eterna para quienes cumplimos tu voluntad. Por Jesucristo, nuestro Señor. ***Todos: Amén.***

Antífona de la Comunión

El Señor colmó el deseo de su pueblo; no lo defraudó. Comieron y quedaron satisfechos (Cfr. Sal 77, 29-30).

Oración después de la Comunión

Saciados, Señor, por este manjar celestial, te rogamos que nos hagas anhelar siempre este mismo sustento por el cual verdaderamente vivimos. Por Jesucristo, nuestro Señor. ***Todos: Amén.***

(Verde)

19 de febrero

Antífona de entrada

Confío, Señor, en tu misericordia. Se alegra mi corazón con tu auxilio; cantaré al Señor por el bien que me ha hecho (Sal 12, 6).

Se dice gloria

Oración Colecta

Concédenos, Dios todopoderoso, que la constante meditación de tus misterios nos impulse a decir y hacer siempre lo que sea de tu agrado. Por nuestro Señor Jesucristo. *Todos:* **Amén.**

1ª Lectura

Del libro del Levítico
(Lev 19, 1-2. 17-18)

En aquellos días, dijo el Señor a Moisés: "Habla a la asamblea de los hijos de Israel y diles: 'Sean santos, porque yo, el Señor, soy santo.

No odies a tu hermano ni en lo secreto de tu corazón. Trata de corregirlo, para que no cargues tú con su pecado. No te vengues ni guardes rencor a los hijos de tu pueblo. Ama a tu prójimo como a ti mismo. Yo soy el Señor'".

Palabra de Dios.
Todos: **Te alabamos, Señor.**

Salmo Responsorial

(Sal 102)

Respuesta: **El Señor es compasivo y misericordioso.**

Lector: Bendice al Señor, alma mía, que todo mi ser bendiga su santo nombre. Bendice al Señor, alma mía, y no te olvides de sus beneficios. / **R.**

Lector: El Señor perdona tus pecados y cura tus enfermedades; él rescata tu vida del sepulcro y te colma de amor y de ternura. /

Lector: El Señor es compasivo y misericordioso, lento para enojarse y generoso para perdonar. No nos trata como merecen nuestras culpas, ni nos paga según nuestros pecados. / **R.**

Lector: Como dista el oriente del ocaso, así aleja de nosotros nuestros delitos; como un padre es compasivo con sus hijos, así es compasivo el Señor con quien lo ama. / **R.**

2ª Lectura

De la primera carta del apóstol san Pablo a los corintios (1 Cor 3, 16-23)

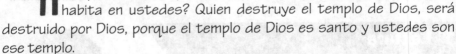

Hermanos: ¿No saben ustedes que son el templo de Dios y que el Espíritu de Dios habita en ustedes? Quien destruye el templo de Dios, será destruido por Dios, porque el templo de Dios es santo y ustedes son ese templo.

Que nadie se engañe: si alguno de ustedes se tiene a sí mismo por sabio según los criterios de este mundo, que se haga ignorante para llegar a ser verdaderamente sabio. Porque la sabiduría de este mundo es ignorancia ante Dios, como dice la Escritura: *Dios hace que los sabios caigan en la trampa de su propia astucia.* También dice: *El Señor conoce los pensamientos de los sabios y los tiene por vanos.*

Así pues, que nadie se gloríe de pertenecer a ningún hombre, ya que todo les pertenece a ustedes: Pablo, Apolo y Pedro, el mundo, la vida y la muerte, lo presente y lo futuro: todo es de ustedes; ustedes son de Cristo, y Cristo es de Dios.

Palabra de Dios.

Todos: Te alabamos, Señor.

Aclamación antes del Evangelio

(1 Jn 2, 5)

R. **Aleluya, aleluya.** En aquel que cumple la palabra de Cristo, el amor de Dios ha llegado a su plenitud.

R. **Aleluya, aleluya.**

Evangelio

Del santo Evangelio según san Mateo
(Mt 5, 38-48)
Todos: Gloria a ti, Señor.

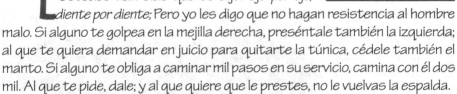

En aquel tiempo, Jesús dijo a sus discípulos: "Ustedes han oído que se dijo: *Ojo por ojo, diente por diente;* Pero yo les digo que no hagan resistencia al hombre malo. Si alguno te golpea en la mejilla derecha, preséntale también la izquierda; al que te quiera demandar en juicio para quitarte la túnica, cédele también el manto. Si alguno te obliga a caminar mil pasos en su servicio, camina con él dos mil. Al que te pide, dale; y al que quiere que le prestes, no le vuelvas la espalda.

Han oído que se dijo: *Ama a tu prójimo y odia a tu enemigo;* Yo, en cambio, les digo: Amen a sus enemigos, hagan el bien a los que los odian y rueguen por los que los persiguen y calumnian, para que sean hijos de su Padre celestial, que hace salir su sol sobre los buenos y los malos, y manda su lluvia sobre los justos y los injustos.

Porque si ustedes aman a los que los aman, ¿qué recompensa merecen? ¿No hacen eso mismo los publicanos? Y si saludan tan sólo a sus hermanos, ¿qué hacen de extraordinario? ¿No hacen eso mismo los paganos? Ustedes, pues, sean perfectos, como su Padre celestial es perfecto".

Palabra del Señor.
Todos: Gloria a ti, Señor Jesús.

Se dice Credo

Oración sobre las Ofrendas

Al celebrar con la debida reverencia tus misterios, te rogamos, Señor, que los dones ofrecidos en honor de tu gloria nos sirvan para la salvación. Por Jesucristo, nuestro Señor. ***Todos: Amén.***

Antífona de la Comunión

Proclamaré todas tus maravillas; me alegraré y exultaré contigo y entonaré salmos a tu nombre, Dios Altísimo (Sal 9, 2-3).

Oración después de la Comunión

Concédenos, Dios todopoderoso, que alcancemos aquel fruto celestial, cuyo adelanto acabamos de recibir mediante estos sacramentos. Por Jesucristo, nuestro Señor. **Todos: Amén.**

Juegos y Actividades

El Padre celestial las alimenta

(Verde)

Antífona de entrada

El Señor es mi refugio, lo invoqué y me libró. Me salvó porque me ama (Cfr. Sal 17, 19-20).

Se dice gloria

Oración Colecta

Concédenos, Señor, que tu poder pacificador dirija el curso de los acontecimientos del mundo y que tu Iglesia se regocije al poder servirte con tranquilidad. Por nuestro Señor Jesucristo. **Todos: Amén.**

1ª Lectura

Del libro del profeta Isaías
(Is 49, 14-15)

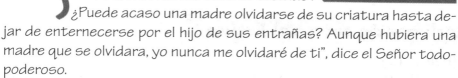

"Sión había dicho: 'El Señor me ha abandonado, el Señor me tiene en el olvido'. ¿Puede acaso una madre olvidarse de su criatura hasta dejar de enternecerse por el hijo de sus entrañas? Aunque hubiera una madre que se olvidara, yo nunca me olvidaré de ti", dice el Señor todopoderoso.

Palabra de Dios.
Todos: Te alabamos, Señor.

Salmo Responsorial

(Sal 61)

Respuesta: Sólo en Dios he puesto mi confianza.

Lector: Sólo en Dios he puesto mi confianza, porque de él vendrá el bien que espero. Él es mi refugio y mi defensa, ya nada me inquietará. / **R.**

Lector: Sólo Dios es mi esperanza, mi confianza es el Señor: es mi baluarte y firmeza, es mi Dios y salvador. / **R.**

Lector: De Dios viene mi salvación y mi gloria; él es mi roca firme y mi refugio. Confía siempre en él, pueblo mío, y desahoga tu corazón en su presencia. / **R.**

2ª Lectura

De la primera carta del apóstol san Pablo a los corintios (1 Cor 4, 1-5)

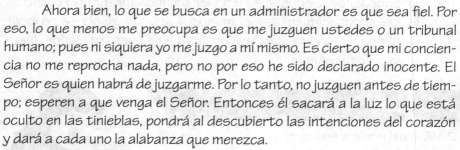

Hermanos: Procuren que todos nos consideren como servidores de Cristo y administradores de los misterios de Dios.

Ahora bien, lo que se busca en un administrador es que sea fiel. Por eso, lo que menos me preocupa es que me juzguen ustedes o un tribunal humano; pues ni siquiera yo me juzgo a mí mismo. Es cierto que mi conciencia no me reprocha nada, pero no por eso he sido declarado inocente. El Señor es quien habrá de juzgarme. Por lo tanto, no juzguen antes de tiempo; esperen a que venga el Señor. Entonces él sacará a la luz lo que está oculto en las tinieblas, pondrá al descubierto las intenciones del corazón y dará a cada uno la alabanza que merezca.

Palabra de Dios.

Todos: Te alabamos, Señor.

Aclamación antes del Evangelio

(Heb 4, 12)

R. Aleluya, aleluya. La palabra de Dios es viva y eficaz y descubre los pensamientos e intenciones del corazón.

R. Aleluya, aleluya.

Evangelio

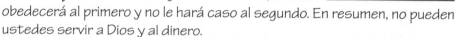

Del santo Evangelio según san Mateo
(Mt 6, 24-34) / *Todos: Gloria a ti, Señor.*

En aquel tiempo, Jesús dijo a sus discípulos: "Nadie puede servir a dos amos, porque odiará a uno y amará al otro, o bien obedecerá al primero y no le hará caso al segundo. En resumen, no pueden ustedes servir a Dios y al dinero.

Por eso les digo que no se preocupen por su vida, pensando qué comerán o con qué se vestirán. ¿Acaso no vale más la vida que el alimento, y el cuerpo más que el vestido? Miren las aves del cielo, que ni siembran, ni cosechan, ni guardan en graneros y, sin embargo, el Padre celestial las alimenta. ¿Acaso no valen ustedes más que ellas? ¿Quién de ustedes, a fuerza de preocuparse, puede prolongar su vida siquiera un momento?

¿Y por qué se preocupan del vestido? Miren cómo crecen los lirios del campo, que no trabajan ni hilan. Pues bien, yo les aseguro que ni Salomón, en todo el esplendor de su gloria, se vestía como uno de ellos. Y si Dios viste así a la hierba del campo, que hoy florece y mañana es echada al horno, ¿no hará mucho más por ustedes, hombres de poca fe?

No se inquieten, pues, pensando: ¿Qué comeremos o qué beberemos o con qué nos vestiremos? Los que no conocen a Dios se desviven por todas estas cosas; pero el Padre celestial ya sabe que ustedes tienen necesidad de ellas. Por consiguiente, busquen primero el Reino de Dios y su justicia, y todas estas cosas se les darán por añadidura. No se preocupen por el día de mañana, porque el día de mañana traerá ya sus propias preocupaciones. A cada día le bastan sus propios problemas".

Palabra del Señor.
Todos:. Gloria a ti, Señor Jesús.

Se dice Credo

Oración sobre las Ofrendas

Señor Dios, que haces tuyas nuestras ofrendas, que tú mismo nos das para dedicarlas a tu nombre, concédenos que también nos alcancen la recompensa eterna. Por Jesucristo, nuestro Señor. *Todos:* **Amén.**

Antífona de la Comunión

Cantaré al Señor por el bien que me ha hecho, y entonaré un himno de alabanza al Dios Altísimo (Cfr. Sal 12, 6).

Oración después de la Comunión

Alimentados por estos dones de salvación, suplicamos, Señor, tu misericordia, para que este sacramento que nos nutre en nuestra vida temporal nos haga partícipes de la vida eterna. Por Jesucristo, nuestro Señor. *Todos:* **Amén.**

Juegos y Actividades

Aquí hay cinco palabras que inician con las sílabas de colores, unelas a las que corresponden con líneas de diferentes colores ¡Son palabras de la Misa de hoy!

BA	FIAN	TIAL
CON	VI	LO	ZA
FE	LES	DAD
OL	BI ¿?	DO
CE	LI	CI	NIA

No practiquen sus obras de piedad delante de los hombres para que los vean

(Morado)

En la Misa de este día se bendice y se impone la ceniza hecha de ramos de olivo o de otros árboles, bendecidos el Domingo de Ramos del año anterior.

RITOS INICIALES Y LITURGIA DE LA PALABRA

Antífona de entrada

Tú, Señor, te compadeces de todos y no aborreces nada de lo que has creado, aparentas no ver los pecados de los hombres, para darles ocasión de arrepentirse, porque tú eres el Señor, nuestro Dios (Cfr. Sab 11, 23. 24. 26).

Se omite el acto penitencial, que es sustituido por el rito de la imposición de la ceniza.

Oración Colecta

Que el día de ayuno, con el que iniciamos, Señor, esta Cuaresma, sea el principio de una verdadera conversión a ti, y que nuestros actos de penitencia nos ayuden a vencer el espíritu del mal. Por nuestro Señor Jesucristo. *Todos: Amén.*

1ª Lectura

Del libro del profeta Joel (Jl 2, 12-18)

Esto dice el Señor: "Todavía es tiempo. Vuélvanse a mí de todo corazón, con ayunos, con lágrimas y llanto; enluten su corazón y no sus vestidos.

Vuélvanse al Señor Dios nuestro, porque es compasivo y misericordioso, lento a la cólera, rico en clemencia, y se conmueve ante la desgracia.

Quizá se arrepienta, se compadezca de nosotros y nos deje una bendición, que haga posibles las ofrendas y libaciones al Señor, nuestro Dios.

Toquen la trompeta en Sión, promulguen un ayuno, convoquen la asamblea, reúnan al pueblo, santifiquen la reunión, junten a los ancianos, convoquen a los niños, aun a los niños de pecho. Que el recién casado deje su alcoba y su tálamo la recién casada.

Entre el vestíbulo y el altar lloren los sacerdotes, ministros del Señor, diciendo: 'Perdona, Señor, perdona a tu pueblo. No entregues tu heredad a la burla de las naciones. Que no digan los paganos: ¿Dónde está el Dios de Israel?'"

Y el Señor se llenó de celo por su tierra y tuvo piedad de su pueblo.

Palabra de Dios.

Todos: Te alabamos, Señor.

Salmo Responsorial

(Sal 50)

Respuesta: Misericordia, Señor, hemos pecado.

Lector: Por tu inmensa compasión y misericordia, Señor, apiádate de mí y olvida mis ofensas. Lávame bien de todos mis delitos y purifícame de mis pecados. / R.

Lector: Puesto que reconozco mis culpas, tengo siempre presentes mis pecados. Contra ti solo pequé, Señor, haciendo lo que a tus ojos era malo. / R.

Lector: Crea en mí, Señor, un corazón puro, un espíritu nuevo para cumplir tus mandamientos. No me arrojes, Señor, lejos de ti, ni retires de mí tu santo espíritu. / R.

Lector: Devuélveme tu salvación, que regocija, y mantén en mí un alma generosa. Señor, abre mis labios y cantará mi boca tu alabanza. / R.

2ª Lectura

**De la segunda carta del apóstol san Pablo
a los corintios (2 Cor 5, 20–6, 2)**

Hermanos: Somos embajadores de Cristo, y por nuestro medio, es Dios mismo el que los exhortara a ustedes. En nombre de Cristo les pedimos que se reconcilien con Dios. Al que nunca cometió pecado, Dios lo hizo "pecado" por nosotros, para que, unidos a él, recibamos la salvación de Dios y nos volvamos justos y santos.

Como colaboradores que somos de Dios, los exhortamos a no echar su gracia en saco roto. Porque el Señor dice: *En el tiempo favorable te escuché y en el día de la salvación te socorrí.* Pues bien, ahora es el tiempo favorable; ahora es el día de la salvación. **Palabra de Dios.**

Todos: Te alabamos, Señor.

Aclamación antes del Evangelio

(Cfr. Sal 94, 8)

R. **Honor y gloria a ti, Señor Jesús.** Hagámosle caso al Señor, que nos dice: "No endurezcan su corazón".

R. **Honor y gloria a ti, Señor Jesús.**

Evangelio

**Del santo Evangelio según san Mateo
(Mt 6, 1-6. 16-18)**
Todos: Gloria a ti, Señor.

En aquel tiempo, Jesús dijo a sus discípulos: "Tengan cuidado de no practicar sus obras de piedad delante de los hombres para que los vean. De lo contrario, no tendrán recompensa con su Padre celestial.

Por lo tanto, cuando des limosna, no lo anuncies con trompeta, como hacen los hipócritas en las sinagogas y por las calles, para que los alaben los hombres. Yo les aseguro que ya recibieron su recompensa. Tú, en cambio, cuando des limosna, que no sepa tu mano izquierda lo que hace la derecha, para que tu limosna quede en secreto; y tu Padre, que ve lo secreto, te recompensará.

Cuando ustedes hagan oración, no sean como los hipócritas, a quienes les gusta orar de pie en las sinagogas y en las esquinas de las plazas, para que los vea la gente. Yo les aseguro que ya recibieron su recompensa. Tú, en cambio, cuando vayas a orar, entra en tu cuarto, cierra la puerta y ora ante tu Padre, que está allí, en lo secreto; y tu Padre, que ve lo secreto, te recompensará.

Cuando ustedes ayunen, no pongan cara triste, como esos hipócritas que descuidan la apariencia de su rostro, para que la gente note que están ayunando. Yo les aseguro que ya recibieron su recompensa. Tú, en cambio, cuando ayunes, perfúmate la cabeza y lávate la cara, para que no sepa la gente que estás ayunando, sino tu Padre, que está en lo secreto; y tu Padre, que ve lo secreto, te recompensará". *Palabra del Señor.*

Todos: Gloria a ti, Señor Jesús.

BENDICIÓN E IMPOSICIÓN DE LA CENIZA

Después de la homilía, el sacerdote, de pie y con las manos juntas, dice:

Queridos hermanos, pidamos humildemente a Dios Padre que bendiga con su gracia esta ceniza que, en señal de penitencia, vamos a imponer sobre nuestra cabeza.

Y, después de un breve momento de oración en silencio, con las manos extendidas, prosigue:

Señor Dios, que te apiadas de quien se humilla y te muestras benévolo para quien se arrepiente, inclina piadosamente tu oído a nuestras súplicas y derrama la gracia de tu bendición + sobre estos siervos tuyos, que van a recibir la ceniza, para que, perseverando en las prácticas cuaresmales, merezcan llegar, purificada su conciencia, a la celebración del misterio pascual de tu Hijo. Él, que vive y reina por los siglos de los siglos.

Todos: Amén.

Y rocía la ceniza con agua bendita, sin decir nada.

Después el sacerdote impone la ceniza a todos los presentes que se acercan a él, y dice a cada uno:

Conviértete y cree en el Evangelio.

O bien:

Recuerda que eres polvo y al polvo has de volver.

Mientras tanto, se canta la antífona, u otro canto apropiado

Terminada la imposición de la ceniza, el sacerdote se lava las manos y continúa con la oración universal, y la Misa prosigue del modo acostumbrado.

No se dice Credo.

LITURGIA EUCARÍSTICA

Oración sobre las Ofrendas

Al ofrecer el sacrificio con el que iniciamos solemnemente la Cuaresma, te rogamos, Señor, que por nuestras obras de penitencia y de caridad nos veamos libres de los vicios y los malos deseos, para que, purificados de todo pecado, merezcamos celebrar con fervor la pasión de tu Hijo. Él, que vive y reina por los siglos de los siglos. *Todos:* **Amén.**

Antífona de la Comunión

El que día y noche medita la ley del Señor, al debido tiempo dará su fruto (Cfr. Sal 1, 2-3).

Oración después de la Comunión

Que nos auxilien, Señor, los sacramentos que recibimos, para que nuestro ayuno sea de tu agrado y nos aproveche como remedio saludable. Por Jesucristo, nuestro Señor. *Todos:* **Amén.**

ORACIÓN SOBRE EL PUEBLO

Para la despedida, el sacerdote, de pie, vuelto hacia el pueblo y extendiendo las manos sobre él, dice esta oración:

Infunde benignamente, Señor Dios, en quienes, postrados, te adoramos, un espíritu de contrición y que, por nuestro arrepentimiento, merezcamos alcanzar el premio que misericordiosamente nos volviste a prometer. Por Jesucristo, nuestro Señor. *Todos:* **Amén.**

¿Por qué tus discípulos no ayunan?

(Morado)

Antífona de entrada

El Señor me escuchó, tuvo misericordia de mí; el Señor vino en mi ayuda (Sal 29, 11).

Oración Colecta

Te pedimos, Señor, que tu bondad nos ayude a continuar las obras penitenciales que hemos comenzado, para que la austeridad exterior que practicamos vaya siempre acompañada por la sinceridad de corazón. Por nuestro Señor Jesucristo. *Todos:* **Amén.**

1ª Lectura

Del libro del profeta Isaías
(Is 58, 1-9)

Esto dice el Señor: "Clama a voz en cuello y que nadie te detenga. Alza la voz como trompeta. Denuncia a mi pueblo sus delitos, a la casa de Jacob sus pecados.

Me buscan día a día y quieren conocer mi voluntad, como si fuera un pueblo que practicara la justicia y respetara los juicios de Dios. Me piden sentencias justas y anhelan tener cerca a Dios. Me dicen todos los días: '¿Para qué ayunamos, si tú no nos ves? ¿Para qué nos mortificamos, si no te das por enterado?'

Es que el día en que ustedes ayunan encuentran la forma de hacer negocio y oprimen a sus trabajadores. Es que ayunan, sí, para luego reñir y disputar, para dar puñetazos sin piedad.

Ése no es un ayuno que haga oír en el cielo la voz de ustedes. ¿Acaso es éste el ayuno que me agrada? ¿Es ésta la mortificación que yo acepto del hombre: encorvar la cabeza como un junco y acostarse sobre saco y ceniza? ¿A esto llaman ayuno y día agradable al Señor?

El ayuno que yo quiero de ti es éste, dice el Señor: Que rompas las cadenas injustas y levantes los yugos opresores; que liberes a los oprimidos y rompas todos los yugos; que compartas tu pan con el hambriento y abras tu casa al pobre sin techo; que vistas al desnudo y no des la espalda a tu propio hermano.

Entonces surgirá tu luz como la aurora y cicatrizarán de prisa tus heridas; te abrirá camino la justicia y la gloria del Señor cerrará tu marcha.

Entonces clamarás al Señor y él te responderá; lo llamarás y él te dirá: 'Aquí estoy'".

Palabra de Dios.

Todos: **Te alabamos, Señor.**

Salmo Responsorial

(Sal 50)

Respuesta: A un corazón contrito, Señor, no lo desprecias.

Lector: Por tu inmensa compasión y misericordia, Señor, apiádate de mí y olvida mis ofensas. Lávame bien de todos mis delitos y purifícame de mis pecados. / **R.**

Lector: Puesto que reconozco mis culpas, tengo siempre presentes mis pecados. Contra ti solo pequé, Señor, haciendo lo que a tus ojos era malo. / **R.**

Lector: Tú, Señor, no te complaces en los sacrificios y si te ofreciera un holocausto, no te agradaría. Un corazón contrito te presento, y a un corazón contrito, tú nunca lo desprecias. / **R.**

Aclamación antes del Evangelio

(Cfr. Am 5, 14)

R. Honor y gloria a ti, Señor Jesús. Busquen el bien y no el mal, para que vivan, y el Señor estará con ustedes.

R. Honor y gloria a ti, Señor Jesús.

Evangelio

Del santo Evangelio según san Mateo
(Mt 9, 14-15)
Todos: Gloria a ti, Señor.

En aquel tiempo, los discípulos de Juan fueron a ver a Jesús y le preguntaron: "¿Por qué tus discípulos no ayunan, mientras nosotros y los fariseos sí ayunamos?" Jesús les respondió: "¿Cómo pueden llevar luto los amigos del esposo, mientras él está con ellos? Pero ya vendrán días en que les quitarán al esposo, y entonces sí ayunarán".

Palabra del Señor.
Todos: Gloria a ti, Señor Jesús.

Oración sobre las Ofrendas

Señor, que este santo sacrificio que te ofrecemos en este tiempo de Cuaresma nos haga más gratos a tus ojos y más generosos en la práctica de la penitencia. Por Jesucristo, nuestro Señor. *Todos: Amén.*

Antífona de la Comunión

Muéstranos, Señor, tus caminos, enséñanos tus senderos (Sal 24, 4).

Oración después de la Comunión

Te pedimos, Dios todopoderoso, que la participación en este sacramento nos purifique de todo pecado y nos disponga a recibir los dones de tu bondad. Por Jesucristo, nuestro Señor. *Todos: Amén.*

ORACIÓN SOBRE EL PUEBLO Opcional.

Que tu pueblo, Dios misericordioso, agradezca continuamente tus obras maravillosas y mientras peregrina guiado por las antiguas observancias, haz que merezca llegar un día a contemplarte eternamente. Por Jesucristo, nuestro Señor. *Todos: Amén.*

(Morado)

Antífona de entrada

Me invocará y yo lo escucharé; lo libraré y lo glorificaré; prolongaré los días de su vida (Cfr. Sal 90, 15-16).

No se dice Gloria

Oración Colecta

Concédenos, Dios todopoderoso, que por las prácticas anuales de esta celebración cuaresmal, progresemos en el conocimiento del misterio de Cristo, y traduzcamos su efecto en una conducta irreprochable. Por nuestro Señor Jesucristo. *Todos: **Amén.***

1ª Lectura

Del libro del Génesis
(Gén 2, 7-9; 3, 1-7)

Después de haber creado el cielo y la tierra, el Señor Dios tomó polvo del suelo y con él formó al hombre; le sopló en las narices un aliento de vida, y el hombre comenzó a vivir. Después plantó el Señor un jardín al oriente del Edén y allí puso al hombre que había formado. El Señor Dios hizo brotar del suelo toda clase de árboles, de hermoso aspecto y sabrosos frutos, y además, en medio del jardín, el árbol de la vida y el árbol del conocimiento del bien y del mal.

La serpiente, que era el más astuto de los animales del campo que había creado el Señor Dios. Dijo a la mujer: "¿Conque Dios les ha prohibido comer de todos los árboles del jardín?"

La mujer respondió: "Podemos comer del fruto de todos los árboles del huerto, pero del árbol que está en el centro del jardín, dijo Dios: 'No comerán de él ni lo tocarán, porque de lo contrario, habrán de morir'".

La serpiente replicó a la mujer: "De ningún modo. No morirán. Bien sabe Dios que el día que coman de los frutos de ese árbol, se les abrirán a ustedes los ojos y serán como Dios, que conoce el bien y el mal".

La mujer vio que el árbol era bueno para comer, agradable a la vista y codiciable, además, para alcanzar la sabiduría. Tomó, pues, de su fruto, comió y le dio a su marido, el cual también comió. Entonces se les abrieron los ojos a los dos y se dieron cuenta de que estaban desnudos. Entrelazaron unas hojas de higuera y se las ciñeron para cubrirse.

Palabra de Dios.

Todos: Te alabamos, Señor.

Salmo Responsorial

(Sal 50)

Respuesta: Misericordia, Señor, hemos pecado.

Lector: Por tu inmensa compasión y misericordia, Señor, apiádate de mí y olvida mis ofensas. Lávame bien de todos mis delitos y purifícame de mis pecados. / **R.**

Lector: Puesto que reconozco mis culpas, tengo siempre presentes mis pecados. Contra ti solo pequé, Señor, haciendo lo que a tus ojos era malo. / **R.**

Lector: Crea en mí, Señor, un corazón puro, un espíritu nuevo para cumplir tus mandamientos. No me arrojes, Señor, lejos de ti, ni retires de mí tu santo espíritu. / **R.**

Lector: Devuélveme tu salvación, que regocija, mantén en mí un alma generosa. Señor, abre mis labios y cantará mi boca tu alabanza. / **R.**

2ª Lectura

**De la carta del apóstol san Pablo
a los romanos (Rom 5, 12-19)**

Hermanos: Así como por un solo hombre entró el pecado en el mundo y por el pecado entró *la muerte, así la muerte pasó* a todos los hombres, porque todos pecaron.

Antes de la ley de Moisés ya había pecado en el mundo y, si bien es cierto que el pecado no se castiga cuando no hay ley, sin embargo, la muerte reinó desde Adán hasta Moisés, aun sobre aquellos que no pecaron como pecó Adán, cuando desobedeció un mandato directo de Dios. Por lo demás, Adán era figura de Cristo, el que había de venir.

Ahora bien, el don de Dios supera con mucho al delito. Pues si por el delito de uno solo hombre todos fueron castigados con la muerte, por el don de un solo hombre, Jesucristo, se ha desbordado sobre todos la abundancia de la vida y la gracia de Dios. Tampoco pueden compararse los efectos del pecado de Adán con los efectos de la gracia de Dios. Porque ciertamente, la sentencia vino a causa de un solo pecado y fue sentencia de condenación, pero el don de la gracia vino a causa de muchos pecados y nos conduce a la justificación.

En efecto, si por el pecado de un solo hombre estableció la muerte su reinado, con mucha mayor razón reinarán en la vida por un solo hombre, Jesucristo, aquellos que reciben la gracia sobreabundante que los hace justos.

En resumen, así como por el pecado de un solo hombre, Adán, vino la condenación para todos, así por la justicia de un solo hombre, Jesucristo, ha venido para todos la justificación que da la vida. Y así como por la desobediencia de uno, todos fueron hechos pecadores, así por la obediencia de uno solo, todos serán hechos justos.

Palabra de Dios.
*Todos: **Te alabamos, Señor.***

Aclamación antes del Evangelio

(Mt 4, 4)

R. **Honor y gloria a ti, Señor Jesús.** No sólo de pan vive el hombre, sino también de toda palabra que sale de la boca de Dios.
R. **Honor y gloria a ti, Señor Jesús.**

Evangelio

Del santo Evangelio según san Mateo
(Mt 4, 1-11)
Todos: Gloria a ti, Señor.

En aquel tiempo, Jesús fue conducido por el Espíritu al desierto, para ser tentado por el demonio. Pasó cuarenta días y cuarenta noches sin comer y, al final, tuvo hambre. Entonces se le acercó el tentador y le dijo: "Si tú eres el Hijo de Dios, manda que estas piedras se conviertan en panes". Jesús le respondió: "Está escrito: *No sólo de pan vive el hombre, sino también de toda palabra que sale de la boca de Dios*".

Entonces el diablo lo llevó a la ciudad santa, lo puso en la parte más alta del templo y le dijo: "Si eres el Hijo de Dios, échate para abajo, porque está escrito: *Mandará a sus ángeles que te cuiden y ellos te tomarán en sus manos, para que no tropiece tu pie en piedra alguna*". Jesús le contestó: "También está escrito: *No tentarás al Señor, tu Dios*".

Luego lo llevó el diablo a un monte muy alto y desde ahí le hizo ver la grandeza de todos los reinos del mundo y le dijo: "Te daré todo esto, si te postras y me adoras". Pero Jesús le replicó: "Retírate, Satanás, porque está escrito: *Adorarás al Señor, tu Dios, y a él sólo servirás*".

Entonces lo dejó el diablo y se acercaron los ángeles para servirle.
Palabra del Señor.
Todos: Gloria a ti, Señor Jesús.

Se dice Credo

Oración sobre las Ofrendas

Te pedimos, Señor, que nos hagas dignos de estos dones que vamos a ofrecerte, ya que con ellos celebramos el inicio de este venerable misterio. Por Jesucristo, nuestro Señor. **Todos: Amén.**

Antífona de la Comunión

No sólo de pan vive el hombre, sino también de toda palabra que sale de la boca de Dios (Mt 4,4).

Oración después de la Comunión

Alimentados, Señor, de este pan celestial que nutre la fe, hace crecer la esperanza y fortalece la caridad, te suplicamos la gracia de aprender a sentir hambre de aquel que es el pan vivo y verdadero, y a vivir de toda palabra que procede de tu boca. Por Jesucristo, nuestro Señor. *Todos: **Amén.***

ORACIÓN SOBRE EL PUEBLO
Derrama sobre tu pueblo, Señor, la abundancia de tu bendición para que su esperanza crezca en la adversidad, su virtud se fortalezca en la tentación, y alcance la redención eterna. Por Jesucristo, nuestro Señor. *Todos: **Amén.***

Juegos y Actividades

Éste es mi Hijo muy amado

(Morado)

Antífona de entrada

Mi corazón me habla de ti diciendo: "Busca su rostro". Tu faz estoy buscando, Señor; no me escondas tu rostro (Cfr. Sal 26, 8-9).

No se dice Gloria

Oración Colecta

Señor Dios, que nos mandaste escuchar a tu Hijo muy amado, dígnate alimentarnos íntimamente con tu palabra, para que, ya purificada nuestra mirada interior, nos alegremos en la contemplación de tu gloria. Por nuestro Señor Jesucristo. ***Todos: Amén.***

1ª Lectura

Del libro del Génesis
(Gén 12, 1-4)

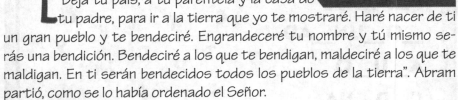

En aquellos días, dijo el Señor a Abram: "Deja tu país, a tu parentela y la casa de tu padre, para ir a la tierra que yo te mostraré. Haré nacer de ti un gran pueblo y te bendeciré. Engrandeceré tu nombre y tú mismo serás una bendición. Bendeciré a los que te bendigan, maldeciré a los que te maldigan. En ti serán bendecidos todos los pueblos de la tierra". Abram partió, como se lo había ordenado el Señor.

Palabra de Dios.
Todos: Te alabamos, Señor.

Salmo Responsorial

(Sal 32)

Respuesta: **Señor, ten misericordia de nosotros.**

Lector: Sincera es la palabra del Señor y todas sus acciones son leales. Él ama la justicia y el derecho, la tierra llena está de sus bondades. / **R.**

Lector: Cuida el Señor de aquellos que lo temen y en su bondad confían; los salva de la muerte y en épocas de hambre les da vida. / **R.**

Lector: En el Señor está nuestra esperanza, pues él es nuestra ayuda y nuestro amparo. Muéstrate bondadoso con nosotros, puesto que en ti, Señor, hemos confiado. / **R.**

2ª Lectura

De la segunda carta del apóstol san Pablo a Timoteo (2 Tim 1, 8-10)

Querido hermano: Comparte conmigo los sufrimientos por la predicación del Evangelio, sostenido por la fuerza de Dios. Pues Dios es quien nos ha salvado y nos ha llamado a que le consagremos nuestra vida, no porque lo merecieran nuestras buenas obras, sino porque así lo dispuso él gratuitamente.

Este don, que Dios nos ha concedido por medio de Cristo Jesús desde toda la eternidad, ahora se ha manifestado con la venida del mismo Cristo Jesús, nuestro Salvador, que destruyó la muerte y ha hecho brillar la luz de la vida y de la inmortalidad, por medio del Evangelio.

Palabra de Dios.

Todos: Te alabamos, Señor.

Aclamación antes del Evangelio

(Cfr. Mc 9, 7)

R. **Honor y gloria a ti, Señor Jesús.** En el esplendor de la nube se oyó la voz del Padre, que decía: "Éste es mi Hijo amado; escúchenlo".

R. **Honor y gloria a ti, Señor Jesús.**

Evangelio

Del santo Evangelio según san Mateo
(Mt 17, 1-9)
Todos: Gloria a ti, Señor.

En aquel tiempo, Jesús tomó consigo a Pedro, a Santiago y a Juan, el hermano de éste, y los hizo subir a solas con él a un monte elevado. Ahí se transfiguró en su presencia: su rostro se puso resplandeciente como el sol y sus vestiduras se volvieron blancas como la nieve. De pronto aparecieron ante ellos Moisés y Elías, conversando con Jesús.

Entonces Pedro le dijo a Jesús: "Señor, ¡qué bueno sería quedarnos aquí! Si quieres, haremos aquí tres chozas, una para ti, otra para Moisés y otra para Elías".

Cuando aún estaba hablando, una nube luminosa los cubrió y de ella salió una voz que decía: "Éste es mi Hijo muy amado, en quien tengo puestas mis complacencias; escúchenlo". Al oír esto, los discípulos cayeron rostro en tierra, llenos de un gran temor. Jesús se acercó a ellos, los tocó y les dijo: "Levántense y no teman". Alzando entonces los ojos, ya no vieron a nadie más que a Jesús.

Mientras bajaban del monte, Jesús les ordenó: "No le cuenten a nadie lo que han visto, hasta que el Hijo del hombre haya resucitado de entre los muertos".

Palabra del Señor.
Todos: Gloria a ti, Señor Jesús.

Se dice Credo

Oración sobre las Ofrendas

Te rogamos, Señor, que estos dones borren nuestros pecados y santifiquen el cuerpo y el alma de tus fieles, para celebrar dignamente las fiestas pascuales. Por Jesucristo, nuestro Señor. **Todos: Amén.**

Antífona de la Comunión

Éste es mi Hijo muy amado, en quien tengo puestas mis complacencias; escúchenlo (Mt 17, 5).

Oración después de la Comunión

Al recibir, Señor, este glorioso sacramento, queremos darte gracias de todo corazón porque así nos permites, desde este mundo, participar ya de los bienes del cielo. Por Jesucristo, nuestro Señor. *Todos: Amén.*

ORACIÓN SOBRE EL PUEBLO
Bendice, Señor, a tus fieles con una bendición perpetua, y haz que de tal manera acojan el Evangelio de tu Hijo, que puedan debida y felizmente desear y alcanzar la gloria que él manifestó a los apóstoles. Por Jesucristo, nuestro Señor. *Todos: Amén.*

Juegos y Actividades

Abraham quiere llegar a la Tierra Prometida, traza el camino correcto a través del laberinto.

(Morado)

Antífona de entrada

Mis ojos están siempre fijos en el Señor, pues él libra mis pies de toda trampa. Mírame, Señor, y ten piedad de mí, que estoy solo y afligido (Cfr. Sal 24, 15-16).

No se dice Gloria

Oración Colecta

Señor Dios, fuente de misericordia y de toda bondad, que enseñaste que el remedio contra el pecado está en el ayuno, la oración y la limosna, mira con agrado nuestra humilde confesión, para que a quienes agobia la propia conciencia nos reconforte siempre tu misericordia. Por nuestro Señor Jesucristo. ***Todos: Amén.***

1ª Lectura

Del libro del Éxodo
(Éx 17, 3-7)

En aquellos días, el pueblo, torturado por la sed, fue a protestar contra Moisés, diciéndole: "¿Nos has hecho salir de Egipto para hacernos morir de sed a nosotros, a nuestros hijos y a nuestro ganado?" Moisés clamó al Señor y le dijo: "¿Qué puedo hacer con este pueblo? Sólo falta que me apedreen". Respondió el Señor a Moisés: "Preséntate al pueblo, llevando contigo a algunos de los ancianos de Israel, toma en tu mano el cayado con que golpeaste el Nilo y vete. Yo estaré ante ti, sobre la peña, en Horeb. Golpea la peña y saldrá de ella agua para que beba el pueblo".

Así lo hizo Moisés a la vista de los ancianos de Israel y puso por nombre a aquel lugar Masá y Meribá, por la rebelión de los hijos de Israel y porque habían tentado al Señor, diciendo: "¿Está o no está el Señor en medio de nosotros?"

Palabra de Dios.
Todos: Te alabamos, Señor.

Salmo Responsorial

(Sal 94)

Respuesta: Señor, que no seamos sordos a tu voz.

Lector: Vengan, lancemos vivas al Señor, aclamemos al Dios que nos salva. Acerquémonos a él, llenos de júbilo, y démosle gracias. / **R.**

Lector: Vengan, y puestos de rodillas, adoremos y bendigamos al Señor, que nos hizo, pues él es nuestro Dios y nosotros, su pueblo; él es nuestro pastor y nosotros, sus ovejas. / **R.**

Lector: Hagámosle caso al Señor, que nos dice: "No endurezcan su corazón, como el día de la rebelión en el desierto, cuando sus padres dudaron de mí, aunque habían visto mis obras". **R.**

2ª Lectura

De la carta del apóstol san Pablo
a los romanos (Rom 5, 1-2. 5-8)

Hermanos: Ya que hemos sido justificados por la fe, mantengámonos en paz con Dios, por mediación de nuestro Señor Jesucristo. Por él hemos obtenido, con la fe, la entrada al mundo de la gracia, en el cual nos encontramos; por él, podemos gloriarnos de tener la esperanza de participar en la gloria de Dios.

La esperanza no defrauda, porque Dios ha infundido su amor en nuestros corazones por medio del Espíritu Santo, que él mismo nos ha dado. En efecto, cuando todavía no teníamos fuerzas para salir del pecado, Cristo murió por los pecadores en el tiempo señalado.

Difícilmente habrá alguien que quiera morir por un justo, aunque puede haber alguno que esté dispuesto a morir por una persona sumamente buena. Y la prueba de que Dios nos ama está en que Cristo murió por nosotros, cuando aún éramos pecadores.

Palabra de Dios.
Todos: Te alabamos, Señor.

Aclamación antes del Evangelio

(Cfr. Jn 4, 42. 15)

R. **Honor y gloria a ti, Señor Jesús.** Señor, tú eres el Salvador del mundo. Dame de tu agua viva para que no vuelva a tener sed.

R. **Honor y gloria a ti, Señor Jesús.**

Evangelio

Del santo Evangelio según san Juan
(Jn 4, 5-42)
Todos: Gloria a ti, Señor.

En aquel tiempo, llegó Jesús a un pueblo de Samaria, llamado Sicar, cerca del campo que dio Jacob a su hijo José. Ahí estaba el pozo de Jacob. Jesús, que venía cansado del camino, se sentó sin más en el brocal del pozo. Era cerca del mediodía.

Entonces llegó una mujer de Samaria a sacar agua y Jesús le dijo: "Dame de beber". (Sus discípulos habían ido al pueblo a comprar comida). La samaritana le contestó: "¿Cómo es que tú, siendo judío, me pides de beber a mí, que soy samaritana?" (Porque los judíos no tratan a los samaritanos). Jesús le dijo: "Si conocieras el don de Dios y quién es el que te pide de beber, tú le pedirías a él, y él te daría agua viva".

La mujer le respondió: "Señor, ni siquiera tienes con qué sacar agua y el pozo es profundo, ¿cómo vas a darme agua viva? ¿Acaso eres tú más que nuestro padre Jacob, que nos dio este pozo, del que bebieron él, sus hijos y sus ganados?" Jesús le contestó: "El que bebe de esta agua vuelve a tener sed. Pero el que beba del agua que yo le daré, nunca más tendrá sed; el agua que yo le daré se convertirá dentro de él en un manantial capaz de dar la vida eterna".

La mujer le dijo: "Señor, dame de esa agua para que no vuelva a tener sed ni tenga que venir hasta aquí a sacarla". Él le dijo: "Ve a llamar a tu marido y vuelve". La mujer le contestó: "No tengo marido". Jesús le dijo: "Tienes razón en decir: 'No tengo marido'. Has tenido cinco, y el de ahora no es tu marido. En eso has dicho la verdad".

La mujer le dijo: "Señor, ya veo que eres profeta. Nuestros padres dieron culto en este monte y ustedes dicen que el sitio donde se debe dar culto está en Jerusalén". Jesús le dijo: "Créeme, mujer, que se acerca la hora en que ni en este monte ni en Jerusalén adorarán al Padre. Ustedes adoran lo que no conocen; nosotros adoramos lo que conocemos. Porque la salvación viene de los judíos. Pero se acerca la hora, y ya está aquí, en que los que quieran dar culto verdadero adorarán al Padre en espíritu y en verdad, porque así es como el Padre quiere que se le dé culto. Dios es espíritu, y los que lo adoran deben hacerlo en espíritu y en verdad".

La mujer le dijo: "Ya sé que va a venir el Mesías (es decir, Cristo). Cuando venga, él nos dará razón de todo". Jesús le dijo: "Soy yo, el que habla contigo".

En esto llegaron los discípulos y se sorprendieron de que estuviera conversando con una mujer; sin embargo, ninguno le dijo: '¿Qué le preguntas o de qué hablas con ella?' Entonces la mujer dejó su cántaro, se fue al pueblo y comenzó a decir a la gente: "Vengan a ver a un hombre que me ha dicho todo lo que he hecho. ¿No será éste el Mesías?" Salieron del pueblo y se pusieron en camino hacia donde él estaba.

Mientras tanto, sus discípulos le insistían: "Maestro, come". Él les dijo: "Yo tengo por comida un alimento que ustedes no conocen". Los discípulos comentaban entre sí: "¿Le habrá traído alguien de comer?" Jesús les dijo: "Mi alimento es hacer la voluntad del que me envió y llevar a término su obra. ¿Acaso no dicen ustedes que todavía faltan cuatro meses para la siega? Pues bien, yo les digo: Levanten los ojos y contemplen los campos, que ya están dorados para la siega. Ya el segador recibe su jornal y almacena frutos para la vida eterna. De este modo se alegran por igual el sembrador y el segador. Aquí se cumple el dicho: 'Uno es el que siembra y otro el que cosecha'. Yo los envié a cosechar lo que no habían trabajado. Otros trabajaron y ustedes recogieron su fruto".

Muchos samaritanos de aquel poblado creyeron en Jesús por el testimonio de la mujer: 'Me dijo todo lo que he hecho'. Cuando los samaritanos llegaron a donde él estaba, le rogaban que se quedara con ellos, y se quedó allí dos días. Muchos más creyeron en él al oír su palabra. Y decían a la mujer: "Ya no creemos por lo que tú nos has contado, pues nosotros mismos lo hemos oído y sabemos que él es, de veras, el Salvador del mundo".

Palabra del Señor.

Todos: Gloria a ti, Señor Jesús.

Se dice Credo

Oración sobre las Ofrendas

Por estas ofrendas, Señor, concédenos benigno el perdón de nuestras ofensas, y ayúdanos a perdonar a nuestros hermanos. Por Jesucristo, nuestro Señor. *Todos:* **Amén.**

Antífona de la Comunión

El que beba del agua que yo le daré, dice el Señor, nunca más tendrá sed: el agua que yo le daré se convertirá dentro de él en un manantial capaz de dar la vida eterna (Jn 4, 13-14).

Oración después de la Comunión

Alimentados en la tierra con el pan del cielo, prenda de eterna salvación, te suplicamos, Señor, que lleves a su plenitud en nuestra vida la gracia recibida en este sacramento. Por Jesucristo, nuestro Señor. *Todos:* **Amén.**

ORACIÓN SOBRE EL PUEBLO
Dirige, Señor, los corazones de tus fieles y da en tu bondad a tus siervos una gracia tan grande que, cumpliendo en plenitud tus mandamientos, nos haga permanecer en tu amor y en el de nuestro prójimo. Por Jesucristo, nuestro Señor. *Todos:* **Amén.**

Juegos y Actividades

¿Cuantas veces me he negado a escuchar a Dios, en mis papás?

¿Crees tú en el Hijo del hombre?

Creo Señor

(Morado o Rosa)

Antífona de entrada

Alégrate, Jerusalén, y que se reúnan cuantos la aman. Compartan su alegría los que estaban tristes, vengan a saciarse con su felicidad (Cfr. Is 66, 10-11).

No se dice Gloria

Oración Colecta

Señor Dios, que por tu Palabra realizas admirablemente la reconciliación del género humano, concede al pueblo cristiano prepararse con generosa entrega y fe viva a celebrar las próximas fiestas de la Pascua. Por nuestro Señor Jesucristo. ***Todos: Amén.***

1ª Lectura

Del primer libro de Samuel
(1 Sam 16, 1. 6-7. 10-13)

En aquellos días, dijo el Señor a Samuel: "Ve a la casa de Jesé, en Belén, porque de entre sus hijos me he escogido un rey. Llena, pues, tu cuerno de aceite para ungirlo y vete".

Cuando llegó Samuel a Belén y vio a Eliab, el hijo mayor de Jesé, pensó: "Éste es, sin duda, el que voy a ungir como rey". Pero el Señor le dijo: "No te dejes impresionar por su aspecto ni por su gran estatura, pues yo lo he descartado, porque yo no juzgo como juzga el hombre. El hombre se fija en las apariencias, pero el Señor se fija en los corazones".

Así fueron pasando ante Samuel siete de los hijos de Jesé; pero Samuel dijo: "Ninguno de éstos es el elegido del Señor". Luego le preguntó a Jesé: "¿Son éstos todos tus hijos?" Él respondió: "Falta el más pequeño, que está cuidando el rebaño". Samuel le dijo: "Hazlo venir, porque no nos sentaremos a comer hasta que llegue". Y Jesé lo mandó llamar.

El muchacho era rubio, de ojos vivos y buena presencia. Entonces el Señor dijo a Samuel: "Levántate y úngelo, porque éste es". Tomó Samuel el cuerno con el aceite y lo ungió delante de sus hermanos.

Palabra de Dios.

Todos: Te alabamos, Señor.

Salmo Responsorial

(Sal 22)

Respuesta: El Señor es mi pastor, nada me faltará.

Lector: El Señor es mi pastor, nada me falta; en verdes praderas me hace reposar y hacia fuentes tranquilas me conduce para reparar mis fuerzas. / **R.**

Lector: Por ser un Dios fiel a sus promesas, me guía por el sendero recto; así, aunque camine por cañadas oscuras, nada temo, porque tú estás conmigo. Tu vara y tu cayado me dan seguridad. / **R.**

Lector: Tú mismo me preparas la mesa, a despecho de mis adversarios; me unges la cabeza con perfume y llenas mi copa hasta los bordes. / **R.**

Lector: Tu bondad y tu misericordia me acompañarán todos los días de mi vida; y viviré en la casa del Señor por años sin término. / **R.**

2ª Lectura

De la carta del apóstol san Pablo a los efesios (Ef 5, 8-14)

Hermanos: En otro tiempo ustedes fueron tinieblas, pero ahora, unidos al Señor, son luz. Vivan, por lo tanto, como hijos de la luz. Los frutos de la luz son la bondad, la santidad y la verdad. Busquen lo que es agradable al Señor y no tomen parte en las obras estériles de los que son tinieblas.

Al contrario, repruébenlas abiertamente; porque, si bien las cosas que ellos hacen en secreto da rubor aun mencionarlas, al ser reprobadas abiertamente, todo queda en claro, porque todo lo que es iluminado por la luz se convierte en luz.

Por eso se dice: *Despierta, tú que duermes; levántate de entre los muertos y Cristo será tu luz.* **Palabra de Dios.**

*Todos: **Te alabamos, Señor.***

Aclamación antes del Evangelio

(Jn 8, 12)

R. **Honor y gloria a ti, Señor Jesús.** Yo soy la luz del mundo, dice el Señor; el que me sigue tendrá la luz de la vida.

R. **Honor y gloria a ti, Señor Jesús.**

Evangelio

Del santo Evangelio según san Juan
(Jn 9, 1-41)
*Todos: **Gloria a ti, Señor.***

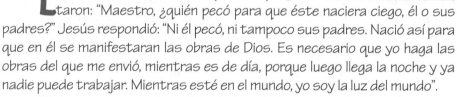

En aquel tiempo, Jesús vio al pasar a un ciego de nacimiento, y sus discípulos le preguntaron: "Maestro, ¿quién pecó para que éste naciera ciego, él o sus padres?" Jesús respondió: "Ni él pecó, ni tampoco sus padres. Nació así para que en él se manifestaran las obras de Dios. Es necesario que yo haga las obras del que me envió, mientras es de día, porque luego llega la noche y ya nadie puede trabajar. Mientras esté en el mundo, yo soy la luz del mundo".

Dicho esto, escupió en el suelo, hizo lodo con la saliva, se lo puso en los ojos al ciego y le dijo: "Ve a lavarte en la piscina de Siloé" (que significa 'Enviado'). Él fue, se lavó y volvió con vista.

Entonces los vecinos y los que lo habían visto antes pidiendo limosna, preguntaban: "¿No es éste el que se sentaba a pedir limosna?" Unos decían: "Es el mismo". Otros: "No es él, sino que se le parece". Pero él decía: "Yo soy". Y le preguntaban: "Entonces, ¿cómo se te abrieron los ojos?" Él les respondió: "El hombre que se llama Jesús hizo lodo, me lo puso en los ojos y me dijo: 'Ve a Siloé y lávate'. Entonces fui, me lavé y comencé a ver". Le preguntaron: "¿En dónde está él?" Les contestó: "No lo sé".

Llevaron entonces ante los fariseos al que había sido ciego. Era sábado el día en que Jesús hizo lodo y le abrió los ojos. También los fariseos le preguntaron cómo había adquirido la vista. Él les contestó: "Me puso lodo en los ojos, me lavé y veo". Algunos de los fariseos comentaban: "Ese hombre no viene de Dios, porque no guarda el sábado". Otros replicaban: "¿Cómo puede un pecador hacer semejantes prodigios?" Y había división entre ellos. Entonces volvieron a preguntarle al ciego: "Y tú, ¿qué piensas del que te abrió los ojos?" Él les contestó: "Que es un profeta".

Pero los judíos no creyeron que aquel hombre, que había sido ciego, hubiera recobrado la vista. Llamaron, pues, a sus padres y les preguntaron: "¿Es éste su hijo, del que ustedes dicen que nació ciego? ¿Cómo es que ahora ve?" Sus padres contestaron: "Sabemos que éste es nuestro hijo y que nació ciego. Cómo es que ahora ve o quién le haya dado la vista, no lo sabemos. Pregúntenselo a él; ya tiene edad suficiente y responderá por sí mismo". Los padres del que había sido ciego dijeron esto por miedo a los judíos, porque éstos ya habían convenido en expulsar de la sinagoga a quien reconociera a Jesús como el Mesías. Por eso sus padres dijeron: 'Ya tiene edad; pregúntenle a él'.

Llamaron de nuevo al que había sido ciego y le dijeron: "Da gloria a Dios. Nosotros sabemos que ese hombre es pecador". Contestó él: "Si es pecador, yo no lo sé; sólo sé que yo era ciego y ahora veo". Le preguntaron otra vez: "¿Qué te hizo? ¿Cómo te abrió los ojos?" Les contestó: "Ya se lo dije a ustedes y no me han dado crédito. ¿Para qué quieren oírlo otra vez? ¿Acaso también ustedes quieren hacerse discípulos suyos?" Entonces ellos lo llenaron de insultos y le dijeron: "Discípulo de ése lo serás tú. Nosotros somos discípulos de Moisés. Nosotros sabemos que a Moisés le habló Dios. Pero ése, no sabemos de dónde viene".

Replicó aquel hombre: "Es curioso que ustedes no sepan de dónde viene y, sin embargo, me ha abierto los ojos. Sabemos que Dios no escucha a los pecadores, pero al que lo teme y hace su voluntad, a ése sí lo escucha. Jamás se había oído decir que alguien abriera los ojos a un ciego de nacimiento. Si éste no viniera de Dios, no tendría ningún poder". Le replicaron: "Tú eres puro pecado desde que naciste, ¿cómo pretendes darnos lecciones?" Y lo echaron fuera.

Supo Jesús que lo habían echado fuera, y cuando lo encontró, le dijo: "¿Crees tú en el Hijo del hombre?" Él contestó: "¿Y quién es, Señor, para que yo crea en él?" Jesús le dijo: "Ya lo has visto; el que está hablando contigo, ése es". Él dijo: "Creo, Señor". Y postrándose, lo adoró.

Entonces le dijo Jesús: "Yo he venido a este mundo para que se definan los campos: para que los ciegos vean, y los que ven queden ciegos". Al oír esto, algunos fariseos que estaban con él le preguntaron: "¿Entonces también nosotros estamos ciegos?" Jesús les contestó: "Si estuvieran ciegos, no tendrían pecado; pero como dicen que ven, siguen en su pecado".

Palabra del Señor.
Todos: Gloria a ti, Señor Jesús.

Se dice Credo

Oración sobre las Ofrendas

Te presentamos, Señor, llenos de alegría, estas ofrendas para el sacrificio redentor, y pedimos tu ayuda para celebrarlo con fe sincera y ofrecerlo dignamente por la salvación del mundo. Por Jesucristo, nuestro Señor. **Todos: Amén.**

Antífona de la Comunión

El Señor me puso lodo sobre los ojos; entonces fui, me lavé, comencé a ver y creí en Dios (Cfr. Jn 9, 11. 38).

Oración después de la Comunión

Señor Dios, luz que alumbra a todo hombre que viene a este mundo, ilumina nuestros corazones con el resplandor de tu gracia, para que podamos siempre pensar lo que es digno y grato a tus ojos y amarte con sincero corazón. Por Jesucristo, nuestro Señor. **Todos: Amén.**

ORACIÓN SOBRE EL PUEBLO
Protege, Señor, a quienes te invocan, ayuda a los débiles y reaviva siempre con tu luz a quienes caminan en medio de las tinieblas de la muerte; concédeles que, liberados por tu bondad de todos los males, alcancen los bienes supremos. Por Jesucristo, nuestro Señor. **Todos: Amén.**

¡Lázaro, sal de ahí!

(Morado)

Antífona de entrada

Señor, hazme justicia. Defiende mi causa contra la gente sin piedad, sálvame del hombre traidor y malvado, tú que eres mi Dios y mi defensa (Cfr. Sal 42, 1-2).

No se dice Gloria

Oración Colecta

Te rogamos, Señor Dios nuestro, que, con tu auxilio, avancemos animosamente hacia aquel grado de amor con el que tu Hijo, por la salvación del mundo, se entregó a la muerte. Él, que vive y reina contigo. *Todos: Amén.*

1ª Lectura

Del libro del profeta Ezequiel
(Ez 37, 12-14)

Esto dice el Señor Dios: "Pueblo mío, yo mismo abriré sus sepulcros, los haré salir de ellos y los conduciré de nuevo a la tierra de Israel.

Cuando abra sus sepulcros y los saque de ellos, pueblo mío, ustedes dirán que yo soy el Señor. Entonces les infundiré a ustedes mi espíritu y vivirán, los estableceré en su tierra y ustedes sabrán que yo, el Señor, lo dije y lo cumplí".

Palabra de Dios.
Todos: Te alabamos, Señor.

Salmo Responsorial

(Sal 129)

Respuesta: Perdónanos, Señor, y viviremos.

Lector: Desde el abismo de mis pecados clamo a ti; Señor, escucha mi clamor; que estén atentos tus oídos a mi voz suplicante. / **R.**

Lector: Si conservaras el recuerdo de las culpas, ¿quién habría, Señor, que se salvara? Pero de ti procede el perdón, por eso con amor te veneramos. / **R.**

Lector: Confío en el Señor, mi alma espera y confía en su palabra; mi alma aguarda al Señor, mucho más que a la aurora el centinela. / **R.**

Lector: Como aguarda a la aurora el centinela, aguarda Israel al Señor, porque del Señor viene la misericordia y la abundancia de la redención, y él redimirá a su pueblo de todas sus iniquidades. / **R.**

2ª Lectura

De la carta del apóstol san Pablo
a los romanos (Rom 8, 8-11)

Hermanos: Los que viven en forma desordenada y egoísta no pueden agradar a Dios. Pero ustedes no llevan esa clase de vida, sino una vida conforme al Espíritu, puesto que el Espíritu de Dios habita verdaderamente en ustedes.

Quien no tiene el Espíritu de Cristo, no es de Cristo. En cambio, si Cristo vive en ustedes, aunque su cuerpo siga sujeto a la muerte a causa del pecado, su espíritu vive a causa de la actividad salvadora de Dios.

Si el Espíritu del Padre, que resucitó a Jesús de entre los muertos, habita en ustedes, entonces el Padre, que resucitó a Jesús de entre los muertos, también les dará vida a sus cuerpos mortales, por obra de su Espíritu, que habita en ustedes.

Palabra de Dios.
Todos: Te alabamos, Señor.

Aclamación antes del Evangelio

(Jn 11, 25. 26)

R. **Honor y gloria a ti, Señor Jesús.** Yo soy la resurrección y la vida, dice el Señor; el que cree en mí no morirá para siempre.

R. **Honor y gloria a ti, Señor Jesús.**

Evangelio

Del santo Evangelio según san Juan
(Jn 11, 1-45)
Todos: Gloria a ti, Señor.

En aquel tiempo, se encontraba enfermo Lázaro, en Betania, el pueblo de María y de su hermana Marta. María era la que una vez ungió al Señor con perfume y le enjugó los pies con su cabellera. El enfermo era su hermano Lázaro. Por eso las dos hermanas le mandaron decir a Jesús: "Señor, el amigo a quien tanto quieres está enfermo".

Al oír esto, Jesús dijo: "Esta enfermedad no acabará en la muerte, sino que servirá para la gloria de Dios, para que el Hijo de Dios sea glorificado por ella".

Jesús amaba a Marta, a su hermana y a Lázaro. Sin embargo, cuando se enteró de que Lázaro estaba enfermo, se detuvo dos días más en el lugar en que se hallaba. Después dijo a sus discípulos: "Vayamos otra vez a Judea". Los discípulos le dijeron: "Maestro, hace poco que los judíos querían apedrearte, ¿y tú vas a volver allá?" Jesús les contestó: "¿Acaso no tiene doce horas el día? El que camina de día no tropieza, porque ve la luz de este mundo; en cambio, el que camina de noche tropieza, porque le falta la luz".

Dijo esto y luego añadió: "Lázaro, nuestro amigo, se ha dormido; pero yo voy ahora a despertarlo". Entonces le dijeron sus discípulos: "Señor, si duerme, es que va a sanar". Jesús hablaba de la muerte, pero ellos creyeron que hablaba del sueño natural. Entonces Jesús les dijo abiertamente: "Lázaro ha muerto, y me alegro por ustedes de no haber estado ahí, para que crean. Ahora, vamos allá". Entonces Tomás, por sobrenombre el Gemelo, dijo a los demás discípulos: "Vayamos también nosotros, para morir con él".

Cuando llegó Jesús, Lázaro llevaba ya cuatro días en el sepulcro. Betania quedaba cerca de Jerusalén, como a unos dos kilómetros y medio, y muchos judíos habían ido a ver a Marta y a María para consolarlas por la muerte de su hermano. Apenas oyó Marta que Jesús llegaba, salió a su encuentro; pero María se quedó en casa. Le dijo Marta a Jesús: "Señor, si hubieras estado aquí, no habría muerto mi hermano. Pero aun ahora estoy segura de que Dios te concederá cuanto le pidas".

Jesús le dijo: "Tu hermano resucitará". Marta respondió: "Ya sé que resucitará en la resurrección del último día". Jesús le dijo: "Yo soy la resurrección y la vida. El que cree en mí, aunque haya muerto, vivirá; y todo aquel que está vivo y cree en mí, no morirá para siempre. ¿Crees tú esto?" Ella le contestó: "Sí, Señor. Creo firmemente que tú eres el Mesías, el Hijo de Dios, el que tenía que venir al mundo".

Después de decir estas palabras, fue a buscar a su hermana María y le dijo en voz baja: "Ya vino el Maestro y te llama". Al oír esto, María se levantó en el acto y salió hacia donde estaba Jesús, porque él no había llegado aún al pueblo, sino que estaba en el lugar donde Marta lo había encontrado. Los judíos que estaban con María en la casa, consolándola, viendo que ella se levantaba y salía de prisa, pensaron que iba al sepulcro para llorar ahí y la siguieron.

Cuando llegó María adonde estaba Jesús, al verlo, se echó a sus pies y le dijo: "Señor, si hubieras estado aquí, no habría muerto mi hermano". Jesús, al verla llorar y al ver llorar a los judíos que la acompañaban, se conmovió hasta lo más hondo y preguntó: "¿Dónde lo han puesto?" Le contestaron: "Ven, Señor, y lo verás". Jesús se puso a llorar y los judíos comentaban: "De veras ¡cuánto lo amaba!" Algunos decían: "¿No podía éste, que abrió los ojos al ciego de nacimiento, hacer que Lázaro no muriera?"

Jesús, profundamente conmovido todavía, se detuvo ante el sepulcro, que era una cueva, sellada con una losa. Entonces dijo Jesús: "Quiten la losa". Pero Marta, la hermana del que había muerto, le replicó: "Señor, ya huele mal, porque lleva cuatro días". Le dijo Jesús: "¿No te he dicho que si crees, verás la gloria de Dios?" Entonces quitaron la piedra.

Jesús levantó los ojos a lo alto y dijo: "Padre, te doy gracias porque me has escuchado. Yo ya sabía que tú siempre me escuchas; pero lo he dicho a causa de esta muchedumbre que me rodea, para que crean que tú me has enviado". Luego gritó con voz potente: "¡Lázaro, sal de ahí!" Y salió el muerto, atados con vendas las manos y los pies, y la cara envuelta en un sudario. Jesús les dijo: "Desátenlo, para que pueda andar".

Muchos de los judíos que habían ido a casa de Marta y María, al ver lo que había hecho Jesús, creyeron en él.

Palabra del Señor.
Todos: Gloria a ti, Señor Jesús.

Se dice Credo

Oración sobre las Ofrendas

Escúchanos, Dios todopoderoso, y concede a tus siervos, en quienes infundiste la sabiduría de la fe cristiana, quedar purificados, por la eficacia de este sacrificio. Por Jesucristo, nuestro Señor. *Todos: Amén.*

Antífona de la Comunión

Todo el que está vivo y cree en mí, no morirá para siempre, dice el Señor (Cfr. Jn 11, 26).

Oración después de la Comunión

Te rogamos, Dios todopoderoso, que podamos contarnos siempre entre los miembros de aquel cuyo Cuerpo y Sangre acabamos de comulgar. Él, que vive y reina por los siglos de los siglos. *Todos: Amén.*

ORACIÓN SOBRE EL PUEBLO

Bendice, Señor, a tu pueblo, que espera los dones de tu misericordia, y concédele recibir de tu mano generosa lo que tú mismo lo mueves a pedir. Por Jesucristo, nuestro Señor.

Juegos y Actividades

Estoy buscando algunas palabras...
¡Ayúdame a encontrarlas!:
Lázaro, Betania, Enfermo, Judea, Maestro, Sepulcro, Hermana, Conmovido, Piedra y Muchedumbre.

```
S L I Ñ S B M L Ñ P I E D R A
E O L J Y B Z B Z B C C O V N
P F F A H E N F E R M O D H A
U M T I Z T Z N M H F N I Y M
L S M B E A U Ñ L O D N V O R
C A I C E N R G I A A C O C E
R A Q Ñ C I D O L E D U M R H
O R T S E A M X D U I B N G B
Ñ M U C H E D U M B R E O N U
Q U X G K S J Ñ G Y Q V C L H
```

Cogieron piedras para apedrearlo

(Morado)

Antífona de entrada

Ten piedad de mí, Señor, porque estoy en peligro, líbrame y sálvame de la mano de mis enemigos y de aquellos que me persiguen; Señor, que no quede yo defraudado de haberte invocado (Sal 30, 10. 16. 18).

Oración Colecta

Perdona, Señor, las culpas de tu pueblo, para que, por tu bondad, nos libres de las ataduras de los pecados que por nuestra fragilidad hemos cometido. Por nuestro Señor Jesucristo. *Todos:* **Amén.**

1ª Lectura

Del libro del profeta Jeremías
(Jer 20, 10-13)

En aquel tiempo, dijo Jeremías: "Yo oía el cuchicheo de la gente que decía: 'Denunciemos a Jeremías, denunciemos al profeta del terror'. Todos los que eran mis amigos espiaban mis pasos, esperaban que tropezara y me cayera, diciendo: 'Si se tropieza y se cae, lo venceremos y podremos vengarnos de él'.

Pero el Señor, guerrero poderoso, está a mi lado; por eso mis perseguidores caerán por tierra y no podrán conmigo; quedarán avergonzados de su fracaso y su ignominia será eterna e inolvidable.

Señor de los ejércitos, que pones a prueba al justo y conoces lo más profundo de los corazones, haz que yo vea tu venganza contra ellos, porque a ti he encomendado mi causa.

Canten y alaben al Señor, porque él ha salvado la vida de su pobre de la mano de los malvados". **Palabra de Dios.**

Todos: Te alabamos, Señor.

Salmo Responsorial

(Sal 17)

R.espuesta: **Sálvame, Señor, en el peligro.**

Lector: Yo te amo, Señor, tú eres mi fuerza, el Dios que me protege y me libera. / R.

Lector: Tú eres mi refugio, mi salvación, mi escudo, mi castillo. Cuando invoqué al Señor de mi esperanza, al punto me libró de mi enemigo. / R.

Lector: Olas mortales me cercaban, torrentes destructores me envolvían; me alcanzaban las redes del abismo y me ataban los lazos de la muerte. / R.

Lector: En el peligro invoqué al Señor, en mi angustia le grité a mi Dios; desde su templo, él escuchó mi voz y mi grito llegó a sus oídos. / R.

Aclamación antes del Evangelio

(Cfr. Jn 6, 63. 68)

R. **Honor y gloria a ti, Señor Jesús.** Tus palabras, Señor, son espíritu y vida. Tú tienes palabras de vida eterna.

R. **Honor y gloria a ti, Señor Jesús.**

Evangelio

Del santo Evangelio según san Juan
(Jn 10, 31-42)
Todos: Gloria a ti, Señor.

En aquel tiempo, cuando Jesús terminó de hablar, los judíos cogieron piedras para apedrearlo. Jesús les dijo: "He realizado ante ustedes muchas obras buenas de parte del Padre, ¿por cuál de ellas me quieren apedrear?"

Le contestaron los judíos: "No te queremos apedrear por ninguna obra buena, sino por blasfemo, porque tú, no siendo más que un hombre, pretendes ser Dios". Jesús les replicó: "¿No está escrito en su ley: *Yo les he dicho: Ustedes son dioses?* Ahora bien, si ahí se llama dioses a quienes fue dirigida la palabra de Dios (y la Escritura no puede equivocarse), ¿cómo es que a mí, a quien el Padre consagró y envió al mundo, me llaman blasfemo porque he dicho: 'Soy Hijo de Dios'? Si no hago las obras de mi Padre, no me crean. Pero si las hago, aunque no me crean a mí, crean a las obras, para que puedan comprender que el Padre está en mí y yo en el Padre". Trataron entonces de apoderarse de él, pero se les escapó de las manos.

Luego regresó Jesús al otro lado del Jordán, al lugar donde Juan había bautizado en un principio y se quedó allí. Muchos acudieron a él y decían: "Juan no hizo ninguna señal prodigiosa; pero todo lo que Juan decía de éste, era verdad". Y muchos creyeron en él allí. **Palabra del Señor.**

Todos: Gloria a ti, Señor Jesús.

Oración sobre las Ofrendas

Que tu ayuda, Dios misericordioso, nos haga dignos de servir siempre a tu altar, a fin de que la asidua participación en este sacrificio nos obtenga la salvación. Por Jesucristo, nuestro Señor. *Todos: Amén.*

Antífona de la Comunión

Jesús, cargado con nuestros pecados, subió al madero de la cruz, para que, muertos al pecado, vivamos para la justicia; por sus llagas hemos sido curados (1 Pe 2, 24).

Oración después de la Comunión

Que no deje de protegernos continuamente, Señor, la recepción de este sacramento y que aleje siempre de nosotros todo mal. Por Jesucristo, nuestro Señor. *Todos: Amén.*

ORACIÓN SOBRE EL PUEBLO Opcional.
Concede, Dios todopoderoso, que tus siervos, que anhelan la gracia de tu protección, puedan servirte con ánimo confiado, libres ya de todo mal. Por Jesucristo, nuestro Señor.

Tu rey viene a ti, apacible y montado en un burro

(Rojo)

CONMEMORACIÓN DE LA ENTRADA DEL SEÑOR EN JERUSALÉN

Enseguida el sacerdote y los fieles se santiguan mientras el sacerdote dice: "En el nombre del Padre, y del Hijo, y del Espíritu Santo". Después el sacerdote saluda al pueblo de la manera acostumbrada y hace una breve monición para invitar a los fieles a participar activa y conscientemente en la celebración de este día.

Puede hacerlo con éstas o semejantes palabras:

Queridos hermanos: Después de haber preparado nuestros corazones desde el principio de la Cuaresma con nuestra penitencia y nuestras obras de caridad, hoy nos reunimos para iniciar, unidos con toda la Iglesia, la celebración anual del Misterio Pascual, es decir, de la pasión y resurrección de nuestro Señor Jesucristo, misterios que empezaron con su entrada en Jerusalén, su ciudad.

Por eso, recordando con toda fe y devoción esta entrada salvadora, sigamos al Señor, para que participando de su cruz, tengamos parte con él en su resurrección y su vida.

Después de esta monición, el sacerdote, teniendo extendidas las manos, dice una de las dos oraciones siguientes:

Oremos.

Dios todopoderoso y eterno, santifica con tu bendición + estos ramos, para que, quienes acompañamos jubilosos a Cristo Rey, podamos llegar, por él, a la Jerusalén del cielo. Él, que vive y reina por los siglos de los siglos.

R. Amén.

Y, en silencio, rocía los ramos con agua bendita.

Evangelio

Del santo Evangelio según san Mateo
(Mt 21, 1-11)
Todos: Gloria a ti, Señor.

Cuando se aproximaban ya a Jerusalén, al llegar a Betfagé, junto al monte de los Olivos, envió Jesús a dos de sus discípulos, diciéndoles: "Vayan al pueblo que ven allí enfrente; al entrar, encontrarán amarrada una burra y un burrito con ella; desátenlos y tráiganmelos. Si alguien les pregunta algo, díganle que el Señor los necesita y enseguida los devolverá".

Esto sucedió para que se cumplieran las palabras del profeta: *"Díganle a la hija de Sión: He aquí que tu rey viene a ti, apacible y montado en un burro, en un burrito, hijo de animal de yugo".*

Fueron, pues, los discípulos e hicieron lo que Jesús les había encargado y trajeron consigo la burra y el burrito. Luego pusieron sobre ellos sus mantos y Jesús se sentó encima. La gente, muy numerosa, extendía sus mantos por el camino; algunos cortaban ramas de los árboles y las tendían a su paso. Los que iban delante de él y los que lo seguían gritaban: *"¡Hosanna! ¡Viva el Hijo de David! ¡Bendito el que viene en nombre del Señor! ¡Hosanna en el cielo!".*

Al entrar Jesús en Jerusalén, toda la ciudad se conmovió. Unos decían: *"¿Quién es éste?"* Y la gente respondía: *"Éste es el profeta Jesús, de Nazaret de Galilea".*

Palabra del Señor.
Todos: Gloria a ti, Señor Jesús.

Al iniciar la procesión, el celebrante, el diácono u otro ministro idóneo puede hacer una monición con estas palabras u otras parecidas:

Queridos hermanos: Imitando a la multitud que aclamaba al Señor, avancemos en paz.

Después de la procesión o de la entrada solemne, el sacerdote comienza la Misa con la Oración colecta.

LA MISA

Oración Colecta

Dios todopoderoso y eterno, que quisiste que nuestro Salvador se hiciera hombre y padeciera en la cruz para dar al género humano ejemplo de humildad, concédenos, benigno, seguir las enseñanzas de su pasión y que merezcamos participar de su gloriosa resurrección. Él, que vive y reina contigo. *Todos: Amén.*

1ª Lectura

Del libro del profeta Isaías
(Is 50, 4-7)

En aquel entonces, dijo Isaías: "El Señor me ha dado una lengua experta, para que pueda confortar al abatido con palabras de aliento.

Mañana tras mañana, el Señor despierta mi oído, para que escuche yo, como discípulo. El Señor Dios me ha hecho oír sus palabras y yo no he opuesto resistencia ni me he echado para atrás.

Ofrecí la espalda a los que me golpeaban, la mejilla a los que me tiraban de la barba. No aparté mi rostro de los insultos y salivazos.

Pero el Señor me ayuda, por eso no quedaré confundido, por eso endurecí mi rostro como roca y sé que no quedaré avergonzado".

Palabra de Dios.
Todos: Te alabamos, Señor.

Salmo Responsorial

(Sal 21)

Respuesta: Dios mío, Dios mío, ¿por qué me has abandonado?
Lector: Todos los que me ven, de mí se burlan; me hacen gestos y dicen: "Confiaba en el Señor, pues que él lo salve; si de veras lo ama, que lo libre". / ℟.
Lector: Los malvados me cercan por doquiera como rabiosos perros. Mis manos y mis pies han taladrado y se pueden contar todos mis huesos. / ℟.

Lector: Reparten entre sí mis vestiduras y se juegan mi túnica a los dados. Señor, auxilio mío, ven y ayúdame, no te quedes de mí tan alejado. / **R.**

Lector: Contaré tu fama a mis hermanos, en medio de la asamblea te alabare. Fieles del Señor, alabenlo; glorificalo, linaje de jacob; temelo, estirpe de Israel. / **R.**

2ª Lectura

**De la carta del apóstol san Pablo
a los filipenses (Flp 2, 6-11)**

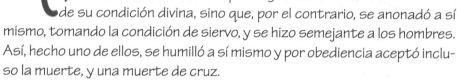

Cristo Jesús, siendo Dios, no consideró que debía aferrarse a las prerrogativas de su condición divina, sino que, por el contrario, se anonadó a sí mismo, tomando la condición de siervo, y se hizo semejante a los hombres. Así, hecho uno de ellos, se humilló a sí mismo y por obediencia aceptó incluso la muerte, y una muerte de cruz.

Por eso Dios lo exaltó sobre todas las cosas y le otorgó el nombre que está sobre todo nombre, para que, al nombre de Jesús, todos doblen la rodilla en el cielo, en la tierra y en los abismos, y todos reconozcan públicamente que Jesucristo es el Señor, para gloria de Dios Padre.

Palabra de Dios.

Todos: Te alabamos, Señor.

Aclamación antes del Evangelio

(Flp 2, 8-9)

R. **Honor y gloria a ti, Señor Jesús.** Cristo se humilló por nosotros y por obediencia aceptó incluso la muerte y una muerte de cruz. Por eso Dios lo exaltó sobre todas las cosas y le otorgó el nombre que está sobre todo nombre.

R. **Honor y gloria a ti, Señor Jesús.**

Indicaciones para la lectura dialogada:
Las siglas que indican a los diversos interlocutores son las siguientes:
† = Jesús; S = Discípulos, pueblo y otros personajes; C = Cronista.

PASIÓN DE NUESTRO SEÑOR JESUCRISTO SEGÚN SAN MATEO (26, 14-27, 66)

C. En aquel tiempo, uno de los Doce, llamado Judas Iscariote, fue a ver a los sumos sacerdotes y les dijo:

S. "¿Cuánto me dan si les entrego a Jesús?"

C. Ellos quedaron en darle treinta monedas de plata. Y desde ese momento andaba buscando una oportunidad para entregárselo. El primer día de la fiesta de los panes Ázimos, los discípulos se acercaron a Jesús y le preguntaron:

S. "¿Dónde quieres que te preparemos la cena de Pascua?"

C. Él respondió:

† "Vayan a la ciudad, a casa de fulano y díganle: 'El Maestro dice: Mi hora está ya cerca. Voy a celebrar la Pascua con mis discípulos en tu casa'".

C. Ellos hicieron lo que Jesús les había ordenado y prepararon la cena de Pascua. Al atardecer, se sentó a la mesa con los Doce, y mientras cenaban, les dijo:

† "Yo les aseguro que uno de ustedes va a entregarme".

C. Ellos se pusieron muy tristes y comenzaron a preguntarle uno por uno:

S. "¿Acaso soy yo, Señor?"

C. Él respondió:

† "El que moja su pan en el mismo plato que yo, ése va a entregarme. Porque el Hijo del hombre va a morir, como está escrito de él; pero ¡ay de aquel por quien el Hijo del hombre va a ser entregado! Más le valiera a ese hombre no haber nacido".

C. Entonces preguntó Judas, el que lo iba a entregar:

S. "¿A caso soy yo, Maestro?"

C. Jesús le respondió:

† "Tú lo has dicho".

C. Durante la cena, Jesús tomó un pan y, pronunciada la bendición, lo partió y lo dio a sus discípulos, diciendo:

† "Tomen y coman. Éste es mi Cuerpo".

C. Luego tomó en sus manos una copa de vino y, pronunciada la acción de gracias, la pasó a sus discípulos, diciendo:

† "Beban todos de ella, porque ésta es mi Sangre, Sangre de la nueva alianza, que será derramada por todos, para el perdón de los pecados. Les digo que ya no beberé más del fruto de la vid, hasta el día en que beba con ustedes el vino nuevo en el Reino de mi Padre".

C. Después de haber cantado el himno, salieron hacia el monte de los Olivos. Entonces Jesús les dijo:

† "Todos ustedes se van a escandalizar de mí esta noche, porque está escrito: 'Heriré al pastor y se dispersarán las ovejas del rebaño'. Pero después de que yo resucite, iré delante de ustedes a Galilea".

C. Entonces Pedro le replicó:

S. "Aunque todos se escandalicen de ti, yo nunca me escandalizaré".

C. Jesús le dijo:

† "Yo te aseguro que esta misma noche, antes de que el gallo cante, me habrás negado tres veces".

C. Pedro le replicó:

S. "Aunque tenga que morir contigo, no te negaré".

C. Y lo mismo dijeron todos los discípulos. Entonces Jesús fue con ellos a un lugar llamado Getsemaní y dijo a los discípulos:

† "Quédense aquí mientras yo voy a orar más allá".

C. Se llevó consigo a Pedro y a los dos hijos de Zebedeo y comenzó a sentir tristeza y angustia. Entonces les dijo:

† "Mi alma está llena de una tristeza mortal. Quédense aquí y velen conmigo".

C. Avanzó unos pasos más, se postró rostro en tierra y comenzó a orar, diciendo:

† "Padre mío, si es posible, que pase de mí este cáliz; pero que no se haga como yo quiero, sino como quieres tú".

C. Volvió entonces a donde estaban los discípulos y los encontró dormidos. Dijo a Pedro:

† "¿No han podido velar conmigo ni una hora? Velen y oren, para no caer en la tentación, porque el espíritu está pronto, pero la carne es débil".

C. Y alejándose de nuevo, se puso a orar, diciendo:

† "Padre mío, si este cáliz no puede pasar sin que yo lo beba, hágase tu voluntad".

C. Después volvió y encontró a sus discípulos otra vez dormidos, porque tenían los ojos cargados de sueño. Los dejó y se fue a orar de nuevo, por tercera vez, repitiendo las mismas palabras. Después de esto, volvió a donde estaban los discípulos y les dijo:

✝ "Duerman ya y descansen. He aquí que llega la hora y el Hijo del hombre va a ser entregado en manos de los pecadores. ¡Levántense! ¡Vamos! Ya está aquí el que me va a entregar".

C. Todavía estaba hablando Jesús, cuando llegó Judas, uno de los Doce, seguido de una chusma numerosa con espadas y palos, enviada por los sumos sacerdotes y los ancianos del pueblo. El que lo iba a entregar les había dado esta señal:

S. "Aquel a quien yo le dé un beso, ése es. Aprehéndanlo".

C. Al instante se acercó a Jesús y le dijo:

S. "¡Buenas noches, Maestro!"

C. Y lo besó. Jesús le dijo:

✝ "Amigo, ¿es esto a lo que has venido?"

C. Entonces se acercaron a Jesús, le echaron mano y lo apresaron. Uno de los que estaban con Jesús, sacó la espada, hirió a un criado del sumo sacerdote y le cortó una oreja. Le dijo entonces Jesús:

✝ "Vuelve la espada a su lugar, pues quien usa la espada, a espada morirá. ¿No crees que si yo se lo pidiera a mi Padre, él pondría ahora mismo a mi disposición más de doce legiones de ángeles? Pero, ¿cómo se cumplirían entonces las Escrituras, que dicen que así debe suceder?"

C. Enseguida dijo Jesús a aquella chusma:

✝ "¿Han salido ustedes a apresarme como a un bandido, con espadas y palos? Todos los días yo enseñaba, sentado en el templo, y no me aprehendieron. Pero todo esto ha sucedido para que se cumplieran las predicciones de los profetas".

C. Entonces todos los discípulos lo abandonaron y huyeron. Los que aprehendieron a Jesús lo llevaron a la casa del sumo sacerdote Caifás, donde los escribas y los ancianos estaban reunidos. Pedro los fue siguiendo de lejos hasta el palacio del sumo sacerdote. Entró y se sentó con los criados para ver en qué paraba aquello. Los sumos sacerdotes y todo el sanedrín andaban buscando un falso testimonio contra Jesús, con ánimo de darle muerte; pero no lo encontraron, aunque se presentaron muchos testigos falsos. Al fin llegaron dos, que dijeron:

S. "Éste dijo: 'Puedo derribar el templo de Dios y reconstruirlo en tres días'".

C. Entonces el sumo sacerdote se levantó y le dijo:

S. "¿No respondes nada a lo que éstos atestiguan en contra tuya?"

C. Como Jesús callaba, el sumo sacerdote le dijo:

S. "Te conjuro por el Dios vivo a que nos digas si tú eres el Mesías, el Hijo de Dios".

C. Jesús le respondió:

† "Tú lo has dicho. Además, yo les declaro que pronto verán al Hijo del hombre, sentado a la derecha de Dios, venir sobre las nubes del cielo".

C. Entonces el sumo sacerdote rasgó sus vestiduras y exclamó:

S. "¡Ha blasfemado! ¿Qué necesidad tenemos ya de testigos? Ustedes mismos han oído la blasfemia. ¿Qué les parece?"

C. Ellos respondieron:

S. "Es reo de muerte".

C. Luego comenzaron a escupirle en la cara y a darle de bofetadas. Otros lo golpeaban, diciendo:

S. "Adivina quién es el que te ha pegado".

C. Entretanto, Pedro estaba fuera, sentado en el patio. Una criada se le acercó y le dijo:

S. "Tú también estabas con Jesús, el galileo".

C. Pero él lo negó ante todos, diciendo:

S. "No sé de qué me estás hablando".

C. Ya se iba hacia el zaguán, cuando lo vio otra criada y dijo a los que estaban ahí:

S. "También ése andaba con Jesús, el nazareno".

C. Él de nuevo lo negó con juramento:

S. "No conozco a ese hombre".

C. Poco después se acercaron a Pedro los que estaban ahí y le dijeron:

S. "No cabe duda de que tú también eres de ellos, pues hasta tu modo de hablar te delata".

C. Entonces él comenzó a echar maldiciones y a jurar que no conocía a aquel hombre. Y en aquel momento cantó el gallo. Entonces se acordó Pedro de que Jesús había dicho: 'Antes de que cante el gallo, me habrás negado tres veces'. Y saliendo de ahí se soltó a llorar amargamente. Llegada la mañana, todos los sumos sacerdotes y los ancianos del pueblo celebraron consejo contra Jesús para darle muerte. Después de atarlo, lo llevaron ante el procurador, Poncio Pilato, y se lo entregaron. Entonces Judas, el que lo había entregado, viendo que Jesús había sido condenado a muerte, devolvió arrepentido las treinta monedas de plata a los sumos sacerdotes y a los ancianos, diciendo:

S. "Pequé, entregando la sangre de un inocente".

C. Ellos dijeron:

S. "¿Y a nosotros qué nos importa? Allá tú".

C. Entonces Judas arrojó las monedas de plata en el templo, se fue y se ahorcó. Los sumos sacerdotes tomaron las monedas de plata y dijeron:

S. "No es lícito juntarlas con el dinero de las limosnas, porque son precio de sangre".

C. Después de deliberar, compraron con ellas el Campo del alfarero, para sepultar ahí a los extranjeros. Por eso aquel campo se llama hasta el día de hoy "Campo de sangre". Así se cumplió lo que dijo el profeta Jeremías: 'Tomaron las treinta monedas de plata en que fue tasado aquel a quien pusieron precio algunos hijos de Israel, y las dieron por el Campo del alfarero, según lo que me ordenó el Señor'.

Comienza la forma breve (Mt 27,11-54). Si se utiliza ésta, se inicia con las palabras: "En aquel tiempo…".

C. Jesús compareció ante el procurador, Poncio Pilato, quien le preguntó:

S. "¿Eres tú el rey de los judíos?"

C. Jesús respondió:

✝ "Tú lo has dicho".

C. Pero nada respondió a las acusaciones que le hacían los sumos sacerdotes y los ancianos. Entonces le dijo Pilato:

S. "¿No oyes todo lo que dicen contra ti?"

C. Pero él nada respondió, hasta el punto de que el procurador se quedó muy extrañado. Con ocasión de la fiesta de la Pascua, el procurador solía conceder a la multitud la libertad del preso que quisieran. Tenían entonces un preso famoso, llamado Barrabás. Dijo, pues, Pilato a los ahí reunidos:

S. "¿A quién quieren que les deje en libertad: a Barrabás o a Jesús, que se dice el Mesías?"

C. Pilato sabía que se lo habían entregado por envidia. Estando él sentado en el tribunal, su mujer mandó decirle:

S. "No te metas con ese hombre justo, porque hoy he sufrido mucho en sueños por su causa".

C. Mientras tanto, los sumos sacerdotes y los ancianos convencieron a la muchedumbre de que pidieran la libertad de Barrabás y la muerte de Jesús. Así, cuando el procurador les preguntó:

S. "¿A cuál de los dos quieren que les suelte?",

C. ellos respondieron:

S. "A Barrabás".

C. Pilato les dijo:

S. "¿Y qué voy a hacer con Jesús, que se dice el Mesías?"

C. Respondieron todos:

S. "Crucifícalo".

C. Pilato preguntó:

S. "Pero, ¿qué mal ha hecho?"

C. Mas ellos seguían gritando cada vez con más fuerza:

S. "¡Crucifícalo!"

C. Entonces Pilato, viendo que nada conseguía y que crecía el tumulto, pidió agua y se lavó las manos ante el pueblo, diciendo:

S. "Yo no me hago responsable de la muerte de este hombre justo. Allá ustedes".

C. Todo el pueblo respondió:

S. "¡Que su sangre caiga sobre nosotros y sobre nuestros hijos!"

C. Entonces Pilato puso en libertad a Barrabás. En cambio a Jesús lo hizo azotar y lo entregó para que lo crucificaran. Los soldados del procurador llevaron a Jesús al pretorio y reunieron alrededor de él a todo el batallón. Lo desnudaron, le echaron encima un manto de púrpura, trenzaron una corona de espinas y se la pusieron en la cabeza; le pusieron una caña en su mano derecha y, arrodillándose ante él, se burlaban diciendo:

S. "¡Viva el rey de los judíos!",

C. y le escupían. Luego, quitándole la caña, lo golpeaban con ella en la cabeza. Después de que se burlaron de él, le quitaron el manto, le pusieron sus ropas y lo llevaron a crucificar.

Al salir, encontraron a un hombre de Cirene, llamado Simón, y lo obligaron a llevar la cruz. Al llegar a un lugar llamado Gólgota, es decir, "Lugar de la Calavera", le dieron a beber a Jesús vino mezclado con hiel; él lo probó, pero no lo quiso beber. Los que lo crucificaron se repartieron sus vestidos, echando suertes, y se quedaron sentados ahí para custodiarlo. Sobre su cabeza pusieron por escrito la causa de su condena: 'Éste es Jesús, el rey de los judíos'. Juntamente con él, crucificaron a dos ladrones, uno a su derecha y el otro a su izquierda. Los que pasaban por ahí lo insultaban moviendo la cabeza y gritándole:

S. "Tú, que destruyes el templo y en tres días lo reedificas, sálvate a ti mismo; si eres el Hijo de Dios, baja de la cruz".

C. También se burlaban de él los sumos sacerdotes, los escribas y los ancianos, diciendo:

S. "Ha salvado a otros y no puede salvarse a sí mismo. Si es el rey de Israel, que baje de la cruz y creeremos en él. Ha puesto su confianza en Dios, que Dios lo salve ahora, si es que de verdad lo ama, pues él ha dicho: 'Soy el Hijo de Dios'".

C. Hasta los ladrones que estaban crucificados a su lado lo injuriaban. Desde el mediodía hasta las tres de la tarde, se oscureció toda aquella tierra. Y alrededor de las tres, Jesús exclamó con fuerte voz:

✝ "Elí, Elí, ¿lema sabactaní?",

C. que quiere decir: "Dios mío, Dios mío, ¿por qué me has abandonado?" Algunos de los presentes, al oírlo, decían:

S. "Está llamando a Elías".

C. Enseguida uno de ellos fue corriendo a tomar una esponja, la empapó en vinagre y sujetándola a una caña, le ofreció de beber. Pero los otros le dijeron:

S. "Déjalo. Vamos a ver si viene Elías a salvarlo".

C. Entonces Jesús, dando de nuevo un fuerte grito, expiró.

Aquí todos se arrodillan y guardan silencio por unos instantes.

Entonces el velo del templo se rasgó en dos partes, de arriba a abajo, la tierra tembló y las rocas se partieron. Se abrieron los sepulcros y resucitaron muchos justos que habían muerto, y después de la resurrección de Jesús, entraron en la ciudad santa y se aparecieron a mucha gente. Por su parte, el oficial y los que estaban con él custodiando a Jesús, al ver el terremoto y las cosas que ocurrían, se llenaron de un gran temor y dijeron:

S. "Verdaderamente éste era Hijo de Dios".

Fin de la lectura breve.

C. Estaban también allí, mirando desde lejos, muchas de las mujeres que habían seguido a Jesús desde Galilea para servirlo. Entre ellas estaban María Magdalena, María, la madre de Santiago y de José, y la madre de los hijos de Zebedeo. Al atardecer, vino un hombre rico de Arimatea, llamado José, que se había hecho también discípulo de Jesús. Se presentó a Pilato y le pidió el cuerpo de Jesús, y Pilato dio orden de que se lo entregaran. José tomó el cuerpo, lo envolvió en una sábana limpia y lo depositó en un sepulcro nuevo, que había hecho excavar en la roca para sí mismo. Hizo rodar una gran piedra hasta la entrada del sepulcro y se retiró. Estaban ahí María Magdalena y la otra María, sentadas frente al sepulcro. Al otro día, el siguiente de la preparación de la Pascua, los sumos sacerdotes y los fariseos se reunieron ante Pilato y le dijeron:

S. "Señor, nos hemos acordado de que ese impostor, estando aún en vida, dijo: 'A los tres días resucitaré'. Manda, pues, asegurar el sepulcro hasta el tercer día; no sea que vengan sus discípulos, lo roben y digan luego al pueblo: 'Resucitó de entre los muertos', porque esta última impostura sería peor que la primera".

C. Pilato les dijo:

S. "Tomen un pelotón de soldados, vayan y aseguren el sepulcro como ustedes quieran".

C. Ellos fueron y aseguraron el sepulcro, poniendo un sello sobre la puerta y dejaron ahí la guardia. *Palabra del Señor.*

A. *Gloria a ti, Señor Jesús.*

Después de la lectura de la Pasión, puede tenerse, si se cree oportuno, una breve homilía. También se puede guardar un momento de silencio.

Se dice Credo y se hace la oración universal.

Oración sobre las Ofrendas

Que la pasión de tu Unigénito, Señor, nos atraiga tu perdón, y aunque no lo merecemos por nuestras obras, por la mediación de este sacrificio único, lo recibamos de tu misericordia. Por Jesucristo, nuestro Señor. *Todos: Amén.*

Antífona de la Comunión

Padre mío, si no es posible evitar que yo beba este cáliz, hágase tu voluntad (Mt 26, 42).

Oración después de la Comunión

Tú que nos has alimentado con esta Eucaristía, y por medio de la muerte de tu Hijo nos das la esperanza de alcanzar lo que la fe nos promete, concédenos, Señor, llegar, por medio de su resurrección, a la meta de nuestras esperanzas. Por Jesucristo, nuestro Señor. *Todos: Amén.*

9 de abril

ORACIÓN SOBRE EL PUEBLO

Dios y Padre nuestro, mira con bondad a esta familia tuya, por la cual nuestro Señor Jesucristo no dudó en entregarse a sus verdugos y padecer el tormento de la cruz. Por Jesucristo, nuestro Señor.

Juegos y Actividades

¡Vamos a recibir a Jesús! Pero quiero llevar mis palmas, son dos iguales. ¿Puedes distinguirlas de las demás?

Jesús debía resucitar
de entre los muertos

(s) (Blanco)

MISA DEL DÍA

Antífona de entrada

He resucitado y estoy contigo, aleluya: has puesto tu mano sobre mí, aleluya: tu sabiduría ha sido maravillosa, aleluya, aleluya (Cfr. Sal 138, 18. 5-6).

Se dice Gloria

Oración Colecta

Señor Dios, que por medio de tu Unigénito, vencedor de la muerte, nos has abierto hoy las puertas de la vida eterna, concede a quienes celebramos la solemnidad de la resurrección del Señor, resucitar también en la luz de la vida eterna, por la acción renovadora de tu Espíritu. Por nuestro Señor Jesucristo. ***Todos: Amén.***

1ª Lectura

Del libro de los Hechos de los Apóstoles
(Hech 10, 34. 37-43)

En aquellos días, Pedro tomó la palabra y dijo: "Ya saben ustedes lo sucedido en toda Judea, que tuvo principio en Galilea, después del bautismo predicado por Juan: cómo Dios ungió con el poder del Espíritu Santo a Jesús de Nazaret y cómo éste pasó haciendo el bien, sanando a todos los oprimidos por el diablo, porque Dios estaba con él.

Nosotros somos testigos de cuanto él hizo en Judea y en Jerusalén. Lo mataron colgándolo de la cruz, pero Dios lo resucitó al tercer día y concedió verlo, no a todo el pueblo, sino únicamente a los testigos que él, de antemano, había escogido: a nosotros, que hemos comido y bebido con él después de que resucitó de entre los muertos.

Él nos mandó predicar al pueblo y dar testimonio de que Dios lo ha constituido juez de vivos y muertos. El testimonio de los profetas es unánime: que cuantos creen en él reciben, por su medio, el perdón de los pecados".

Palabra de Dios.

Todos: **Te alabamos, Señor.**

Salmo Responsorial

(Sal 117)

Respuesta: Éste es el día del triunfo del Señor. Aleluya.

Lector: Te damos gracias, Señor, porque eres bueno, porque tu misericordia es eterna. Diga la casa de Israel: "Su misericordia es eterna". / R.

Lector: La diestra del Señor es poderosa, la diestra del Señor es nuestro orgullo. No moriré, continuaré viviendo para contar lo que el Señor ha hecho. / R.

Lector: La piedra que desecharon los constructores, es ahora la piedra angular. Esto es obra de la mano del Señor, es un milagro patente. / R.

2ª Lectura

De la carta del apóstol san Pablo
a los colosenses (Col 3, 1-4)

Hermanos: Puesto que han resucitado con Cristo, busquen los bienes de arriba, donde está Cristo, sentado a la derecha de Dios. Pongan todo el corazón en los bienes del cielo, no en los de la tierra, porque han muerto y su vida está escondida con Cristo en Dios. Cuando se manifieste Cristo, vida de ustedes, entonces también ustedes se manifestarán gloriosos, juntamente con él.

Palabra de Dios.

Todos: **Te alabamos, Señor.**

O bien:

2ª Lectura

De la primera carta del apóstol san Pablo a los corintios (1 Cor 5, 6-8)

Hermanos: ¿No saben ustedes que un poco de levadura hace fermentar toda la masa? Tiren la antigua levadura, para que sean ustedes una masa nueva, ya que son pan sin levadura, pues Cristo, nuestro cordero pascual, ha sido inmolado.

Celebremos, pues, la fiesta de la Pascua, no con la antigua levadura, que es de vicio y maldad, sino con el pan sin levadura, que es de sinceridad y verdad. **Palabra de Dios.**

Todos: **Te alabamos, Señor.**

SECUENCIA
(Sólo el día de hoy es obligatoria; durante la octava es opcional)

Ofrezcan los cristianos
ofrendas de alabanza
a gloria de la Víctima
propicia de la Pascua.

Cordero sin pecado,
que a las ovejas salva,
a Dios y a los culpables
unió con nueva alianza.

Lucharon vida y muerte
en singular batalla,
y, muerto el que es la vida,
triunfante se levanta.

"¿Qué has visto de camino,
María, en la mañana?"
"A mi Señor glorioso,
la tumba abandonada,

los ángeles testigos,
sudarios y mortajas.
¡Resucitó de veras
mi amor y mi esperanza!

Venid a Galilea,
allí el Señor aguarda;
allí veréis los suyos
la gloria de la Pascua".

Primicia de los muertos,
sabemos por tu gracia
que estás resucitado;
la muerte en ti no manda.

Rey vencedor, apiádate
de la miseria humana
y da a tus fieles parte
en tu victoria santa.

16 de abril

Aclamación antes del Evangelio

(Cfr. 1 Cor 5, 7-8)

R. Aleluya, aleluya. Cristo, nuestro cordero pascual, ha sido inmolado; celebremos, pues, la Pascua.

R. Aleluya, aleluya.

Evangelio

Del santo Evangelio según san Juan
(Jn 20, 1-9)
Todos: Gloria a ti, Señor.

E l primer día después del sábado, estando todavía oscuro, fue María Magdalena al sepulcro y vio removida la piedra que lo cerraba. Echó a correr, llegó a la casa donde estaban Simón Pedro y el otro discípulo, a quien Jesús amaba, y les dijo: "Se han llevado del sepulcro al Señor y no sabemos dónde lo habrán puesto".

Salieron Pedro y el otro discípulo camino del sepulcro. Los dos iban corriendo juntos, pero el otro discípulo corrió más aprisa que Pedro y llegó primero al sepulcro, e inclinándose, miró los lienzos puestos en el suelo, pero no entró.

En eso llegó también Simón Pedro, que lo venía siguiendo, y entró en el sepulcro. Contempló los lienzos puestos en el suelo y el sudario, que había estado sobre la cabeza de Jesús, puesto no con los lienzos en el suelo, sino doblado en sitio aparte. Entonces entró también el otro discípulo, el que había llegado primero al sepulcro, y vio y creyó, porque hasta entonces no habían entendido las Escrituras, según las cuales Jesús debía resucitar de entre los muertos.

Palabra del Señor.
Todos: Gloria a ti, Señor Jesús.

O bien, en las Misas vespertinas:

Evangelio

Del santo Evangelio según san Lucas
(Lc 24, 13-35)
Todos: Gloria a ti, Señor.

El mismo día de la resurrección, iban dos de los discípulos hacia un pueblo llamado Emaús, situado a unos once kilómetros de Jerusalén, y comentaban todo lo que había sucedido.

Mientras conversaban y discutían, Jesús se les acercó y comenzó a caminar con ellos; pero los ojos de los dos discípulos estaban velados y no lo reconocieron. Él les preguntó: "¿De qué cosas vienen hablando, tan llenos de tristeza?"

Uno de ellos, llamado Cleofás, le respondió: "¿Eres tú el único forastero que no sabe lo que ha sucedido estos días en Jerusalén?" Él les preguntó: "¿Qué cosa?" Ellos le respondieron: "Lo de Jesús el nazareno, que era un profeta poderoso en obras y palabras, ante Dios y ante todo el pueblo. Cómo los sumos sacerdotes y nuestros jefes lo entregaron para que lo condenaran a muerte, y lo crucificaron. Nosotros esperábamos que él sería el libertador de Israel, y sin embargo, han pasado ya tres días desde que estas cosas sucedieron. Es cierto que algunas mujeres de nuestro grupo nos han desconcertado, pues fueron de madrugada al sepulcro, no encontraron el cuerpo y llegaron contando que se les habían aparecido unos ángeles, que les dijeron que estaba vivo. Algunos de nuestros compañeros fueron al sepulcro y hallaron todo como habían dicho las mujeres, pero a él no lo vieron".

Entonces Jesús les dijo: "¡Qué insensatos son ustedes y qué duros de corazón para creer todo lo anunciado por los profetas! ¿Acaso no era necesario que el Mesías padeciera todo esto y así entrara en su gloria?" Y comenzando por Moisés y siguiendo con todos los profetas, les explicó todos los pasajes de la Escritura que se referían a él.

Ya cerca del pueblo a donde se dirigían, él hizo como que iba más lejos; pero ellos le insistieron, diciendo: "Quédate con nosotros, porque ya es tarde y pronto va a oscurecer". Y entró para quedarse con ellos. Cuando estaban a la mesa, tomó un pan, pronunció la bendición, lo partió y se lo dio. Entonces se les abrieron los ojos y lo reconocieron, pero él se les desapareció. Y ellos se decían el uno al otro: "¡Con razón nuestro corazón ardía, mientras nos hablaba por el camino y nos explicaba las Escrituras!"

Se levantaron inmediatamente y regresaron a Jerusalén, donde encontraron reunidos a los Once con sus compañeros, los cuales les dijeron: "De veras ha resucitado el Señor y se le ha aparecido a Simón". Entonces ellos contaron lo que les había pasado en el camino y cómo lo habían reconocido al partir el pan. *Palabra del Señor.*

*Todos: **Gloria a ti, Señor Jesús.***

Se dice Credo

Oración sobre las Ofrendas

Llenos de júbilo por el gozo pascual te ofrecemos, Señor, este sacrificio, mediante el cual admirablemente renace y se nutre tu Iglesia. Por Jesucristo, nuestro Señor. *Todos:* **Amén.**

Prefacio I de Pascua: El Misterio Pascual (en este día).

En las Plegarias eucarísticas se utilizan los textos propios.

Antífona de la Comunión

Cristo, nuestro Cordero Pascual, ha sido inmolado. Aleluya. Celebremos, pues, la Pascua, con el pan sin levadura, que es de sinceridad y verdad. Aleluya (1 Cor 5, 7-8).

Oración después de la Comunión

Dios de bondad, protege paternalmente con amor incansable a tu Iglesia, para que, renovada por los misterios pascuales, pueda llegar a la gloria de la resurrección. Por Jesucristo, nuestro Señor. *Todos:* **Amén.**

Para dar la bendición al final de la Misa, es conveniente que el sacerdote utilice la fórmula de bendición solemne de la Misa de la Vigilia Pascual.

Para despedir al pueblo, se canta o se dice:

Anuncien a todos la alegría del Señor resucitado.
Vayan en paz, aleluya, aleluya.

O bien:

Pueden ir en paz, aleluya, aleluya.

Todos responden:

Demos gracias a Dios, aleluya, aleluya.

22 de abril

Reciban el Espíritu Santo

(Blanco)

Antífona de entrada

Como niños recién nacidos, anhelen una leche pura y espiritual que los haga crecer hacia la salvación. Aleluya (1 Pe 2, 2).

Se dice Gloria

Oración Colecta

Dios de eterna misericordia, que reanimas la fe de este pueblo a ti consagrado con la celebración anual de las fiestas pascuales, aumenta en nosotros los dones de tu gracia, para que todos comprendamos mejor la excelencia del bautismo que nos ha purificado, la grandeza del Espíritu que nos ha regenerado y el precio de la Sangre que nos ha redimido. Por nuestro Señor Jesucristo. *Todos:* **Amén.**

1ª Lectura

Del libro de los Hechos de los Apóstoles
(Hech 2, 42-47)

En los primeros días de la Iglesia, todos los hermanos acudian asiduamente a escuchar las enseñanzas de los apóstoles, vivian en comunión fraterna y se congregaban para orar en cumún y celebrar la fracción del pan. Toda la gente estaba llena de asombro y de temor, al ver los milagros y prodigios que los apóstoles hacían en Jerusalén.

Todos los creyentes vivían unidos y lo tenían todo en común. Los que eran dueños de bienes o propiedades los vendían, y el producto era distribuido entre todos, según las necesidades de cada uno. Diariamente se reunían en el templo, y en las casas partían el pan y comían juntos, con alegría y sencillez de corazón. Alababan a Dios y toda la gente los estimaba. Y el Señor aumentaba cada día el número de los que habían de salvarse.

Palabra de Dios.

Todos: **Te alabamos, Señor.**

Salmo Responsorial

(Sal 117)

Respuesta: La misericordia del Señor es eterna. Aleluya.

Lector: Diga la casa de Israel: "Su misericordia es eterna". Diga la casa de Aarón: "Su misericordia es eterna". Digan los que temen al Señor: "Su misericordia es eterna". / R.

Lector: Querían a empujones derribarme, pero Dios me ayudó. El Señor es mi fuerza y mi alegría, en el Señor está mi salvación. / R.

Lector: La piedra que desecharon los constructores, es ahora la piedra angular. Esto es obra de la mano del Señor, es un milagro patente. Éste es el día del triunfo del Señor, día de júbilo y de gozo. / R.

2ª Lectura

De la primera carta del apóstol san Pedro
(1 Pedro 1, 3-9)

Bendito sea Dios, Padre de nuestro Señor Jesucristo, por su gran misericordia, porque al resucitar a Jesucristo de entre los muertos, nos concedió renacer a la esperanza de una vida nueva, que no puede corromperse ni mancharse y que él nos tiene reservada como herencia en el cielo. Porque ustedes tienen fe en Dios, él los protege con su poder, para que alcancen la salvación que les tiene preparada y que él revelará al final de los tiempos.

Por esta razón, alégrense, aun cuando ahora tengan que sufrir un poco por adversidades de todas clases, a fin de que su fe, sometida a la prueba, sea hallada digna de alabanza, gloria y honor, el día de la manifestación de Cristo. Porque la fe de ustedes es más preciosa que el oro, y el oro se acrisola por el fuego.

A Cristo Jesús ustedes no lo han visto y, sin embargo, lo aman; al creer en él ahora, sin verlo, se llenan de una alegría radiante e indescriptible, seguros de alcanzar la salvación de sus almas, que es la meta de la fe.

Palabra de Dios.

Todos: **Te alabamos, Señor.**

Secuencia opcional, pág. 109.

Aclamación antes del Evangelio

(Jn 20, 29)

R. **Aleluya, aleluya.** Tomás, tú crees porque me has visto. Dichosos los que creen sin haberme visto, dice el Señor.

R. **Aleluya, aleluya.**

Evangelio

Del santo Evangelio según san Juan
(Jn 20, 19-31)
Todos: **Gloria a ti, Señor.**

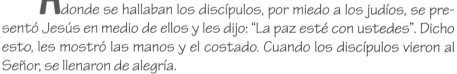

Al anochecer del día de la resurrección, estando cerradas las puertas de la casa donde se hallaban los discípulos, por miedo a los judíos, se presentó Jesús en medio de ellos y les dijo: "La paz esté con ustedes". Dicho esto, les mostró las manos y el costado. Cuando los discípulos vieron al Señor, se llenaron de alegría.

De nuevo les dijo Jesús: "La paz esté con ustedes. Como el Padre me ha enviado, así también los envío yo". Después de decir esto, sopló sobre ellos y les dijo: "Reciban el Espíritu Santo. A los que les perdonen los pecados, les quedarán perdonados; y a los que no se los perdonen, les quedarán sin perdonar".

Tomás, uno de los Doce, a quien llamaban el Gemelo, no estaba con ellos cuando vino Jesús, y los otros discípulos le decían: "Hemos visto al Señor". Pero él les contestó: "Si no veo en sus manos la señal de los clavos y si no meto mi dedo en los agujeros de los clavos y no meto mi mano en su costado, no creeré".

Ocho días después, estaban reunidos los discípulos a puerta cerrada y Tomás estaba con ellos. Jesús se presentó de nuevo en medio de ellos y les dijo: "La paz esté con ustedes". Luego le dijo a Tomás: "Aquí están mis manos; acerca tu dedo. Trae acá tu mano, métela en mi costado y no sigas dudando, sino cree". Tomás le respondió: "¡Señor mío y Dios mío!" Jesús añadió: "Tú crees porque me has visto; dichosos los que creen sin haber visto".

Otras muchas señales milagrosas hizo Jesús en presencia de sus discípulos, pero no están escritos en este libro. Se escribieron éstos para que ustedes crean que Jesús es el Mesías, el Hijo de Dios, y para que, creyendo, tengan vida en su nombre.

Palabra del Señor.
Todos: **Gloria a ti, Señor Jesús.**

Se dice Credo

Oración sobre las Ofrendas

Recibe, Señor, las ofrendas de tu pueblo [y de los recién bautizados], para que, renovados por la confesión de tu nombre y por el bautismo, consigamos la felicidad eterna. Por Jesucristo, nuestro Señor. *Todos:* **Amén.**

Prefacio I de Pascua (en este día).

Antífona de la Comunión

Jesús dijo a Tomás: Acerca tu mano, toca los agujeros que dejaron los clavos y no seas incrédulo, sino creyente. Aleluya (Cfr. Jn 20, 27).

Oración después de la Comunión

Dios todopoderoso, concédenos que la gracia recibida en este sacramento pascual permanezca siempre en nuestra vida. Por Jesucristo, nuestro Señor. *Todos:* **Amén.**

Puede utilizarse la fórmula de bendición solemne.

La despedida se hace como el día de Pascua.

Se les abrieron los ojos y lo reconocieron

(Blanco)

Antífona de entrada

Aclama a Dios, tierra entera. Canten todos un himno a su nombre, denle gracias y alábenlo. Aleluya (Cfr. Sal 65, 1-2).

Se dice Gloria

Oración Colecta

Dios nuestro, que tu pueblo se regocije siempre al verse renovado y rejuvenecido, para que, al alegrarse hoy por haber recobrado la dignidad de su adopción filial, aguarde seguro con gozosa esperanza el día de la resurrección. Por nuestro Señor Jesucristo. *Todos:* **Amén.**

1ª Lectura

Del libro de los Hechos de los Apóstoles
(Hech 2, 14. 22-33)

El día de Pentecostés, se presentó Pedro, junto con los Once, ante la multitud, y levantando la voz, dijo: "Israelitas, escúchenme. Jesús de Nazaret fue un hombre acreditado por Dios ante ustedes, mediante los milagros, prodigios y señales que Dios realizó por medio de él y que ustedes bien conocen. Conforme al plan previsto y sancionado por Dios, Jesús fue entregado, y ustedes utilizaron a los paganos para clavarlo en la cruz.

Pero Dios lo resucitó, rompiendo las ataduras de la muerte, ya que no era posible que la muerte lo retuviera bajo su dominio. En efecto, David dice, refiriéndose a él: *Yo veía constantemente al Señor delante de mí, puesto que él está a mi lado para que yo no tropiece. Por eso se alegra mi corazón y mi lengua se alboroza; por eso también mi cuerpo vivirá en la esperanza, porque tú, Señor, no me abandonarás a la muerte, ni dejarás que tu santo sufra la corrupción. Me has enseñado el sendero de la vida y me saciarás de gozo en tu presencia.*

Hermanos, que me sea permitido hablarles con toda claridad: el patriarca David murió y lo enterraron, y su sepulcro se conserva entre nosotros hasta el día de hoy. Pero, como era profeta, y sabía que Dios le había prometido con juramento que un descendiente suyo ocuparía su trono, con visión profética habló de la resurrección de Cristo, el cual no fue abandonado a la muerte ni sufrió la corrupción.

Pues bien, a este Jesús Dios lo resucitó, y de ello todos nosotros somos testigos. Llevado a los cielos por el poder de Dios, recibió del Padre el Espíritu Santo prometido a él y lo ha comunicado, como ustedes lo están viendo y oyendo".

Palabra de Dios.
Todos: *Te alabamos, Señor.*

Salmo Responsorial

(Sal 15)

Respuesta: Enséñanos, Señor, el camino de la vida. Aleluya.

Lector: Protégeme, Dios mío, pues eres mi refugio. Yo siempre he dicho que tú eres mi Señor. El Señor es la parte que me ha tocado en herencia: mi vida está en sus manos. / **R.**

Lector: Bendeciré al Señor, que me aconseja, hasta de noche me instruye internamente. Tengo siempre presente al Señor y con él a mi lado, jamás tropezaré. / **R.**

Lector: Por eso se me alegran el corazón y el alma y mi cuerpo vivirá tranquilo, porque tú no me abandonarás a la muerte ni dejarás que sufra yo la corrupción. / **R.**

Lector: Enséñame el camino de la vida, sáciame de gozo en tu presencia y de alegría perpetua junto a ti. / **R.**

2ª Lectura

De la primera carta del apóstol san Pedro
(1 Pedro 1, 17-21)

Hermanos: Puesto que ustedes llaman Padre a Dios, que juzga imparcialmente la conducta de cada uno según sus obras, vivan siempre con temor filial durante su peregrinar por la tierra.

Bien saben ustedes que de su estéril manera de vivir, heredada de sus padres, los ha rescatado Dios, no con bienes efímeros, como el oro y la plata, sino con la sangre preciosa de Cristo, el cordero sin defecto ni mancha, al cual Dios había elegido desde antes de la creación del mundo, y por amor a ustedes, lo ha manifestado en estos tiempos, que son los últimos. Por Cristo, ustedes creen en Dios, quien lo resucitó de entre los muertos y lo llenó de gloria, a fin de que la fe de ustedes sea también esperanza en Dios.

Palabra de Dios.
Todos: Te alabamos, Señor.

Aclamación antes del Evangelio

(Cfr. Lc 24, 32)
R. **Aleluya, aleluya.** Señor Jesús, haz que comprendamos la Sagrada Escrituras. Enciende nuestro corazón mientras nos hablas.
R. **Aleluya, aleluya.**

Evangelio

Del santo Evangelio según san Lucas
(Lc 24, 13-35)
Todos: Gloria a ti, Señor.

El mismo día de la resurrección, iban dos de los discípulos hacia un pueblo llamado Emaús, situado a unos once kilómetros de Jerusalén, y comentaban todo lo que había sucedido.

Mientras conversaban y discutían, Jesús se les acercó y comenzó a caminar con ellos; pero los ojos de los dos discípulos estaban velados y no lo reconocieron. Él les preguntó: "¿De qué cosas vienen hablando, tan llenos de tristeza?"

Uno de ellos, llamado Cleofás, le respondió: "¿Eres tú el único forastero que no sabe lo que ha sucedido estos días en Jerusalén?" Él les preguntó: "¿Qué cosa?" Ellos le respondieron: "Lo de Jesús el nazareno, que era un profeta poderoso en obras y palabras, ante Dios y ante todo el pueblo. Cómo los sumos sacerdotes y nuestros jefes lo entregaron para que lo condenaran a muerte, y lo crucificaron. Nosotros esperábamos que él sería el libertador de Israel, y sin embargo, han pasado ya tres días desde que estas cosas sucedieron. Es cierto que algunas mujeres de nuestro grupo nos han desconcertado, pues fueron de madrugada al sepulcro, no encontraron el cuerpo y llegaron contando que se les habían aparecido unos ángeles, que les dijeron que estaba vivo. Algunos de nuestros compañeros fueron al sepulcro y hallaron todo como habían dicho las mujeres, pero a él no lo vieron".

Entonces Jesús les dijo: "¡Qué insensatos son ustedes y qué duros de corazón para creer todo lo anunciado por los profetas! ¿Acaso no era necesario que el Mesías padeciera todo esto y así entrara en su gloria?" Y comenzando por Moisés y siguiendo con todos los profetas, les explicó todos los pasajes de la Escritura que se referían a él.

Ya cerca del pueblo a donde se dirigían, él hizo como que iba más lejos; pero ellos le insistieron, diciendo: "Quédate con nosotros, porque ya es tarde y pronto va a oscurecer". Y entró para quedarse con ellos. Cuando estaban a la mesa, tomó un pan, pronunció la bendición, lo partió y se lo dio. Entonces se les abrieron los ojos y lo reconocieron, pero él se les desapareció. Y ellos se decían el uno al otro: "¡Con razón nuestro corazón ardía, mientras nos hablaba por el camino y nos explicaba las Escrituras!"

Se levantaron inmediatamente y regresaron a Jerusalén, donde encontraron reunidos a los Once con sus compañeros, los cuales les dijeron: "De veras ha resucitado el Señor y se le ha aparecido a Simón". Entonces ellos contaron lo que les había pasado por el camino y cómo lo habían reconocido al partir el pan. *Palabra del Señor.*

Todos: *Gloria a ti, Señor Jesús.*

Se dice Credo

Oración sobre las Ofrendas

Recibe, Señor, los dones que, jubilosa, tu Iglesia te presenta, y puesto que es a ti a quien debe su alegría, concédele también disfrutar de la felicidad eterna. Por Jesucristo, nuestro Señor. *Todos: **Amén.***

Antífona de la Comunión

Los discípulos reconocieron al Señor Jesús, al partir el pan. Aleluya (Lc 24, 35).

Oración después de la Comunión

Dirige, Señor, tu mirada compasiva sobre tu pueblo, al que te has dignado renovar con estos misterios de vida eterna, y concédele llegar un día a la gloria incorruptible de la resurrección. Por Jesucristo, nuestro Señor. **Todos: Amén.**

Puede utilizarse la fórmula de bendición solemne, p.

Juegos y Actividades

BALODI

RUCZ

DORROCE

NEGLA

¡Qué desastre! Todas las letras están revueltas Ayúdame a ordenarlas con la ayuda de los dibujos. Une cada palabra con lo que le corresponde

El que come mi carne y bebe mi sangre, tiene vida eterna

(Blanco)

Antífona de entrada

Digno es el Cordero que fue sacrificado, de recibir el poder, la riqueza, la sabiduría, la fuerza y el honor. Aleluya (Apoc 5, 12).

Oración Colecta

Dios todopoderoso, concede a quienes hemos conocido la gracia de la resurrección del Señor, resucitar, por el amor del Espíritu Santo, a una vida nueva. Por nuestro Señor Jesucristo. *Todos:* **Amén.**

1ª Lectura

Del libro de los Hechos de los Apóstoles
(Hech 9, 1-20)

En aquellos días, Saulo, amenazando todavía de muerte a los discípulos del Señor, fue a ver al sumo sacerdote y le pidió, para las sinagogas de Damasco, cartas que lo autorizaran para traer presos a Jerusalén a todos aquellos hombres y mujeres que seguían la nueva doctrina.

Pero sucedió que, cuando se aproximaba a Damasco, una luz del cielo lo envolvió de repente con su resplandor. Cayó por tierra y oyó una voz que le decía: "Saulo, Saulo, ¿por qué me persigues?" Preguntó él: "¿Quién eres, Señor?" La respuesta fue: "Yo soy Jesús, a quien tú persigues. Levántate. Entra en la ciudad y ahí se te dirá lo que tienes que hacer".

Los hombres que lo acompañaban en el viaje se habían detenido, mudos de asombro, pues oyeron la voz, pero no vieron a nadie. Saulo se levantó del suelo, y aunque tenía abiertos los ojos, no podía ver. Lo llevaron de la mano hasta Damasco y ahí estuvo tres días ciego, sin comer ni beber.

Había en Damasco un discípulo que se llamaba Ananías, a quien se le apareció el Señor y le dijo: "Ananías". Él respondió: "Aquí estoy, Señor". El Señor le dijo: "Ve a la calle principal y busca en casa de Judas a un hombre de Tarso, llamado Saulo, que está orando". Saulo tuvo también la visión de un hombre llamado Ananías, que entraba y le imponía las manos para que recobrara la vista.

Ananías contestó: "Señor, he oído a muchos hablar de ese individuo y del daño que ha hecho a tus fieles en Jerusalén. Además, trae autorización de los sumos sacerdotes para poner presos a todos los que invocan tu nombre". Pero el Señor le dijo: "No importa. Tú ve allá, porque yo lo he escogido como instrumento, para que me dé a conocer a las naciones, a los reyes y a los hijos de Israel. Yo le mostraré cuánto tendrá que padecer por mi causa".

Ananías fue allá, entró en la casa, le impuso las manos a Saulo y le dijo: "Saulo, hermano, el Señor Jesús, que se te apareció en el camino, me envía para que recobres la vista y quedes lleno del Espíritu Santo". Al instante, algo como escamas se le desprendió de los ojos y recobró la vista. Se levantó y lo bautizaron. Luego comió y recuperó las fuerzas. Se quedó unos días con los discípulos en Damasco y se puso a predicar en las sinagogas, afirmando que Jesús era el Hijo de Dios.

Palabra de Dios.
Todos: **Te alabamos, Señor.**

Salmo Responsorial

(Sal 116)

Respuesta: Que aclamen al Señor todos los pueblos. Aleluya.
Lector: Que alaben al Señor todas las naciones, que lo aclamen todos los pueblos. / R.
Lector: Porque grande es su amor hacia nosotros y su fidelidad dura por siempre. / R.

Aclamación antes del Evangelio

(Jn 6, 56)

R. **Aleluya, aleluya.** El que come mi carne y bebe mi sangre, permanece en mí y yo en él, dice el Señor.

R. **Aleluya.**

Evangelio

Del santo Evangelio según san Juan
(Jn 6, 52-59)
Todos: Gloria a ti, Señor.

En aquel tiempo, los judíos se pusieron a discutir entre sí: "¿Cómo puede éste darnos a comer su carne?"

Jesús les dijo: "Yo les aseguro: Si no comen la carne del Hijo del hombre y no beben su sangre, no podrán tener vida en ustedes. El que come mi carne y bebe mi sangre, tiene vida eterna y yo lo resucitaré el último día.

Mi carne es verdadera comida y mi sangre es verdadera bebida. El que come mi carne y bebe mi sangre, permanece en mí y yo en él. Como el Padre, que me ha enviado, posee la vida y yo vivo por él, así también el que me come vivirá por mí.

Éste es el pan que ha bajado del cielo; no es como el maná que comieron sus padres, pues murieron. El que come de este pan vivirá para siempre".

Esto lo dijo Jesús enseñando en la sinagoga de Cafarnaúm.

Palabra del Señor.
Todos: Gloria a ti, Señor Jesús.

Oración sobre las Ofrendas

Santifica, Señor, por tu piedad, estos dones y al recibir en oblación este sacrificio espiritual, conviértenos para ti en una perenne ofrenda. Por Jesucristo, nuestro Señor. *Todos: Amén.*

Antífona de la Comunión

El Crucificado resucitó de entre los muertos y nos ha redimido. Aleluya.

Oración después de la Comunión

Al recibir, Señor, el don de estos sagrados misterios, te suplicamos humildemente que lo que tu Hijo nos mandó celebrar en memoria suya, nos aproveche para crecer en nuestra caridad fraterna. Por Jesucristo, nuestro Señor. *Todos:* **Amén.**

Juegos y Actividades

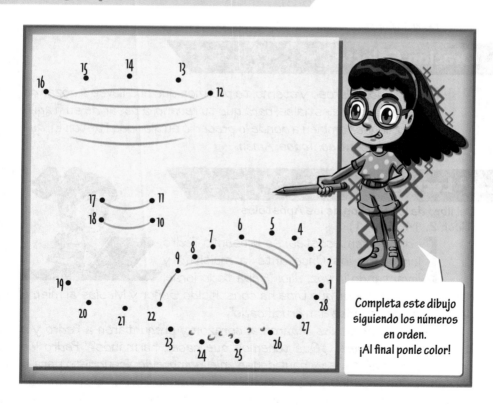

Completa este dibujo siguiendo los números en orden. ¡Al final ponle color!

El que entra por la puerta, ése es el pastor

(Blanco)

Antífona de entrada

La tierra está llena del amor del Señor y su palabra hizo los cielos. Aleluya (Cfr. Sal 32, 5-6).

Se dice Gloria

Oración Colecta

Dios todopoderoso y eterno, te pedimos que nos lleves a gozar de las alegrías celestiales, para que tu rebaño, a pesar de su fragilidad, llegue también a donde lo precedió su glorioso Pastor. Él, que vive y reina contigo. *Todos:* **Amén.**

1ª Lectura

Del libro de los Hechos de los Apóstoles
(Hech 2, 14. 36-41)

El día de Pentecostés, se presentó Pedro junto con los Once ante la multitud y levantando la voz, dijo: "Sepa todo Israel con absoluta certeza, que Dios ha constituido Señor y Mesías al mismo Jesús, a quien ustedes han crucificado".

Estas palabras les llegaron al corazón y preguntaron a Pedro y a los demás apóstoles: "¿Qué tenemos que hacer, hermanos?" Pedro les contestó: "Conviértanse y bautícense en el nombre de Jesucristo para el perdón de sus pecados y recibirán el Espíritu Santo. Porque las promesas de Dios valen para ustedes y para sus hijos y también para todos los paganos que el Señor, Dios nuestro, quiera llamar, aunque estén lejos".

Con éstas y otras muchas razones, los instaba y exhortaba, diciéndoles: "Pónganse a salvo de este mundo corrompido". Los que aceptaron sus palabras se bautizaron, y aquel día se les agregaron unas tres mil personas.

Palabra de Dios.

Todos: **Te alabamos, Señor.**

Salmo Responsorial

(Sal 22)

Respuesta: **El Señor es mi pastor, nada me faltará. Aleluya.**

Lector: El Señor es mi pastor, nada me falta; en verdes praderas me hace reposar y hacia fuentes tranquilas me conduce para reparar mis fuerzas. / R.

Lector: Por ser un Dios fiel a sus promesas, me guía por el sendero recto; así, aunque camine por cañadas oscuras, nada temo, porque tú estás conmigo, tu vara y tu cayado me dan seguridad. / R.

Lector: Tú mismo me preparas la mesa, a despecho de mis adversarios; me unges la cabeza con perfume y llenas mi copa hasta los bordes. / R.

Lector: Tu bondad y tu misericordia me acompañarán todos los días de mi vida; y viviré en la casa del Señor por años sin término. / R.

2ª Lectura

De la primera carta del apóstol san Pedro
(1 Pedro 2, 20-25)

Hermanos: Soportar con paciencia los sufrimientos que les vienen a ustedes por hacer el bien, es cosa agradable a los ojos de Dios, pues a esto han sido llamados, ya que también Cristo sufrió por ustedes y les dejó así un ejemplo para que sigan sus huellas.

Él no cometió pecado ni hubo engaño en su boca; insultado, no devolvió los insultos; maltratado, no profería amenazas, sino que encomendaba su causa al único que juzga con justicia; cargado con nuestros pecados, subió al madero de la cruz, para que, muertos al pecado, vivamos para la justicia.

Por sus llagas ustedes han sido curados, porque ustedes eran como ovejas descarriadas, pero ahora han vuelto al pastor y guardián de sus vidas.

Palabra de Dios.

Todos: **Te alabamos, Señor.**

Aclamación antes del Evangelio

(Jn 10, 14)

R. **Aleluya, aleluya.** Yo soy el buen pastor, dice el Señor; yo conozco a mis ovejas y ellas me conocen a mí.

R. **Aleluya, aleluya.**

Evangelio

Del santo Evangelio según san Juan
(Jn 10, 1-10)
Todos: Gloria a ti, Señor.

En aquel tiempo, Jesús dijo a los fariseos: "Yo les aseguro que el que no entra por la puerta del redil de las ovejas, sino que salta por otro lado, es un ladrón, un bandido; pero el que entra por la puerta, ése es el pastor de las ovejas. A ése le abre el que cuida la puerta, y las ovejas reconocen su voz; él llama a cada una por su nombre y las conduce afuera. Y cuando ha sacado a todas sus ovejas, camina delante de ellas, y ellas lo siguen, porque conocen su voz. Pero a un extraño no lo seguirán, sino que huirán de él, porque no conocen la voz de los extraños".

Jesús les puso esta comparación, pero ellos no entendieron lo que les quería decir. Por eso añadió: "Les aseguro que yo soy la puerta de las ovejas. Todos los que han venido antes que yo, son ladrones y bandidos; pero mis ovejas no los han escuchado.

Yo soy la puerta; quien entre por mí se salvará, podrá entrar y salir y encontrará pastos. El ladrón sólo viene a robar, a matar y a destruir. Yo he venido para que tengan vida y la tengan en abundancia".

Palabra del Señor.
Todos: Gloria a ti, Señor Jesús.

Se dice Credo

Oración sobre las Ofrendas

Concédenos, Señor, vivir siempre llenos de gratitud por estos misterios pascuales que celebramos, para que, continuamente renovados por su acción, se conviertan para nosotros en causa de eterna felicidad. Por Jesucristo, nuestro Señor. **Todos: Amén.**

Antífona de la Comunión

Ha resucitado el Buen Pastor, que dio la vida por sus ovejas y se entregó a la muerte por su rebaño. Aleluya.

Oración después de la Comunión

Buen Pastor, vela con solicitud por tu rebaño y dígnate conducir a las ovejas que redimiste con la preciosa sangre de tu Hijo, a las praderas eternas. Por Jesucristo, nuestro Señor. *Todos:* **Amén.**

Puede utilizarse la fórmula de bendición solemne.

Juegos y Actividades

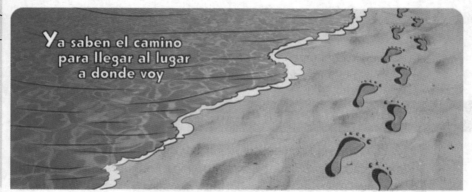

Ya saben el camino para llegar al lugar a donde voy

(Blanco)

Antífona de entrada

Canten al Señor un cántico nuevo, porque ha hecho maravillas y todos los pueblos han presenciado su victoria. Aleluya (Cfr. Sal 97, 1-2).

Se dice Gloria

Oración Colecta

Dios todopoderoso y eterno, lleva a su plenitud en nosotros el sacramento pascual, para que, a quienes te dignaste renovar por el santo bautismo, les hagas posible, con el auxilio de tu protección, abundar en frutos buenos, y alcanzar los gozos de la vida eterna. Por nuestro Señor Jesucristo. *Todos:* **Amén.**

1ª Lectura

Del libro de los Hechos de los Apóstoles
(Hech 6, 1-7)

En aquellos días, como aumentaba mucho el número de los discípulos, hubo ciertas quejas de los judíos griegos contra los hebreos, de que no se atendía bien a sus viudas en el servicio de caridad de todos los días.

Los Doce convocaron entonces a la multitud de los discípulos y les dijeron: "No es justo que, dejando el ministerio de la palabra de Dios, nos dediquemos a administrar los bienes. Escojan entre ustedes a siete hombres de buena reputación, llenos del Espíritu Santo y de sabiduría, a los cuales encargaremos este servicio. Nosotros nos dedicaremos a la oración y al servicio de la palabra".

Todos estuvieron de acuerdo y eligieron a Esteban, hombre lleno de fe y del Espíritu Santo, a Felipe, Prócoro, Nicanor, Timón, Pármenas y Nicolás, prosélito de Antioquía. Se los presentaron a los apóstoles y éstos, después de haber orado, les impusieron las manos.

Mientras tanto, la palabra de Dios iba cundiendo. En Jerusalén se multiplicaba grandemente el número de los discípulos. Incluso un grupo numeroso de sacerdotes había aceptado la fe. **Palabra de Dios.**

Todos: **Te alabamos, Señor.**

Salmo Responsorial

(Sal 32)

Respuesta: El Señor cuida de aquellos que lo temen. Aleluya.

Lector: *Que los justos aclamen al Señor; es propio de los justos alabarlo. Demos gracias a Dios al son del arpa, que la lira acompañe nuestros cantos.* / R.

Lector: *Sincera es la palabra del Señor y todas sus acciones son leales. Él ama la justicia y el derecho, la tierra llena está de sus bondades.* / R.

Lector: *Cuida el Señor de aquellos que lo temen y en su bondad confían; los salva de la muerte y en épocas de hambre les da vida.* / R.

2ª Lectura

De la primera carta del apóstol san Pedro
(1 Pedro 2, 4-9)

Hermanos: Acérquense al Señor Jesús, la piedra viva, rechazada por los hombres, pero escogida y preciosa a los ojos de Dios; porque ustedes también son piedras vivas, que van entrando en la edificación del templo espiritual, para formar un sacerdocio santo, destinado a ofrecer sacrificios espirituales, agradables a Dios, por medio de Jesucristo. Tengan presente que está escrito: *He aquí que pongo en Sión una piedra angular, escogida y preciosa; el que crea en ella no quedará defraudado.*

Dichosos, pues, ustedes, los que han creído. En cambio, para aquellos que se negaron a creer, vale lo que dice la Escritura: *La piedra que rechazaron los constructores ha llegado a ser la piedra angular, y también tropiezo y roca de escándalo.* Tropiezan en ella los que no creen en la palabra, y en esto se cumple un designio de Dios.

Ustedes, por el contrario, son *estirpe elegida, sacerdocio real, nación consagrada a Dios y pueblo de su propiedad,* para que proclamen las obras maravillosas de aquel que los llamó de las tinieblas a su luz admirable.

Palabra de Dios.

Todos: Te alabamos, Señor.

Aclamación antes del Evangelio

(Jn 14, 6)

R. **Aleluya, aleluya.** Yo soy el camino, la verdad y la vida; nadie va al Padre, si no es por mí, *dice el Señor.*

R. **Aleluya, aleluya.**

Evangelio

Del santo Evangelio según san Juan
(Jn 14, 1-12)

Todos: Gloria a ti, Señor.

En aquel tiempo, Jesús dijo a sus discípulos: "No pierdan la paz. Si creen en Dios, crean también en mí. En la casa de mi Padre hay muchas habitaciones. Si no fuera así, yo se lo habría dicho a ustedes, porque ahora voy a prepararles un lugar. Cuando me vaya y les prepare un sitio, volveré y los llevaré conmigo, para que donde yo esté, estén también ustedes. Y ya saben el camino para llegar al lugar a donde voy".

Entonces Tomás le dijo: "Señor, no sabemos a dónde vas, ¿cómo podemos saber el camino?" Jesús le respondió: "Yo soy el camino, la verdad y la vida. Nadie va al Padre si no es por mí. Si ustedes me conocen a mí, conocen también a mi Padre. Ya desde ahora lo conocen y lo han visto".

Le dijo Felipe: "Señor, muéstranos al Padre y eso nos basta". Jesús le replicó: "Felipe, tanto tiempo hace que estoy con ustedes, ¿y todavía no me conoces? Quien me ha visto a mí, ha visto al Padre. ¿Entonces por qué dices: 'Muéstranos al Padre'? ¿O no crees que yo estoy en el Padre y que el Padre está en mí? Las palabras que yo les digo, no las digo por mi propia cuenta. Es el Padre, que permanece en mí, quien hace las obras. Créanme: yo estoy en el Padre y el Padre está en mí. Si no me dan fe a mí, créanlo por las obras. Yo les aseguro: el que crea en mí, hará las obras que hago yo y las hará aun mayores, porque yo me voy al Padre". **Palabra del Señor.**

Todos: Gloria a ti, Señor Jesús.

Se dice Credo

Oración sobre las Ofrendas

Dios nuestro, que por el santo valor de este sacrificio nos hiciste participar de tu misma y gloriosa vida divina, concédenos que, así como hemos conocido tu verdad, de igual manera vivamos de acuerdo con ella. Por Jesucristo, nuestro Señor. *Todos: Amén.*

Antífona de la Comunión

Yo soy la vid verdadera y ustedes los sarmientos, dice el Señor; si permanecen en mí y yo en ustedes darán fruto abundante. Aleluya (Cfr. Jn 15, 1. 5).

Oración después de la Comunión

Señor, muéstrate benigno con tu pueblo, y ya que te dignaste alimentarlo con los misterios celestiales, hazlo pasar de su antigua condición de pecado a una vida nueva. Por Jesucristo, nuestro Señor. *Todos: Amén.*

Puede utilizarse la fórmula de bendición solemne.

Juegos y Actividades

Y - ❖ N - ★ A - ▣
S - ⚡ V - ⬠ E - ▶
L - ⚓ R - ≋ I - ◀
C - ◆ D - ☽ O - ◀
M - ⊖

Queremos descubrir el mensaje oculto que hay en esta placa ¿Nos Ayudas? ¡Fíjate en la clave de abajo!

Si me aman, cumplirán mis mandamientos

(Blanco)

Antífona de entrada

Con voz de júbilo, anúncienlo; que se oiga. Que llegue a todos los rincones de la tierra: el Señor ha liberado a su pueblo. Aleluya (Cfr. Is 48, 20).
Se dice Gloria

Oración Colecta

Dios todopoderoso, concédenos continuar celebrando con incansable amor estos días de tanta alegría en honor del Señor resucitado, y que los misterios que hemos venido conmemorando se manifiesten siempre en nuestras obras. Por nuestro Señor Jesucristo. ***Todos: Amén.***

1ª Lectura

Del libro de los Hechos de los Apóstoles
(Hech 8, 5-8. 14-17)

En aquellos días, Felipe bajó a la ciudad de Samaria y predicaba allí a Cristo. La multitud escuchaba con atención lo que decía Felipe, porque habían oído hablar de los milagros que hacía y los estaban viendo: de muchos poseídos salían los espíritus inmundos, lanzando gritos, y muchos paralíticos y lisiados quedaban curados. Esto despertó gran alegría en aquella ciudad.

Cuando los apóstoles que estaban en Jerusalén se enteraron de que Samaria había recibido la palabra de Dios, enviaron allá a Pedro y a Juan. Éstos, al llegar, oraron por los que se habían convertido, para que recibieran el Espíritu Santo, porque aún no lo habían recibido y solamente habían sido bautizados en el nombre del Señor Jesús. Entonces Pedro y Juan impusieron las manos sobre ellos, y ellos recibieron el Espíritu Santo.

Palabra de Dios.

Todos: **Te alabamos, Señor.**

Salmo Responsorial

(Sal 65)

Respuesta: Las obras del Señor son admirables. Aleluya.

Lector: Que aclame al Señor toda la tierra. Celebremos su gloria y su poder, cantemos un himno de alabanza, digamos al Señor: "Tu obra es admirable". / R.

Lector. Que se postre ante ti la tierra entera y celebre con cánticos tu nombre. Admiremos las obras del Señor, los prodigios que ha hecho por los hombres. / R.

Lector: Él transformó el Mar Rojo en tierra firme y los hizo cruzar el Jordán a pie enjuto. Llenémonos por eso de gozo y gratitud: el Señor es eterno y poderoso. / R.

Lector. Cuantos temen a Dios, vengan y escuchen, y les diré lo que ha hecho por mí. Bendito sea Dios, que no rechazó mi súplica, ni me retiró su gracia. / R.

2ª Lectura

De la primera carta del apóstol san Pedro
(1 Pedro 3, 15-18)

Hermanos: Veneren en sus corazones a Cristo, el Señor, dispuestos siempre a dar, al que las pidiere, las razones de la esperanza de ustedes. Pero háganlo con sencillez y respeto y estando en paz con su conciencia. Así quedarán avergonzados los que denigran la conducta cristiana de ustedes, pues mejor es padecer haciendo el bien, si tal es la voluntad de Dios, que padecer haciendo el mal. Porque también Cristo murió, una sola vez y para siempre, por los pecados de los hombres; él, el justo, por nosotros, los injustos, para llevarnos a Dios; murió en su cuerpo y resucitó glorificado.

Palabra de Dios.

Todos: **Te alabamos, Señor.**

Aclamación antes del Evangelio

(Jn 14, 23)

R. Aleluya, aleluya. El que me ama, cumplirá mi palabra, dice el Señor; y mi Padre lo amará y vendremos a él.
R. Aleluya, Aleluya.

Evangelio

Del santo Evangelio según san Juan
(Jn 14, 15-21)
Todos: Gloria a ti, Señor.

En aquel tiempo, Jesús dijo a sus discípulos: "Si me aman, cumplirán mis mandamientos; yo le rogaré al Padre y él les enviará otro Consolador que esté siempre con ustedes, el Espíritu de verdad. El mundo no puede recibirlo, porque no lo ve ni lo conoce; ustedes, en cambio, sí lo conocen, porque habita entre ustedes y estará en ustedes.

No los dejaré desamparados, sino que volveré a ustedes. Dentro de poco, el mundo no me verá más, pero ustedes sí me verán, porque yo permanezco vivo y ustedes también vivirán. En aquel día entenderán que yo estoy en mi Padre, ustedes en mí y yo en ustedes.

El que acepta mis mandamientos y los cumple, ése me ama. Al que me ama a mí, lo amará mi Padre, yo también lo amaré y me manifestaré a él".

Palabra del Señor.
Todos: Gloria a ti, Señor Jesús.

Se dice Credo

Oración sobre las Ofrendas

Suba hasta ti, Señor, nuestra oración, acompañada por estas ofrendas, para que, purificados por tu bondad, nos dispongas para celebrar el sacramento de tu inmenso amor. Por Jesucristo, nuestro Señor. *Todos: Amén.*

Antífona de la Comunión

Si me aman, cumplirán mis mandamientos, dice el Señor; y yo rogaré al Padre, y él les dará otro Abogado, que permanecerá con ustedes para siempre. Aleluya (Jn 14, 15-16).

Oración después de la Comunión

Dios todopoderoso y eterno, que, por la resurrección de Cristo, nos has hecho renacer a la vida eterna, multiplica en nosotros el efecto de este sacramento pascual, e infunde en nuestros corazones el vigor que comunica este alimento de salvación. Por Jesucristo, nuestro Señor. *Todos: Amén.*

Puede utilizarse la fórmula de bendición solemne.

Juegos y Actividades

En este crucigrama sólo hacen falta las vocales
¿Nos puedes ayudar a completarlo?
¡Son palabras que escuchamos en la misa de hoy!

Hagan discípulos a todos los pueblos

(Blanco)

Antífona de entrada

Hombres de Galilea, ¿qué hacen allí parados mirando al cielo? Ese mismo Jesús, que los ha dejado para subir al cielo, volverá como lo han visto marcharse. Aleluya (Hech 1, 11).

Se dice Gloria

Oración Colecta

Concédenos, Dios todopoderoso, rebosar de santa alegría y, gozosos, elevar a ti fervorosas gracias ya que la ascensión de Cristo, tu Hijo, es también nuestra victoria, pues a donde llegó él, que es nuestra cabeza, esperamos llegar también nosotros, que somos su cuerpo. Por nuestro Señor Jesucristo. **Todos: Amén.**

1ª Lectura

Del libro de los Hechos de los Apóstoles
(Hech 1, 1-11)

En mi primer libro, querido Teófilo, escribí acerca de todo lo que Jesús hizo y enseñó, hasta el día en que ascendió al cielo, después de dar sus instrucciones, por medio del Espíritu Santo, a los apóstoles que había elegido. A ellos se les apareció después de la pasión, les dio numerosas pruebas de que estaba vivo y durante cuarenta días se dejó ver por ellos y les habló del Reino de Dios.

Un día, estando con ellos a la mesa, les mandó: "No se alejen de Jerusalén. Aguarden aquí a que se cumpla la promesa de mi Padre, de la que ya les he hablado: Juan bautizó con agua; dentro de pocos días ustedes serán bautizados con el Espíritu Santo".

Los ahí reunidos le preguntaban: "Señor, ¿ahora sí vas a restablecer la soberanía de Israel?" Jesús les contestó: "A ustedes no les toca conocer el tiempo y la hora que el Padre ha determinado con su autoridad; pero cuando el Espíritu Santo descienda sobre ustedes, los llenará de fortaleza y serán mis testigos en Jerusalén, en toda Judea, en Samaria y hasta los últimos rincones de la tierra".

Dicho esto, se fue elevando a la vista de ellos, hasta que una nube lo ocultó a sus ojos. Mientras miraban fijamente al cielo, viéndolo alejarse, se les presentaron dos hombres vestidos de blanco, que les dijeron: "Galileos, ¿qué hacen allí parados, mirando al cielo? Ese mismo Jesús que los ha dejado para subir al cielo, volverá como lo han visto alejarse". **Palabra de Dios.**

Todos: **Te alabamos, Señor.**

Salmo Responsorial

(Sal 46)

Respuesta: Entre voces de júbilo, Dios asciende a su trono. Aleluya.

Lector: Aplaudan, pueblos todos; aclamen al Señor, de gozo llenos; que el Señor, el Altísimo, es terrible y de toda la tierra, rey supremo. / **R.**

Lector: Entre voces de júbilo y trompetas, Dios, el Señor, asciende hasta su trono. Cantemos en honor de nuestro Dios, al rey honremos y cantemos todos. / **R.**

Lector: Porque Dios es el rey del universo, cantemos el mejor de nuestros cantos. Reina Dios sobre todas las naciones desde su trono santo. / **R.**

2ª Lectura

De la carta del apóstol san Pablo a los efesios
(Ef 1, 17-23)

Hermanos: Pido al Dios de nuestro Señor Jesucristo, el Padre de la gloria, que les conceda espíritu de sabiduría y de revelación para conocerlo.

Le pido que les ilumine la mente para que comprendan cuál es la esperanza que les da su llamamiento, cuán gloriosa y rica es la herencia que

28 de mayo

Dios da a los que son suyos y cuál la extraordinaria grandeza de su poder para con nosotros, los que confiamos en él, por la eficacia de su fuerza poderosa.

Con esta fuerza resucitó a Cristo de entre los muertos y lo hizo sentar a su derecha en el cielo, por encima de todos los ángeles, principados, potestades, virtudes y dominaciones, y por encima de cualquier persona, no sólo del mundo actual sino también del futuro.

Todo lo puso bajo sus pies y a él mismo lo constituyó cabeza suprema de la Iglesia, que es su cuerpo, y la plenitud del que lo consuma todo en todo.

Palabra de Dios.

Todos: Te alabamos, Señor.

Aclamación antes del Evangelio

(Mt 28, 19. 20)

R. **Aleluya, aleluya.** Vayan y enseñen a todas las naciones, dice el Señor, y sepan que yo estaré con ustedes todos los días hasta el fin del mundo.

R. **Aleluya, Aleluya.**

Evangelio

Del santo Evangelio según san Mateo
(Mt 28, 16-20)
Todos: Gloria a ti, Señor.

En aquel tiempo, los once discípulos se fueron a Galilea y subieron al monte en el que Jesús los había citado. Al ver a Jesús, se postraron, aunque algunos titubeaban.

Entonces, Jesús se acercó a ellos y les dijo: "Me ha sido dado todo poder en el cielo y en la tierra. Vayan, pues, y enseñen a todas las naciones, bautizándolas en el nombre del Padre y del Hijo y del Espíritu Santo, y enseñándolas a cumplir todo cuanto yo les he mandado; y sepan que yo estaré con ustedes todos los días, hasta el fin del mundo".

Palabra del Señor.

Todos: Gloria a ti, Señor Jesús.

Se dice Credo

Oración sobre las Ofrendas

A l ofrecerte, Señor, este sacrificio en la gloriosa festividad de la ascensión, concédenos que por este santo intercambio, nos elevemos también nosotros a las cosas del cielo. Por Jesucristo, nuestro Señor. *Todos: **Amén.***

Antífona de la Comunión

Yo estaré con ustedes todos los días, hasta el fin del mundo. Aleluya (Mt 28, 20).

Oración después de la Comunión

D ios todopoderoso y eterno, que nos permites participar en la tierra de los misterios divinos, concede que nuestro fervor cristiano nos oriente hacia el cielo, donde ya nuestra naturaleza humana está contigo. Por Jesucristo, nuestro Señor. *Todos: **Amén.***

Puede utilizarse la fórmula de bendición solemne.

Juegos y Actividades

SE	PAN	TE	RA	DES	PA
RA	QUE	TA	TE	JI	CA
TA	YO	ES	CO	US	TED
RA	MI	TOY	CON	SEN	TIR

En estas celdas hay una frase escondida que escuchamos en la Misa de hoy. Une la frase empezando con las letras rojas y ve tomando las sílabas correctas. ¡Son 10 sílabas en total!

Señor, tú lo sabes todo;
tú bien sabes que te quiero

(Blanco)

Antífona de entrada

Cristo nos ama y nos ha purificado de nuestros pecados por medio de su sangre; e hizo de nosotros un reino sacerdotal para Dios su Padre. Aleluya (Apoc 1, 5-6).

Oración Colecta

Señor Dios, que mediante la glorificación de tu Ungido y la iluminación de tu Espíritu Santo, nos abriste la entrada a la vida eterna, concédenos que, al participar de tan admirable don, aumente nuestro deseo de servirte y seamos impulsados a crecer en nuestra fe. Por nuestro Señor Jesucristo. *Todos: **Amén.***

1ª Lectura

Del libro de los Hechos de los Apóstoles
(Hech 25, 13-21)

En aquellos días, el rey Agripa y Berenice llegaron a Cesarea para saludar a Festo. Como se detuvieron algún tiempo allí, Festo expuso al rey el caso de Pablo con estas palabras:

"Tengo aquí un preso que me dejó Félix, cuya condenación me pidieron los sumos sacerdotes y los ancianos de los judíos, cuando estuve en Jerusalén. Yo les respondí que no era costumbre romana condenar a ningún hombre, sin carearlo antes con sus acusadores, para darle la oportunidad de defenderse de la acusación.

Vinieron conmigo a Cesarea, y sin dar largas al asunto, me senté en el tribunal al día siguiente y mandé que compareciera ese hombre. Los acusadores que se presentaron contra él, no le hicieron cargo de ninguno de los delitos que yo sospechaba. Se trataba sólo de ciertas discusiones acerca de su religión y de un tal Jesús, ya muerto, que Pablo asegura que está vivo.

No sabiendo qué determinación tomar, le pregunté a Pablo si quería ir a Jerusalén para que se le juzgara allá de esos cargos; pero como él pidió ser juzgado por el César, ordené que siguiera detenido hasta que yo pudiera enviárselo". **Palabra de Dios.**

Todos: **Te alabamos, Señor.**

Salmo Responsorial

Respuesta: Bendigamos al Señor, que es el rey del universo. Aleluya.
Lector: Bendice al Señor, alma mía, que todo mi ser bendiga su santo nombre. Bendice al Señor, alma mía, y no te olvides de sus beneficios. / R.
Lector: Como desde la tierra hasta el cielo, así es de grande su misericordia; como dista el oriente del ocaso, así aleja de nosotros nuestros delitos. / R.
Lector: En el cielo el Señor puso su trono y su reino abarca el universo. Bendigan al Señor todos los ángeles, ejecutores fieles de sus órdenes. / R.

Aclamación antes del Evangelio

(Jn 14, 26)
R. **Aleluya, aleluya.** El Espíritu Santo les enseñará todas las cosas y les recordará todo cuanto yo les he dicho, dice el Señor.
R. **Aleluya.**

Evangelio

Del santo Evangelio según san Juan
(Jn 21, 15-19) / *Todos: Gloria a ti, Señor.*

En aquel tiempo, le preguntó Jesús a Simón Pedro: "Simón, hijo de Juan, ¿me amas más que éstos?" Él le contestó: "Sí, Señor, tú sabes que te quiero". Jesús le dijo: "Apacienta mis corderos".

Por segunda vez le preguntó: "Simón, hijo de Juan, ¿me amas?" Él le respondió: "Sí, Señor, tú sabes que te quiero". Jesús le dijo: "Pastorea mis ovejas".

Por tercera vez le preguntó: "Simón, hijo de Juan, ¿me quieres?" Pedro se entristeció de que Jesús le hubiera preguntado por tercera vez si lo quería, y le contestó: "Señor, tú lo sabes todo; tú bien sabes que te quiero". Jesús le dijo: "Apacienta mis ovejas.

Yo te aseguro: cuando eras joven, tú mismo te ceñías la ropa e ibas a donde querías; pero cuando seas viejo, extenderás los brazos y otro te ceñirá y te llevará a donde no quieras". Esto se lo dijo para indicarle con qué género de muerte habría de glorificar a Dios. Después le dijo: "Sígueme".

Palabra del Señor.

Todos:Gloria a ti, Señor Jesús.

Oración sobre las Ofrendas

Mira propicio, Señor, estas ofrendas de tu pueblo, y para que se hagan aceptables ante ti, haz que la venida de tu Santo Espíritu purifique nuestra conciencia. Por Jesucristo, nuestro Señor. **Todos: Amén.**

Antífona de la Comunión

Cuando venga el Espíritu de la verdad, dice el Señor, él los guiará hasta la verdad plena. Aleluya (Jn 16, 13).

Oración después de la Comunión

Señor Dios, ya que nos purificas y alimentas con tus misterios, concédenos que nos obtengan la vida eterna puesto que has permitido que los hayamos recibido. Por Jesucristo, nuestro Señor. **Todos: Amén.**

Juegos y Actividades

Pregunta entre tus amigos:
¿Cuánto aman a Jesús?

(s) (Rojo)

Antífona de entrada

El Espíritu del Señor llena toda la tierra; él da consistencia al universo y sabe todo lo que el hombre dice. Aleluya (Sab 1, 7).

Se dice Gloria

Oración Colecta

Dios nuestro, que por el misterio de la festividad que hoy celebramos santificas a tu Iglesia, extendida por todas las naciones, concede al mundo entero los dones del Espíritu Santo y continúa obrando en el corazón de tus fieles las maravillas que te dignaste realizar en los comienzos de la predicación evangélica. Por nuestro Señor Jesucristo. *Todos:* **Amén.**

1ª Lectura

Del libro de los Hechos de los Apóstoles
(Hech 2, 1-11)

El día de Pentecostés, todos los discípulos estaban reunidos en un mismo lugar. De repente se oyó un gran ruido que venía del cielo, como cuando sopla un viento fuerte, que resonó por toda la casa donde se encontraban. Entonces aparecieron lenguas de fuego, que se distribuyeron y se posaron sobre ellos; se llenaron todos del Espíritu Santo y empezaron a hablar en otros idiomas, según el Espíritu los inducía a expresarse.

En esos días había en Jerusalén judíos devotos, venidos de todas partes del mundo. Al oír el ruido, acudieron en masa y quedaron desconcertados, porque cada uno los oía hablar en su propio idioma.

Atónitos y llenos de admiración, preguntaban: "¿No son galileos todos estos que están hablando? ¿Cómo, pues, los oímos hablar en nuestra lengua nativa? Entre nosotros hay medos, partos y elamitas; otros vivimos en Mesopotamia, Judea, Capadocia, en el Ponto y en Asia, en Frigia y en Panfilia, en Egipto o en la zona de Libia que limita con Cirene. Algunos somos visitantes, venidos de Roma, judíos y prosélitos; también hay cretenses y árabes. Y sin embargo, cada quien los oye hablar de las maravillas de Dios en su propia lengua".

Palabra de Dios.

Todos: Te alabamos, Señor.

Salmo Responsorial

(Sal 103)

Respuesta: Envía, Señor, tu Espíritu a renovar la tierra. Aleluya.

Lector: Bendice al Señor, alma mía; Señor y Dios mío, inmensa es tu grandeza. ¡Qué numerosas son tus obras, Señor! La tierra llena está de tus creaturas. / **R.**

Lector: Si retiras tu aliento, toda creatura muere y vuelve al polvo. Pero envías tu espíritu, que da vida, y renuevas el aspecto de la tierra. / **R.**

Lector: Que Dios sea glorificado para siempre y se goce en sus creaturas. Ojalá que le agraden mis palabras y yo me alegraré en el Señor. / **R.**

2ª Lectura

De la primera carta del apóstol san Pablo a los corintios (1 Cor 12, 3-7. 12-13)

Hermanos: Nadie puede llamar a Jesús "Señor", si no es bajo la acción del Espíritu Santo.

Hay diferentes dones, pero el Espíritu es el mismo. Hay diferentes servicios, pero el Señor es el mismo. Hay diferentes actividades, pero Dios, que hace todo en todos, es el mismo. En cada uno se manifiesta el Espíritu para el bien común.

Porque así como el cuerpo es uno y tiene muchos miembros y todos ellos, a pesar de ser muchos, forman un solo cuerpo, así también es Cristo. Porque todos nosotros, seamos judíos o no judíos, esclavos o libres, hemos sido bautizados en un mismo Espíritu para formar un solo cuerpo, y a todos se nos ha dado a beber del mismo Espíritu.

Palabra de Dios.
Todos: Te alabamos, Señor.

SECUENCIA

Ven, Dios Espíritu Santo,
y envíanos desde el cielo
tu luz, para iluminarnos.

Ven ya, padre de los pobres,
luz que penetra en las almas,
dador de todos los dones.

Fuente de todo consuelo,
amable huésped del alma,
paz en las horas de duelo.

Eres pausa en el trabajo;
brisa, en un clima de fuego;
consuelo, en medio del llanto.

Ven, luz santificadora,
y entra hasta el fondo del alma
de todos los que te adoran.

Sin tu inspiración divina
los hombres nada podemos
y el pecado nos domina.

Lava nuestras inmundicias,
fecunda nuestros desiertos
y cura nuestras heridas.

Doblega nuestra soberbia,
calienta nuestra frialdad,
endereza nuestras sendas.

Concede a aquellos que ponen
en ti su fe y su confianza
tus siete sagrados dones.

Danos virtudes y méritos,
danos una buena muerte
y contigo el gozo eterno.

Aclamación antes del Evangelio

R. **Aleluya, aleluya.** Ven, Espíritu Santo, llena los corazones de tus fieles y enciende en ellos el fuego de tu amor.
R. **Aleluya, aleluya.**

Evangelio

**Del santo Evangelio según san Juan
(Jn 20, 19-23)** / *Todos: Gloria a ti, Señor.*

A
l anochecer del día de la resurrección, estando cerradas las puertas de la casa donde se hallaban los discípulos, por miedo a los judíos, se presentó Jesús en medio de ellos y les dijo: "La paz esté con ustedes". Dicho esto, les mostró las manos y el costado.

Cuando los discípulos vieron al Señor, se llenaron de alegría. De nuevo les dijo Jesús: "La paz esté con ustedes. Como el Padre me ha enviado, así también los envío yo".

Después de decir esto, sopló sobre ellos y les dijo: "Reciban el Espíritu Santo. A los que les perdonen los pecados, les quedarán perdonados; y a los que no se los perdonen, les quedarán sin perdonar". ***Palabra del Señor.***
Todos:Gloria a ti, Señor Jesús.

Se dice Credo

Oración sobre las Ofrendas

C
oncédenos, Señor, que, conforme a la promesa de tu Hijo, el Espíritu Santo nos haga comprender con más plenitud el misterio de este sacrificio y haz que nos descubra toda su verdad. Por Jesucristo, nuestro Señor. ***Todos: Amén.***

Antífona de la Comunión

Todos quedaron llenos del Espíritu Santo, y proclamaban las maravillas de Dios. Aleluya (Hech 2, 4. 11).

Oración después de la Comunión

D
ios nuestro, tú que concedes a tu Iglesia dones celestiales, consérvale la gracia que le has dado, para que permanezca siempre vivo en ella el don del Espíritu Santo que le infundiste; y que este alimento espiritual nos sirva para alcanzar la salvación eterna. Por Jesucristo, nuestro Señor. ***Todos: Amén.***

Puede utilizarse la fórmula de bendición solemne.

No envió a su Hijo para condenar al mundo, Sino para que el mundo se salvara por él

(s) (Blanco)

Antífona de entrada

Bendito sea Dios, Padre, Hijo y Espíritu Santo, porque ha tenido misericordia con nosotros.

Se dice Gloria

Oración Colecta

Dios Padre, que al enviar al mundo la Palabra de verdad y el Espíritu santificador, revelaste a todos los hombres tu misterio admirable, concédenos que, profesando la fe verdadera, reconozcamos la gloria de la eterna Trinidad y adoremos la Unidad de su majestad omnipotente. Por nuestro Señor Jesucristo. *Todos: **Amén.***

1ª Lectura

Del libro del Éxodo
(Éx 34, 4-6. 8-9)

En aquellos días, Moisés subió de madrugada al monte Sinaí, llevando en la mano las dos tablas de piedra, como le había mandado el Señor. El Señor descendió en una nube y se le hizo presente.

Moisés pronunció entonces el nombre del Señor, y el Señor, pasando delante de él, proclamó: "Yo soy el Señor, el Señor Dios, compasivo y clemente, paciente, misericordioso y fiel".

Al instante, Moisés se postró en tierra y lo adoró, diciendo: "Si de veras he hallado gracia a tus ojos, dígnate venir ahora con nosotros, aunque este pueblo sea de cabeza dura; perdona nuestras iniquidades y pecados, y tómanos como cosa tuya". *Palabra de Dios.*

Todos: Te alabamos, Señor.

Salmo Responsorial

(Dn 3)

Respuesta: Bendito seas Señor, para siempre.

Lector: Bendito seas, Señor, Dios de nuestros padres. Bendito sea tu nombre santo y glorioso. / **R.**

Lector: Bendito seas en el templo santo y glorioso. Bendito seas en el trono de tu reino. / **R.**

Lector: Bendito eres tú, Señor, que penetras con tu mirada los abismos y te sientas en un trono rodeado de querubines. Bendito seas, Señor, en la bóveda del cielo. / **R.**

2ª Lectura

De la segunda carta del apóstol san Pablo a los corintios (2 Cor 13, 11-13)

Hermanos: Estén alegres, trabajen por su perfección, anímense mutuamente, vivan en paz y armonía. Y el Dios del amor y de la paz estará con ustedes. Salúdense los unos a los otros con el saludo de paz.

Los saludan todos los fieles.

La gracia de nuestro Señor Jesucristo, el amor del Padre y la comunión del Espíritu Santo estén siempre con ustedes. *Palabra de Dios.*

Todos: Te alabamos, Señor.

Aclamación antes del Evangelio

(Cfr. Apoc 1, 8)

R. Aleluya, aleluya. Gloria al Padre y al Hijo y al Espíritu Santo. Al Dios que es, que era y que vendrá.

R. Aleluya, aleluya.

Evangelio

Del santo Evangelio según san Juan (Jn 3, 16-18)
Todos: Gloria a ti, Señor.

"Tanto amó Dios al mundo, que le entregó a su Hijo único, para que todo el que crea en él no perezca, sino que tenga vida eterna. Porque Dios no envió a su Hijo para condenar al mundo, sino para que el mundo se salvara por él. El que cree en él no será condenado; pero el que no cree ya está condenado, por no haber creído en el Hijo único de Dios".

Palabra del Señor.
Todos:Gloria a ti, Señor Jesús.

Se dice Credo

Oración sobre las Ofrendas

Por la invocación de tu nombre, santifica, Señor, estos dones que te presentamos y transfórmanos por ellos en una continua oblación a ti. Por Jesucristo, nuestro Señor. *Todos: Amén.*

Antífona de la Comunión

Porque ustedes son hijos de Dios, Dios infundió en sus corazones el Espíritu de su Hijo, que clama: Abbá, Padre (Gál 4, 6).

Oración después de la Comunión

Que la recepción de este sacramento y nuestra profesión de fe en la Trinidad santa y eterna, y en su Unidad indivisible, nos aprovechen, Señor, Dios nuestro, para la salvación de cuerpo y alma. Por Jesucristo, nuestro Señor. *Todos: Amén.*

Juegos y Actividades

Haz un dibujo de la Santísima Trinidad

Vayan en busca de las ovejas perdidas

(Verde)

Antífona de entrada

Oye, Señor, mi voz y mis clamores. Ven en mi ayuda, no me rechaces, ni me abandones, Dios, salvador mío (Cfr. Sal 26, 7. 9).

Se dice gloria

Oración Colecta

Señor Dios, fortaleza de los que en ti esperan, acude, bondadoso, a nuestro llamado y puesto que sin ti nada puede nuestra humana debilidad, danos siempre la ayuda de tu gracia, para que, en el cumplimiento de tu voluntad, te agrademos siempre con nuestros deseos y acciones. Por nuestro Señor Jesucristo. *Todos:* **Amén.**

1ª Lectura

Lectura del libro del Éxodo
(Éx 19, 2-6)

En aquellos días, el pueblo de Israel salió de Refidim, llegó al desierto del Sinaí y acampó frente al monte. Moisés subió al monte para hablar con Dios. El Señor lo llamó desde el monte y le dijo: "Esto dirás a la casa de Jacob, esto anunciarás a los hijos de Israel: 'Ustedes han visto cómo castigué a los egipcios y de qué manera los he levantado a ustedes sobre alas de águila y los he traído a mí. Ahora bien, si escuchan mi voz y guardan mi alianza, serán mi especial tesoro entre todos los pueblos, aunque toda la tierra es mía. Ustedes serán para mí un reino de sacerdotes y una nación consagrada'".

Palabra de Dios.
Todos: Te alabamos, Señor.

Salmo Responsorial

(Sal 99)

Respuesta: El Señor es nuestro Dios y nosotros su pueblo.

Lector: Alabemos a Dios todos los hombres, sirvamos al Señor con alegría y con júbilo entremos en su templo. / R.

Lector: Reconozcamos que el Señor es Dios, que él fue quien nos hizo y somos suyos, que somos su pueblo y su rebaño. / R.

Lector: Porque el Señor es bueno, bendigámoslo, porque es eterna su misericordia y su fidelidad nunca se acaba. / R.

2ª Lectura

Lectura de la carta del apóstol san Pablo a los romanos (Rom 5, 6-11)

Hermanos: Cuando todavía no teníamos fuerzas para salir del pecado, Cristo murió por los pecadores en el tiempo señalado. Difícilmente habrá alguien que quiera morir por un justo, aunque puede haber alguno que esté dispuesto a morir por una persona sumamente buena. Y la prueba de que Dios nos ama está en que Cristo murió por nosotros, cuando aún éramos pecadores.

Con mayor razón, ahora que ya hemos sido justificados por su sangre, seremos salvados por él del castigo final. Porque, si cuando éramos enemigos de Dios, fuimos reconciliados con él por la muerte de su Hijo, con mucho más razón, estando ya reconciliados, recibiremos la salvación participando de la vida de su Hijo. Y no sólo esto, sino que también nos gloriamos en Dios, por medio de nuestro Señor Jesucristo, por quien hemos obtenido ahora la reconciliación.

Palabra de Dios.
Todos: Te alabamos, Señor.

Aclamación antes del Evangelio

(Mc 1, 15)

R. **Aleluya, aleluya.** El Reino de Dios está cerca, dice el Señor; arrepiéntanse y crean en el Evangelio.

R. **Aleluya, aleluya.**

Evangelio

Lectura del santo Evangelio según san Mateo
(Mt 9, 36-10, 8)
Todos: Gloria a ti, Señor.

En aquel tiempo, al ver Jesús a las multitudes, se compadecía de ellas, porque estaban extenuadas y desamparadas, como ovejas sin pastor. Entonces dijo a sus discípulos: "La cosecha es mucha y los trabajadores, pocos. Rueguen, por lo tanto, al dueño de la mies que envíe trabajadores a sus campos".

Después, llamando a sus doce discípulos, les dio poder para expulsar a los espíritus impuros y curar toda clase de enfermedades y dolencias.

Éstos son los nombres de los doce apóstoles: el primero de todos, Simón, llamado Pedro, y su hermano Andrés; Santiago y su hermano Juan, hijos de Zebedeo; Felipe y Bartolomé; Tomás y Mateo, el publicano; Santiago, hijo de Alfeo, y Tadeo; Simón, el cananeo, y Judas Iscariote, que fue el traidor.

A estos doce los envió Jesús con estas instrucciones: "No vayan a tierra de paganos ni entren en ciudades de samaritanos. Vayan más bien en busca de las ovejas perdidas de la casa de Israel. Vayan y proclamen por el camino que ya se acerca el Reino de los cielos. Curen a los leprosos y demás enfermos; resuciten a los muertos y echen fuera a los demonios. Gratuitamente han recibido este poder; ejérzanlo, pues, gratuitamente".

Palabra del Señor.
Todos: Gloria a ti, Señor Jesús.

Se dice Credo

Oración sobre las Ofrendas

Tú que con este pan y este vino que te presentamos das al género humano el alimento que lo sostiene y el sacramento que lo renueva, concédenos, Señor, que nunca nos falte esta ayuda para el cuerpo y el alma. Por Jesucristo, nuestro Señor. *Todos: Amén.*

Antífona de la Comunión

Una sola cosa he pedido y es lo único que busco, habitar en la casa del Señor todos los días de mi vida (Sal 26, 4).

Oración después de la Comunión

Señor, que esta santa comunión, que acabamos de recibir, así como significa la unión de los fieles en ti, así también lleve a efecto la unidad en tu Iglesia. Por Jesucristo, nuestro Señor. *Todos: Amén.*

Juegos y Actividades

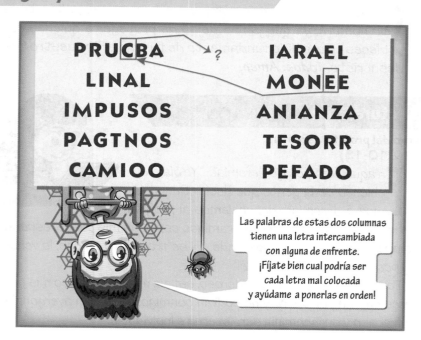

PRUCBA ? IARAEL
LINAL MONEE
IMPUSOS ANIANZA
PAGTNOS TESORR
CAMIOO PEFADO

Las palabras de estas dos columnas tienen una letra intercambiada con alguna de enfrente. ¡Fíjate bien cual podría ser cada letra mal colocada y ayúdame a ponerlas en orden!

Lo que les digo al oído, pregónenlo desde las azoteas

(Verde)

Antífona de entrada

El Señor es la fuerza de su pueblo, defensa y salvación para su Ungido. Sálvanos, Señor, vela sobre nosotros y guíanos siempre (Cfr. Sal 27, 8-9).

Se dice gloria.

Oración Colecta

Señor, concédenos vivir siempre en el amor y respeto a tu santo nombre, ya que jamás dejas de proteger a quienes estableces en el sólido fundamento de tu amor. Por nuestro Señor Jesucristo. *Todos:* **Amén.**

1ª Lectura

Del libro del profeta Jeremías
(Jer 20, 10-13)

En aquel tiempo, dijo Jeremías: "Yo oía el cuchicheo de la gente que decía: 'Denunciemos a Jeremías, denunciemos al profeta del terror'. Todos los que eran mis amigos espiaban mis pasos, esperaban que tropezara y me cayera, diciendo: 'Si se tropieza y se cae, lo venceremos y podremos vengarnos de él'.

Pero el Señor, guerrero poderoso, está a mi lado; por eso mis perseguidores caerán por tierra y no podrán conmigo; quedarán avergonzados de su fracaso y su ignominia será eterna e inolvidable.

Señor de los ejércitos, que pones a prueba al justo y conoces lo más profundo de los corazones, haz que yo vea tu venganza contra ellos, porque a ti he encomendado mi causa.

Canten y alaben al Señor, porque él ha salvado la vida de su pobre de la mano de los malvados".

Palabra de Dios.

Todos: **Te alabamos, Señor.**

Salmo Responsorial

(Sal 68)

Respuesta: **Escúchame, Señor, porque eres bueno.**

Lector: Por ti he sufrido oprobios y la vergüenza cubre mi semblante. Extraño soy y advenedizo, aun para aquellos de mi propia sangre; pues me devora el celo de tu casa, el odio del que te odia, en mí recae. / R.

Lector: A ti, Señor, elevo mi plegaria, ven en mi ayuda pronto; escúchame conforme a tu clemencia, Dios fiel en el socorro. Escúchame, Señor, pues eres bueno y en tu ternura vuelve a mí tus ojos. / R.

Lector: Se alegrarán, al verlo, los que sufren; quienes buscan a Dios tendrán más ánimo, porque el Señor jamás desoye al pobre ni olvida al que se encuentra encadenado. Que lo alaben por esto cielo y tierra, el mar y cuanto en él habita. / R.

2ª Lectura

De la carta del apóstol san Pablo a los romanos (Rom 5, 12-15)

Hermanos: Por un solo hombre entró el pecado en el mundo y por el pecado entró la muerte, y así la muerte pasó a todos los hombres, porque todos pecaron.

Antes de la ley de Moisés ya existía el pecado en el mundo y, si bien es cierto que el pecado no se castiga cuando no hay ley, sin embargo, la muerte reinó desde Adán hasta Moisés aun sobre aquellos que no pecaron como peco Adán, cuando desobedeció un mandato directo de Dios por lo demás Adán era figura de Cristo, el que había de venir.

Ahora bien, el don de Dios supera con mucho el delito. Pues si por el pecado de un solo hombre todos fueron castigados con la muerte, por el don de un solo hombre, Jesucristo, se ha desbordado sobre todos la abundancia de la vida y la gracia de Dios.

Palabra de Dios.

Todos:Te alabamos, Señor.

Aclamación antes del Evangelio

(Cfr. Jn 15, 26. 27)

R. **Aleluya, aleluya.** El Espíritu de la verdad dará testimonio de mí, dice el Señor, y ustedes también ustedes serán mis testigos.

R. **Aleluya, aleluya.**

Evangelio

Del santo Evangelio según san Mateo
(Mt 10, 26-33)
Todos: Gloria a ti, Señor.

En aquel tiempo, Jesús dijo a sus apóstoles: "No teman a los hombres. No hay nada oculto que no llegue a descubrirse; no hay nada secreto que no llegue a saberse. Lo que les digo de noche, repítanlo en pleno día, y lo que les digo al oído, pregónenlo desde las azoteas.

No tengan miedo a los que matan el cuerpo, pero no pueden matar el alma. Teman, más bien, a quien puede arrojar al lugar de castigo el alma y el cuerpo.

¿No es verdad que se venden dos pajarillos por una moneda? Sin embargo, ni uno solo de ellos cae por tierra si no lo permite el Padre. En cuanto a ustedes, hasta los cabellos de su cabeza están contados. Por lo tanto, no tengan miedo, porque ustedes valen mucho más que todos los pájaros del mundo.

A quien me reconozca delante de los hombres, yo también lo reconoceré ante mi Padre, que está en los cielos; pero al que me niegue delante de los hombres, yo también lo negaré ante mi Padre, que está en los cielos".

Palabra del Señor.

Todos:Gloria a ti, Señor Jesús.

Se dice Credo

Oración sobre las Ofrendas

Recibe, Señor, este sacrificio de reconciliación y alabanza y concédenos que, purificados por su eficacia, podamos ofrecerte el entrañable afecto de nuestro corazón. Por Jesucristo, nuestro Señor. *Todos: Amén.*

Antífona de la Comunión

Los ojos de todos esperan en ti, Señor; y tú les das la comida a su tiempo (Sal 144, 15).

Oración después de la Comunión

Renovados, Señor, por el alimento del sagrado Cuerpo y la preciosa Sangre de tu Hijo, concédenos que lo que realizamos con asidua devoción, lo recibamos convertido en certeza de redención. Por Jesucristo, nuestro Señor. *Todos: Amén.*

Juegos y Actividades

```
        P   T   J   A
    E       S   U       M   D_FE_S_
    O           S           F_N_AME_TO
    D       P   E   L   B   J_RE_I_S
        C   E   U   N   A   _OD_RO_O
                    N   F   E_ER_ITO_
                    O       O_R_BI_S
```

Para completar estas palabras
tenemos que tomar algunas de las
letras de colores. Encierra cada una y
señala su lugar correcto.
¡Te cuidado por que sobran 5 letras!

Yo les aseguro que no perderá su recompensa

(Verde)

Antífona de entrada

Pueblos todos, aplaudan y aclamen a Dios con gritos de júbilo (Sal 46, 2).

Se dice gloria

Oración Colecta

Señor Dios, que mediante la gracia de la adopción filial quisiste que fuéramos hijos de la luz, concédenos que no nos dejemos envolver en las tinieblas del error, sino que permanezcamos siempre vigilantes en el esplendor de la verdad. Por nuestro Señor Jesucristo. *Todos:* **Amén.**

1ª Lectura

Del segundo libro de los Reyes
(2 Re 4, 8-11. 14-16)

Un día pasaba Eliseo por la ciudad de Sunem y una mujer distinguida lo invitó con insistencia a comer en su casa. Desde entonces, siempre que Eliseo pasaba por ahí, iba a comer a su casa. En una ocasión, ella le dijo a su marido: "Yo sé que este hombre, que con tanta frecuencia nos visita, es un hombre de Dios. Vamos a construirle en los altos una pequeña habitación. Le pondremos allí una cama, una mesa, una silla y una lámpara, para que se quede allí, cuando venga a visitarnos".

Así se hizo y cuando Eliseo regresó a Sunem, subió a la habitación y se recostó en la cama. Entonces le dijo a su criado: "¿Qué podemos hacer por esta mujer?" El criado le dijo: "Mira, no tiene hijos y su marido ya es un anciano". Entonces dijo Eliseo: "Llámala". El criado la llamó y ella, al llegar, se detuvo en la puerta. Eliseo le dijo: "El año que viene, por estas mismas fechas, tendrás un hijo en tus brazos". **Palabra de Dios."**

Todos: **Te alabamos, Señor.**

Salmo Responsorial

(Sal 88)

Respuesta: Proclamaré sin cesar la misericordia del Señor.

Lector: Proclamaré sin cesar la misericordia del Señor, y daré a conocer que su fidelidad es eterna, pues el Señor ha dicho: "Mi amor es para siempre, y mi lealtad, más firme que los cielos". / **R.**

Lector: Señor, feliz el pueblo que te alaba y que a tu luz camina, que en tu nombre se alegra a todas horas y al que llena de orgullo tu justicia. / **R.**

Lector: Feliz, porque eres tú su honor y fuerza y exalta tu favor nuestro poder. Feliz, porque el Señor es nuestro escudo y el santo de Israel es nuestro rey. / **R.**

2ª Lectura

De la carta del apóstol san Pablo a los romanos
(Rom 6, 3-4. 8-11)

Hermanos: Todos los que hemos sido incorporados a Cristo Jesús por medio del bautismo, hemos sido incorporados a su muerte. En efecto, por el bautismo fuimos sepultados con él en su muerte, para que, así como Cristo resucitó de entre los muertos por la gloria del Padre, así también nosotros llevemos una vida nueva.

Por lo tanto, si hemos muerto con Cristo, estamos seguros de que también viviremos con él; pues sabemos que Cristo, una vez resucitado de entre los muertos, ya nunca morirá. La muerte ya no tiene dominio sobre él, porque al morir, murió al pecado de una vez para siempre; y al resucitar, vive ahora para Dios. Lo mismo ustedes, considérense muertos al pecado y vivos para Dios en Cristo Jesús, Señor nuestro. **Palabra de Dios.**

Todos: **Te alabamos, Señor.**

Aclamación antes del Evangelio

(1 Pe 2, 9)

R. **Aleluya, aleluya.** Ustedes son linaje escogido, sacerdocio real, nación consagrada a Dios, para que proclamen las obras maravillosas de aquel que los llamó de las tinieblas a su luz admirable.
R. **Aleluya, aleluya.**

Evangelio

Del santo Evangelio según san Mateo
(Mt 10, 37-42)
Todos: Gloria a ti, Señor.

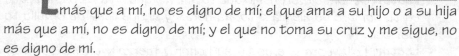

En aquel tiempo, Jesús dijo a sus apóstoles: "El que ama a su padre o a su madre más que a mí, no es digno de mí; el que ama a su hijo o a su hija más que a mí, no es digno de mí; y el que no toma su cruz y me sigue, no es digno de mí.

El que salve su vida la perderá y el que la pierda por mí, la salvará.

Quien los recibe a ustedes me recibe a mí; y quien me recibe a mí, recibe al que me ha enviado.

El que recibe a un profeta por ser profeta, recibirá recompensa de profeta; el que recibe a un justo por ser justo, recibirá recompensa de justo.

Quien diere, aunque no sea más que un vaso de agua fría a uno de estos pequeños, por ser discípulo mío, yo les aseguro que no perderá su recompensa".

Palabra del Señor.
*Todos: **Gloria a ti, Señor Jesús.***

Se dice Credo

Oración sobre las Ofrendas

Señor Dios, que bondadosamente realizas el fruto de tus sacramentos, concédenos que seamos capaces de servirte como corresponde a tan santos misterios. Por Jesucristo, nuestro Señor. *Todos: **Amén.***

Antífona de la Comunión

Bendice, alma mía, al Señor; que todo mi ser bendiga su santo nombre (Cfr. Sal 102, 1).

Oración después de la Comunión

Que la víctima divina que te hemos ofrecido y que acabamos de recibir, nos vivifique, Señor, para que, unidos a ti con perpetuo amor, demos frutos que permanezcan para siempre. Por Jesucristo, nuestro Señor. *Todos: **Amén.***

Juegos y Actividades

¡Me ha tocado una tarea difícil!
Ayúdame a encontrar la palabra escondida.
Toma la letra inicial de cada palabra que describa
a cada dibujo. ¡Llena cada espacio en el orden correcto!

No son los sanos los que necesitan de médico, sino los enfermos

(Verde)

Antífona de entrada

Los proyectos de su corazón subsisten de generación en generación, para librar de la muerte a sus fieles y reanimarlos en tiempo de hambre (Sal 32, 11. 19).

Oración Colecta

Señor Dios, haz que nos revistamos con las virtudes del corazón de tu Hijo y nos encendamos con el amor que lo inflama, para que, configurados a imagen suya, merezcamos ser partícipes de la redención eterna. Por nuestro Señor Jesucristo. *Todos: **Amén.***

1ª Lectura

Del libro del *Génesis*
(Gén 23, 1-4. 19; 24, 1-8. 62-67)

Sara vivió ciento veintisiete años y murió en Quiryat–Arbá, hoy Hebrón, en el país de Canaán, y Abraham lloró e hizo duelo por ella. Cuando terminó su duelo, Abraham se levantó y dijo a los hititas: "Yo soy un simple forastero que reside entre ustedes. Denme en propiedad un sepulcro en su tierra para enterrar a mi esposa". Y Abraham sepultó a Sara en la cueva del campo de Makpelá, que está frente a Mambré, es decir, Hebrón, en Canaán.

Abraham era ya muy anciano y el Señor lo había bendecido en todo.

Abraham dijo al criado más viejo de su casa, que era mayordomo de todas sus posesiones: "Pon tu mano debajo de mi muslo y júrame por el Señor, Dios del cielo y de la tierra, que no tomarás por esposa para mi hijo a una mujer de los cananeos, con los que vivo, sino que irás a mi tierra a buscar, entre mi parentela, una mujer para mi hijo Isaac". El criado le dijo: "Y en caso de que la mujer no quisiera venir conmigo a este país, ¿tendré que llevar a tu hijo hasta la tierra de donde saliste?"

Respondió Abraham: "No vayas a llevar allá a mi hijo. El Señor, Dios del cielo y de la tierra, que me sacó de mi casa paterna y de mi país, y que juró dar a mi descendencia esta tierra, él te enviará a su ángel para que puedas tomar de allá una mujer para mi hijo. Y si la mujer no quiere venir contigo, quedarás libre de este juramento. Pero, por ningún motivo lleves allá a mi hijo". (El criado fue a la tierra de Abraham y volvió con Rebeca, hija de Betuel, pariente de Abraham).

Isaac acababa de regresar del pozo de Lajay-Roí, pues vivía en las tierras del sur. Una tarde Isaac andaba paseando por el campo, y al levantar la vista, vio venir unos camellos. Cuando Rebeca lo vio, se bajó del camello y le preguntó al criado: "¿Quién es aquel hombre que viene por el campo hacia nosotros?" El criado le respondió: "Es mi señor". Entonces ella tomó su velo y se cubrió el rostro.

El criado le contó a Isaac todo lo que había hecho. Isaac llevó a Rebeca a la tienda que había sido de Sara, su madre, y la tomó por esposa y con su amor se consoló de la muerte de su madre. **Palabra de Dios.**

Todos: **Te alabamos, Señor.**

Salmo Responsorial

(Sal 105)

Respuesta: **Demos gracias al Señor, porque es bueno.**

Lector: Demos gracias al Señor, porque es bueno, porque es eterna su misericordia. ¿Quién podrá contar las hazañas del Señor y alabarlo como él merece? / R.

Lector: Dichosos los que cumplen la ley y obran siempre conforme a la justicia. Por el amor que tienes a tu pueblo, acuérdate de nosotros, Señor, y sálvanos. / R.

Lector: Sálvanos, Señor, para que veamos la dicha de tus escogidos y nos alegremos y nos gloriemos junto con el pueblo que te pertenece. / R.

Aclamación antes del Evangelio

(Mt 11, 28)

R. **Aleluya, aleluya.** Vengan a mí, todos los que están fatigados y agobiados por la carga, y yo les daré alivio, dice el Señor.
R. **Aleluya.**

Evangelio

Del santo Evangelio según san Mateo
(Mt 9, 9-13)
Todos: Gloria a ti, Señor.

En aquel tiempo, Jesús vio a un hombre llamado Mateo, sentado a su mesa de recaudador de impuestos, y le dijo: "Sígueme". Él se levantó y lo siguió.

Después, cuando estaba a la mesa en casa de Mateo, muchos publicanos y pecadores se sentaron también a comer con Jesús y sus discípulos. Viendo esto, los fariseos preguntaron a los discípulos: "¿Por qué su Maestro come con publicanos y pecadores?" Jesús los oyó y les dijo: "No son los sanos los que necesitan de médico, sino los enfermos. Vayan, pues, y aprendan lo que significa: *Yo quiero misericordia y no sacrificios.* Yo no he venido a llamar a los justos, sino a los pecadores".

Palabra del Señor.
Todos: Gloria a ti, Señor Jesús.

Oración sobre las Ofrendas

Dios nuestro, Padre de misericordia, que por el inmenso amor con que nos has amado, nos diste con inefable bondad a tu Unigénito, concédenos que, unidos íntimamente a él, te ofrezcamos una digna oblación. Por Jesucristo, nuestro Señor. *Todos: Amén.*

Antífona de la Comunión

Dice el Señor: Si alguno tiene sed, que venga a mí y beba, aquel que cree en mí. Como dice la Escritura: De sus entrañas brotarán ríos de agua viva (Cfr. Jn 7, 37-38).

Oración después de la Comunión

Habiendo participado de tu sacramento de amor, imploramos, Señor, tu clemencia, para que, configurados con Cristo en la tierra, merezcamos compartir su gloria en el cielo. Él, que vive y reina por los siglos de los siglos. *Todos:* **Amén.**

Juegos y Actividades

Vengan a mí,
todos los que están fatigados
y agobiados por la carga

(Verde)

Antífona de entrada

Meditamos, Señor, los dones de tu amor, en medio de tu templo. Tu alabanza llega hasta los confines de la tierra como tu fama. Tu diestra está llena de justicia (Cfr. Sal 47, 10-11).

Se dice gloria

Oración Colecta

Señor Dios, que por medio de la humillación de tu Hijo reconstruiste el mundo derrumbado, concede a tus fieles una santa alegría para que, a quienes rescataste de la esclavitud del pecado, nos hagas disfrutar del gozo que no tiene fin. Por nuestro Señor Jesucristo. *Todos:* **Amén.**

1ª Lectura

Del Libro del profeta Zacarías (Zac 9, 9-10)

Esto dice el Señor: "Alégrate sobremanera, hija de Sión; da gritos de júbilo, hija de Jerusalén; mira a tu rey que viene a ti, justo y victorioso, humilde y montado en un burrito.

Él hará desaparecer de la tierra de Efraín los carros de guerra, y de Jerusalén, los caballos de combate. Romperá el arco del guerrero y anunciará la paz a las naciones. Su poder se extenderá de mar a mar y desde el gran río hasta los últimos rincones de la tierra".

Palabra de Dios.

Todos: Te alabamos, Señor.

Salmo Responsorial

(Sal 144)

Respuesta: Acuérdate, Señor, de tu misericordia.

Lector: Dios y rey mío, yo te alabaré, bendeciré tu nombre siempre y para siempre. Un día tras otro bendeciré tu nombre y no cesará mi boca de alabarte. / R.

Lector: El Señor es compasivo y misericordioso, lento para enojarse y generoso para perdonar. Bueno es el Señor para con todos y su amor se extiende a todas sus creaturas. / R.

Lector: El Señor es siempre fiel a sus palabras, y lleno de bondad en sus acciones. Da su apoyo el Señor al que tropieza y al agobiado alivia. / R.

Lector: Que te alaben, Señor, todas tus obras, y que todos tus fieles te bendigan. Que proclamen la gloria de tu reino y den a conocer tus maravillas. / R.

2ª Lectura

**De la carta del apóstol san Pablo
a los romanos** (Rom 8, 9. 11-13)

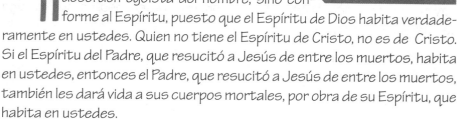

Hermanos: Ustedes no viven conforme al desorden egoísta del hombre, sino conforme al Espíritu, puesto que el Espíritu de Dios habita verdaderamente en ustedes. Quien no tiene el Espíritu de Cristo, no es de Cristo. Si el Espíritu del Padre, que resucitó a Jesús de entre los muertos, habita en ustedes, entonces el Padre, que resucitó a Jesús de entre los muertos, también les dará vida a sus cuerpos mortales, por obra de su Espíritu, que habita en ustedes.

Por lo tanto, hermanos, no estamos sujetos al desorden egoísta del hombre, para hacer de ese desorden nuestra regla de conducta. Pues si ustedes viven de ese modo, ciertamente serán destruidos. Por el contrario, si con la ayuda del Espíritu destruyen sus malas acciones, entonces vivirán.

Palabra de Dios.
Todos: Te alabamos, Señor.

Aclamación antes del Evangelio

(Cfr. Mt 11, 25)

R. **Aleluya, aleluya.** Te doy gracias, Padre, Señor del cielo y de la tierra, porque has revelado los misterios del Reino a la gente sencilla.
R. **Aleluya, aleluya.**

Evangelio

Del santo Evangelio según san Mateo
(Mt 11, 25-30)
Todos: Gloria a ti, Señor.

En aquel tiempo, Jesús exclamó: "¡Te doy gracias, Padre, Señor del cielo y de la tierra, porque has escondido estas cosas a los sabios y entendidos, y las has revelado a la gente sencilla! Gracias, Padre, porque así te ha parecido bien.

El Padre ha puesto todas las cosas en mis manos. Nadie conoce al Hijo sino el Padre, y nadie conoce al Padre sino el Hijo y aquel a quien el Hijo se lo quiera revelar.

Vengan a mí, todos los que están fatigados y agobiados por la carga, y yo los aliviaré. Tomen mi yugo sobre ustedes y aprendan de mí, que soy manso y humilde de corazón, y encontrarán descanso, porque mi yugo es suave y mi carga, ligera".

Palabra del Señor.
Todos: Gloria a ti, Señor Jesús.

Se dice Credo

Oración sobre las Ofrendas

La oblación que te ofrecemos, Señor, nos purifique, y nos haga participar, de día en día, de la vida del reino glorioso. Por Jesucristo, nuestro Señor. *Todos:* **Amén.**

Antífona de la Comunión

Prueben y vean qué bueno es el Señor; dichoso quien se acoge a él (Sal 33, 9).

Oración después de la Comunión

Señor, que nos has colmado con tantas gracias, concédenos alcanzar los dones de la salvación y que nunca dejemos de alabarte. Por Jesucristo, nuestro Señor. *Todos: **Amén.***

Juegos y Actividades

Quienes oyen la palabra, la entienden y dan fruto

(Verde)

Antífona de entrada

Por serte fiel, yo contemplaré tu rostro, Señor, y al despertar, espero saciarme de gloria (Cfr. Sal 16, 15).

Se dice gloria

Oración Colecta

Señor Dios, que muestras la luz de tu verdad a los que andan extraviados para que puedan volver al buen camino, concede a cuantos se profesan como cristianos rechazar lo que sea contrario al nombre que llevan y cumplir lo que ese nombre significa. Por nuestro Señor Jesucristo. *Todos: **Amén.***

1ª Lectura

Del libro del profeta Isaías
(Is 55, 10-11)

Esto dice el Señor: "Como bajan del cielo la lluvia y la nieve y no vuelven allá, sino después de empapar la tierra, de fecundarla y hacerla geminar, a fin de que dé semilla para sembrar y pan para comer, así será la palabra que sale de mi boca: no volverá a mí sin resultado, sino que hará mi voluntad y cumplirá su misión".

Palabra de Dios.
*Todos: **Te alabamos, Señor***

Salmo Responsorial

(Sal 64)

Respuesta: **Señor, danos siempre de tu agua.**

Lector: Señor, tú cuidas de la tierra, la riegas y la colmas de riqueza. Las nubes del Señor van por los campos, rebosantes de agua, como acequias. / R.

Lector: Tú preparas las tierras para el trigo: riegas los surcos, aplanas los terrenos, reblandeces el suelo con la lluvia, bendices los renuevos. / R.

Lector: Tú coronas el año con tus bienes, tus senderos derraman abundancia, están verdes los pastos del desierto, las colinas con flores adornadas. / R.

Lector: Los prados se visten de rebaños, de trigales los valles se engalanan. Todo aclama al Señor. Todo le canta. / R.

2ª Lectura

De la carta del apóstol san Pablo a los romanos (Rom 8, 18-23)

Hermanos: Considero que los sufrimientos de esta vida no se pueden comparar con la gloria que un día se manifestará en nosotros; porque toda la creación espera, con seguridad e impaciencia, la revelación de esa gloria de los hijos de Dios.

La creación está ahora sometida al desorden, no por su querer, sino por voluntad de aquel que la sometió. Pero dándole al mismo tiempo esta esperanza: que también ella misma va a ser liberada de la esclavitud de la corrupción, para compartir la gloriosa libertad de los hijos de Dios.

Sabemos, en efecto, que la creación entera gime hasta el presente y sufre dolores de parto; y no sólo ella, sino también nosotros, los que poseemos las primicias del Espíritu, gemimos interiormente, anhelando que se realice plenamente nuestra condición de hijos de Dios, la redención de nuestro cuerpo.

Palabra de Dios.

Todos: **Te alabamos, Señor.**

Aclamación antes del Evangelio

R. **Aleluya, aleluya.** La semilla es la palabra de Dios y el sembrador es Cristo; todo aquel que lo encuentra vivirá para siempre.

R. **Aleluya, aleluya.**

Evangelio

Del santo Evangelio según san Mateo
(Mt 13, 1-23)
Todos: Gloria a ti, Señor.

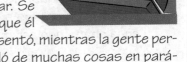

Un día salió Jesús de la casa donde se hospedaba y se sentó a la orilla del mar. Se reunió en torno suyo tanta gente, que él se vio obligado a subir a una barca, donde se sentó, mientras la gente permanecía en la orilla. Entonces Jesús les habló de muchas cosas en parábolas y les dijo:

"Una vez salió un sembrador a sembrar, y al ir arrojando la semilla, unos granos cayeron a lo largo del camino; vinieron los pájaros y se los comieron. Otros granos cayeron en terreno pedregoso, que tenía poca tierra; ahí germinaron pronto, porque la tierra no era gruesa; pero cuando subió el sol, los brotes se marchitaron, y como no tenían raíces, se secaron. Otros cayeron entre espinos, y cuando los espinos crecieron, sofocaron las plantitas. Otros granos cayeron en tierra buena y dieron fruto: unos, ciento por uno; otros, sesenta; y otros, treinta. El que tenga oídos, que oiga".

Después se le acercaron sus discípulos y le preguntaron: "¿Por qué les hablas en parábolas?" Él les respondió: "A ustedes se les ha concedido conocer los misterios del Reino de los cielos, pero a ellos no. Al que tiene, se le dará más y nadará en la abundancia; pero al que tiene poco, aun eso poco se le quitará. Por eso les hablo en parábolas, porque viendo no ven y oyendo no oyen ni entienden.

En ellos se cumple aquella profecía de Isaías que dice: *Oirán una y otra vez y no entenderán; mirarán y volverán a mirar, pero no verán; porque este pueblo ha endurecido su corazón, ha cerrado sus ojos y tapado sus oídos, con el fin de no ver con los ojos, ni oír con los oídos, ni comprender con el corazón. Porque no quieren convertirse ni que yo los salve.*

Pero dichosos, ustedes, porque sus ojos ven y sus oídos oyen. Yo les aseguro que muchos profetas y muchos justos desearon ver lo que ustedes ven y no lo vieron y oír lo que ustedes oyen y no lo oyeron.

Escuchen, pues, ustedes, lo que significa la parábola del sembrador.

A todo hombre que oye la palabra del Reino y no la entiende, le llega el diablo y le arrebata lo sembrado en su corazón. Esto es lo que significan los granos que cayeron a lo largo del camino.

Lo sembrado sobre terreno pedregoso significa al que oye la palabra y la acepta inmediatamente con alegría; pero, como es inconstante, no la deja echar raíces, y apenas le viene una tribulación o una persecución por causa de la palabra, sucumbe.

Lo sembrado entre los espinos representa a aquel que oye la palabra, pero las preocupaciones de la vida y la seducción de las riquezas la sofocan y queda sin fruto.

En cambio, lo sembrado en tierra buena representa a quienes oyen la palabra, la entienden y dan fruto: unos, el ciento por uno; otros, el sesenta; y otros, el treinta".

Palabra del Señor.

Todos: Gloria a ti, Señor Jesús.

Se dice Credo

Oración sobre las Ofrendas

Mira, Señor, los dones de tu Iglesia suplicante, y concede que, al recibirlos, sirvan a tus fieles para crecer en santidad. Por Jesucristo, nuestro Señor. *Todos: Amén.*

Antífona de la Comunión

El gorrión ha encontrado una casa, y la golondrina un nido donde poner sus polluelos: junto a tus altares, Señor de los ejércitos, Rey mío y Dios mío. Dichosos los que viven en tu casa y pueden alabarte siempre (Cfr. Sal 83, 4-5).

Oración después de la Comunión

Alimentados con los dones que hemos recibido, te suplicamos, Señor, que, participando frecuentemente de este sacramento, crezcan los efectos de nuestra salvación. Por Jesucristo, nuestro Señor. *Todos: Amén.*

El sembrador de la buena semilla es el Hijo del hombre

(Verde)

Antífona de entrada

El Señor es mi auxilio y el único apoyo en mi vida. Te ofreceré de corazón un sacrificio y daré gracias a tu nombre, Señor, porque eres bueno (Sal 53, 6. 8).

Se dice gloria

Oración Colecta

Sé propicio, Señor, con tus siervos y multiplica, bondadoso, sobre ellos los dones de tu gracia, para que, fervorosos en la fe, la esperanza y la caridad, perseveren siempre fieles en el cumplimiento de tus mandatos. Por nuestro Señor Jesucristo. *Todos:* **Amén.**

1ª Lectura

Del libro de la Sabiduría
(Sab 12, 13. 16-19)

No hay más Dios que tú, Señor, que cuidas de todas las cosas. No hay nadie a quien tengas que rendirle cuentas de la justicia de tus sentencias. Tu poder es el fundamento de tu justicia, y por ser el Señor de todos, eres misericordioso con todos.

Tú muestras tu fuerza a los que dudan de tu poder soberano y castigas a quienes, conociéndolo, te desafían. Siendo tú el dueño de la fuerza, juzgas con misericordia y nos gobiernas con delicadeza, porque tienes el poder y lo usas cuando quieres.

Con todo esto has enseñado a tu pueblo que el justo debe ser humano, y has llenado a tus hijos de una dulce esperanza, ya que al pecador le das tiempo para que se arrepienta.

Palabra de Dios.

*Todos: **Te alabamos, Señor.***

Salmo Responsorial

(Sal 85)

Respuesta: **Tú, Señor, eres bueno y clemente.**

Lector: Puesto que eres, Señor, bueno y clemente y todo amor con quien tu nombre invoca, escucha mi oración y a mi súplica da respuesta pronta. / **R.**

Lector: Señor, todos los pueblos vendrán para adorarte y darte gloria, pues sólo tú eres Dios, y tus obras, Señor, son portentosas. / **R.**

Lector: Dios entrañablemente compasivo, todo amor y lealtad, lento a la cólera, ten compasión de mí, pues clamo a ti, Señor, a toda hora. / **R.**

2ª Lectura

De la carta del apóstol san Pablo a los romanos (Rom 8, 26-27)

Hermanos: El Espíritu nos ayuda en nuestra debilidad, porque nosotros no sabemos pedir lo que nos conviene; pero el Espíritu mismo intercede por nosotros con gemidos que no pueden expresarse con palabras. Y Dios, que conoce profundamente los corazones, sabe lo que el Espíritu quiere decir, porque el Espíritu ruega conforme a la voluntad de Dios, por los que le pertenecen. **Palabra de Dios.**

*Todos: **Te alabamos, Señor.***

Aclamación antes del Evangelio

(Cfr. Mt 11, 25)

R. **Aleluya, aleluya.** Te doy gracias, Padre, Señor del cielo y de la tierra, porque has revelado los misterios del Reino a la gente sencilla.

R. **Aleluya, aleluya.**

Evangelio

Del santo Evangelio según san Mateo
(Mt 13, 24-43)
Todos: Gloria a ti, Señor.

En aquel tiempo, Jesús propuso esta parábola a la muchedumbre: "El Reino de los cielos se parece a un hombre que sembró buena semilla en su campo; pero mientras los trabajadores dormían, llegó un enemigo del dueño, sembró cizaña entre el trigo y se marchó. Cuando crecieron las plantas y se empezaba a formar la espiga, apareció también la cizaña.

Entonces los trabajadores fueron a decirle al amo: 'Señor, ¿qué no sembraste buena semilla en tu campo? ¿De dónde, pues, salió esta cizaña?' El amo les respondió: 'De seguro lo hizo un enemigo mío'. Ellos le dijeron: '¿Quieres que vayamos a arrancarla?' Pero él les contestó: 'No. No sea que al arrancar la cizaña, arranquen también el trigo. Dejen que crezcan juntos hasta el tiempo de la cosecha y, cuando llegue la cosecha, diré a los segadores: Arranquen primero la cizaña y átenla en gavillas para quemarla; y luego almacenen el trigo en mi granero'".

Luego les propuso esta otra parábola: "El Reino de los cielos es semejante a la semilla de mostaza que un hombre siembra en un huerto. Ciertamente es la más pequeña de todas las semillas, pero cuando crece, llega a ser más grande que las hortalizas y se convierte en un arbusto, de manera que los pájaros vienen y hacen su nido en las ramas".

Les dijo también otra parábola: "El Reino de los cielos se parece a un poco de levadura que tomó una mujer y la mezcló con tres medidas de harina, y toda la masa acabó por fermentar".

Jesús decía a la muchedumbre todas estas cosas con parábolas, y sin parábolas nada les decía, para que se cumpliera lo que dijo el profeta: *Abriré mi boca y les hablaré con parábolas; anunciaré lo que estaba oculto desde la creación del mundo.*

Luego despidió a la multitud y se fue a su casa. Entonces se le acercaron los discípulos y le dijeron: "Explícanos la parábola de la cizaña sembrada en el campo".

Jesús les contestó: "El sembrador de la buena semilla es el Hijo del hombre, el campo es el mundo, la buena semilla son los ciudadanos del Reino, la cizaña son los partidarios del maligno, el enemigo que la siembra es el diablo, el tiempo de la cosecha es el fin del mundo, y los segadores son los ángeles.

Y así como recogen la cizaña y la queman en el fuego, así sucederá al fin del mundo: el Hijo del hombre enviará a sus ángeles para que arranquen de su Reino a todos los que inducen a otros al pecado y a todos los malvados, y los arrojen en el horno encendido. Allí será el llanto y la desesperación. Entonces los justos brillarán como el sol en el Reino de su Padre. El que tenga oídos, que oiga".

Palabra del Señor.

Todos: **Gloria a ti, Señor Jesús.**

Se dice Credo

Oración sobre las Ofrendas

Dios nuestro, que con la perfección de un único sacrificio pusiste fin a la diversidad de sacrificios de la antigua ley, recibe las ofrendas de tus fieles, y santifícalas como bendijiste la ofrenda de Abel, para que aquello que cada uno te ofrece en honor de tu gloria, sea de provecho para la salvación de todos. Por Jesucristo, nuestro Señor. *Todos:* **Amén.**

Antífona de la Comunión

Ha hecho maravillas memorables, el Señor es piadoso y clemente; él da alimento a sus fieles (Sal 110, 4-5).

Oración después de la Comunión

Señor, muéstrate benigno con tu pueblo, y ya que te dignaste alimentarlo con los misterios celestiales, hazlo pasar de su antigua condición de pecado a una vida nueva. Por Jesucristo, nuestro Señor. *Todos:* **Amén.**

Juegos y Actividades

Pregunta a tus papás ¿si conocen la semilla de mostaza?

-Comparala con otras semillas.

Te recomiendo que veas la pelicula de: El gran pequeño.

Se parece a un tesoro escondido en un campo

(Verde)

Antífona de entrada

Dios habita en su santuario; él nos hace habitar juntos en su casa; es la fuerza y el poder de su pueblo (Cfr. Sal 67, 6-7. 36).

Se dice gloria

Oración Colecta

Señor Dios, protector de los que en ti confían, sin ti, nada es fuerte, ni santo; multiplica sobre nosotros tu misericordia para que, bajo tu dirección, de tal modo nos sirvamos ahora de los bienes pasajeros, que nuestro corazón esté puesto en los bienes eternos. Por nuestro Señor Jesucristo. ***Todos: Amén.***

1ª Lectura

Del primer libro de los Reyes
(1 Re 3, 5-13)

En aquellos días, el Señor se le apareció al rey Salomón en sueños y le dijo: "Salomón, pídeme lo que quieras, y yo te lo daré".

Salomón le respondió: "Señor, tú trataste con misericordia a tu siervo David, mi padre, porque se portó contigo con lealtad, con justicia y rectitud de corazón. Más aún, también ahora lo sigues tratando con misericordia, porque has hecho que un hijo suyo lo suceda en el trono. Sí, tú quisiste, Señor y Dios mío, que yo, tu siervo, sucediera en el trono a mi

30 de julio

padre, David. Pero yo no soy más que un muchacho y no sé cómo actuar. Soy tu siervo y me encuentro perdido en medio de este pueblo tuyo, tan numeroso, que es imposible contarlo. Por eso te pido que me concedas sabiduría de corazón, para que sepa gobernar a tu pueblo y distinguir entre el bien y el mal. Pues sin ella, ¿quién será capaz de gobernar a este pueblo tuyo tan grande?"

Al Señor le agradó que Salomón le hubiera pedido sabiduría y le dijo: "Por haberme pedido esto, y no una larga vida, ni riquezas, ni la muerte de tus enemigos, sino sabiduría para gobernar, yo te concedo lo que me has pedido. Te doy un corazón sabio y prudente, como no lo ha habido antes, ni lo habrá después de ti. Te voy a conceder, además, lo que no me has pedido: tanta gloria y riqueza, que no habrá rey que se pueda comparar contigo".

Palabra de Dios.

Todos: **Te alabamos, Señor.**

Salmo Responsorial

(Sal 118)

Respuesta: Yo amo, Señor, tus mandamientos.

Lector: A mí, Señor, lo que me toca es cumplir tus preceptos. Para mí valen más tus enseñanzas que miles de monedas de oro y plata. / **R.**

Lector: Señor, que tu amor me consuele, conforme a las promesas que me has hecho. Muéstrame tu ternura y viviré, porque en tu ley he puesto mi contento. / **R.**

Lector: Amo, Señor, tus mandamientos más que el oro purísimo; por eso tus preceptos son mi guía y odio toda mentira. / **R.**

Lector: Tus preceptos, Señor, son admirables, por eso yo los sigo. La explicación de tu palabra da luz y entendimiento a los sencillos. / **R.**

2ª Lectura

De la carta del apóstol san Pablo a los romanos (Rom 8, 28-30)

Hermanos: Ya sabemos que todo contribuye para bien de los que aman a Dios, de aquellos que han sido llamados por él, según su designio salvador.

En efecto, a quienes conoce de antemano, los predestina para que reproduzcan en sí mismos la imagen de su propio Hijo, a fin de que él sea el primogénito entre muchos hermanos. A quienes predestina, los llama; a quienes llama, los justifica; y a quienes justifica, los glorifica.

Palabra de Dios.

Todos: Te alabamos, Señor.

Aclamación antes del Evangelio

(Cfr. Mt 11, 25)

R. **Aleluya, aleluya.** Te doy gracias, Padre, Señor del cielo y de la tierra, porque has revelado los misterios del Reino a la gente sencilla. R. **Aleluya, aleluya.**

Evangelio

Del santo Evangelio según san Mateo
(Mt 13, 44-52) / *Todos: Gloria a ti, Señor.*

En aquel tiempo, Jesús dijo a sus discípulos: "El Reino de los cielos se parece a un tesoro escondido en un campo. El que lo encuentra lo vuelve a esconder y, lleno de alegría, va y vende cuanto tiene y compra aquel campo.

El Reino de los cielos se parece también a un comerciante en perlas finas que, al encontrar una perla muy valiosa, va y vende cuanto tiene y la compra.

También se parece el Reino de los cielos a la red que los pescadores echan en el mar y recoge toda clase de peces. Cuando se llena la red, los pescadores la sacan a la playa y se sientan a escoger los pescados; ponen los buenos en canastos y tiran los malos. Lo mismo sucederá al final de los tiempos: vendrán los ángeles, separarán a los malos de los buenos y los arrojarán al horno encendido. Allí será el llanto y la desesperación.

¿Han entendido todo esto?" Ellos le contestaron: "Sí". Entonces él les dijo: "Por eso, todo escriba instruido en las cosas del Reino de los cielos es semejante al padre de familia, que va sacando de su tesoro cosas nuevas y cosas antiguas". *Palabra del Señor.*

Todos: Gloria a ti, Señor Jesús.

Se dice Credo

Oración sobre las Ofrendas

Recibe, Señor, los dones que por tu generosidad te presentamos, para que, por el poder de tu gracia, estos sagrados misterios santifiquen toda nuestra vida y nos conduzcan a la felicidad eterna. Por Jesucristo, nuestro Señor. *Todos:* **Amén.**

Antífona de la Comunión

Bendice, alma mía, al Señor, y no te olvides de sus beneficios (Sal 102, 2).

Oración después de la Comunión

Habiendo recibido, Señor, el sacramento celestial, memorial perpetuo de la pasión de tu Hijo, concédenos que este don, que él mismo nos dio con tan inefable amor, nos aproveche para nuestra salvación eterna. Él, que vive y reina por los siglos de los siglos. *Todos:* **Amén.**

Juegos y Actividades

Esta imagen de Salomón está incompleta. ¿Cuál pieza es la correcta?

Se puso a enseñar a la gente en la sinagoga

San Juan María Vianeney, presbítero (m) (Blanco)

Antífona de entrada

Que tus sacerdotes, Señor, se revistan de justicia, y tus fieles se llenen de júbilo (Cfr. Sal 131, 9).

Oración Colecta

Dios omnipotente y misericordioso, que hiciste admirable a san Juan María Vianney, presbítero, por su celo pastoral, concédenos que, a ejemplo suyo y por su intercesión, ganemos para Cristo, con la caridad, a los hermanos y con ellos podamos alcanzar la gloria eterna. Por nuestro Señor Jesucristo. *Todos:* **Amén.**

1ª Lectura

Del libro del Levítico
(Lev 23, 1. 4-11. 15-16. 27. 34-37)

El Señor habló a Moisés y le dijo: "Éstas son las festividades del Señor, en las que convocarán a asambleas litúrgicas.

El día catorce del primer mes, al atardecer, es la fiesta de la Pascua del Señor. El día quince del mismo mes es la fiesta de los panes Ázimos, dedicada al Señor. Comerán panes sin levadura durante siete días. El primer día de éstos se reunirán en asamblea litúrgica y no harán trabajos serviles. Los siete días harán ofrendas al Señor. El séptimo día se volverán a reunir en asamblea litúrgica y no harán trabajos serviles".

4 de agosto

El Señor volvió a hablar a Moisés y le dijo: "Di a los hijos de Israel: 'Cuando entren en la tierra que yo les voy a dar y recojan la cosecha, le llevarán la primera gavilla al sacerdote, quien la agitará ritualmente en presencia del Señor el día siguiente al sábado, para que sea aceptada.

Pasadas siete semanas completas, contando desde el día siguiente al sábado en que lleven la gavilla para la agitación ritual, hasta el día siguiente al séptimo sábado, es decir, a los cincuenta días, harán una nueva ofrenda al Señor.

El día diez del séptimo mes es el día de la Expiación. Se reunirán en asamblea litúrgica, harán penitencia y presentarán una ofrenda al Señor.

El día quince de este séptimo mes comienza la fiesta de los Campamentos, dedicada al Señor, y dura siete días. El primer día se reunirán en asamblea litúrgica. No harán trabajos serviles. Los sietes días harán ofrendas al Señor. El octavo día volverán a reunirse en asamblea litúrgica y a hacer una ofrenda al Señor. Es día de reunión religiosa solemne. No harán trabajos serviles.

Éstas son las festividades del Señor, en las que se reunirán en asamblea litúrgica y ofrecerán al Señor oblaciones, holocaustos y ofrendas, sacrificios de comunión y libaciones, según corresponde a cada día'".

Palabra de Dios.
Todos: Te alabamos, Señor.

Salmo Responsorial

(Sal 80)

Respuesta: **Aclamemos al Señor, nuestro Dios.**

Lector: Entonemos un canto al son de las guitarras y del arpa. Que suene la trompeta en esta fiesta que conmemora nuestra alianza. / **R.**

Lector: Porque ésta es una ley en Israel, es un precepto que el Dios de Jacob estableció para su pueblo, cuando lo rescató de Egipto. / **R.**

Lector: "No tendrás otro Dios fuera de mí ni adorarás a dioses extranjeros. Pues yo, el Señor, soy el Dios tuyo, el que te sacó de Egipto, tu destierro". / **R.**

Aclamación antes del Evangelio

(1 Pedro 1, 25)

R. **Aleluya, aleluya.** La palabra de Dios permanece para siempre. Y ésa es la palabra que se les ha anunciado.
R. **Aleluya.**

Evangelio

Del santo Evangelio según san Mateo
(Mt 13, 54-58) / *Todos: Gloria a ti, Señor.*

En aquel tiempo, Jesús llegó a su tierra y se puso a enseñar a la gente en la sinagoga, de tal forma, que todos estaban asombrados y se preguntaban: "¿De dónde ha sacado éste esa sabiduría y esos poderes milagrosos? ¿Acaso no es éste el hijo del carpintero? ¿No se llama María su madre y no son sus hermanos Santiago, José, Simón y Judas? ¿Qué no viven entre nosotros todas sus hermanas? ¿De dónde, pues, ha sacado todas estas cosas?" Y se negaban a creer en él.

Entonces, Jesús les dijo: "Un profeta no es despreciado más que en su patria y en su casa". Y no hizo muchos milagros allí por la incredulidad de ellos. *Palabra del Señor.*
Todos: Gloria a ti, Señor Jesús.

Oración sobre las Ofrendas

Contempla, Señor, los dones que presentamos en tu altar en la conmemoración de san Juan María Vianney, y del mismo modo que, por estos santos misterios, le diste a él la gloria, concédenos también a nosotros tu perdón. Por Jesucristo, nuestro Señor. *Todos: Amén.*

Antífona de la Comunión

Dichoso el servidor a quien su amo, al volver, lo encuentre cumpliendo con su deber; yo les aseguro que le confiará todos sus bienes (Cfr. Mt 24, 46. 47).

Oración después de la Comunión

Que esta mesa celestial, Dios todopoderoso, robustezca y aumente el vigor espiritual de todos los que celebramos la festividad de san Juan María Vianney, para que conservemos íntegro el don de la fe y caminemos por el sendero de la salvación que él nos señaló. Por Jesucristo, nuestro Señor. *Todos: Amén.*

Levántense y no teman

(f) (Blanco)

Antífona de entrada

Apareció el Espíritu Santo en una nube luminosa y se oyó la voz del Padre celestial que decía: Éste es mi Hijo muy amado, en quien tengo puestas mis complacencias; escúchenlo (Cfr. Mt 17, 5).

Se dice Gloria

Oración Colecta

Dios nuestro, que en la Transfiguración gloriosa de tu Unigénito fortaleciste nuestra fe con el testimonio de los profetas y nos dejaste entrever la gloria que nos espera, como hijos tuyos, concédenos escuchar siempre la voz de tu Hijo amado, para llegar a ser coherederos de su gloria. Él, que vive y reina contigo. *Todos:* **Amén.**

1ª Lectura

Del libro del profeta Daniel
(Dn 7, 9-10. 13-14)

Yo, Daniel, tuve una visión nocturna: vi que colocaban unos tronos y un anciano se sentó. Su vestido era blanco como la nieve, y sus cabellos, blancos como lana. Su trono, llamas de fuego, con ruedas encendidas. Un río de fuego brotaba delante de él. Miles y miles lo servían, millones y millones estaban a sus órdenes. Comenzó el juicio y se abrieron los libros.

6 de agosto

Yo seguí contemplando en mi visión nocturna y vi a alguien semejante a un hijo de hombre, que venía entre las nubes del cielo. Avanzó hacia
el anciano de muchos siglos y fue introducido a su presencia. Entonces
recibió la soberanía, la gloria y el reino. Y todos los pueblos y naciones de
todas las lenguas lo servían. Su poder nunca se acabará, porque es un poder eterno, y su reino jamás será destruido. *Palabra de Dios.*

Todos: Te alabamos, Señor.

Salmo Responsorial

(Sal 96)

Respuesta: Reina el Señor, alégrese la tierra.

Lector: Reina el Señor, alégrese la tierra; cante de regocijo el mundo
entero. Tinieblas y nubes rodean el trono del Señor que se asienta
en la justicia y el derecho. / R.

Lector: Los montes se derriten como cera ante el Señor de toda la
tierra. Los cielos pregonan su justicia, su inmensa gloria ven todos
los pueblos. / R.

Lector: Tú, Señor altísimo, estás muy por encima de la tierra y mucho más en alto que los dioses. / R.

2ª Lectura

De la segunda carta del apóstol san Pedro
(2 Pedro 1, 16-19)

Hermanos: Cuando les anunciamos la venida gloriosa y llena de poder de nuestro
Señor Jesucristo, no lo hicimos fundados en fábulas hechas con
astucia, sino por haberlo visto con nuestros propios ojos en toda su grandeza. En efecto, Dios lo llenó de gloria y honor, cuando la sublime voz del
Padre resonó sobre él, diciendo: "Éste es mi Hijo amado, en quien yo me
complazco". Y nosotros escuchamos esta voz, venida del cielo, mientras
estábamos con el Señor en el monte santo.

Tenemos también la firmísima palabra de los profetas, a la que con
toda razón ustedes consideran como una lámpara que ilumina en la oscuridad, hasta que despunte el día y el lucero de la mañana amanezca en los
corazones de ustedes.

Palabra de Dios.

Todos: Te alabamos, Señor.

Aclamación antes del Evangelio

(Mt 17, 5)

R. **Aleluya, aleluya.** Éste es mi Hijo muy amado, dice el Señor, en quien tengo puestas todas mis complacencias; escúchenlo.
R. **Aleluya.**

Evangelio

Del santo Evangelio según san Mateo
(Mt 17, 1-9) / *Todos: Gloria a ti, Señor.*

En aquel tiempo, Jesús tomó consigo a Pedro, a Santiago y a Juan, el hermano de éste, y los hizo subir a solas con él a un monte elevado. Ahí se transfiguró en su presencia: su rostro se puso resplandeciente como el sol y sus vestiduras se volvieron blancas como la nieve. De pronto aparecieron ante ellos Moisés y Elías, conversando con Jesús.

Entonces Pedro le dijo a Jesús: "Señor, ¡qué bueno sería quedarnos aquí! Si quieres, haremos aquí tres chozas, una para ti, otra para Moisés y otra para Elías".

Cuando aún estaba hablando, una nube luminosa los cubrió y de ella salió una voz que decía: "Éste es mi Hijo muy amado, en quien tengo puestas mis complacencias; escúchenlo". Al oír esto, los discípulos cayeron rostro en tierra, llenos de un gran temor. Jesús se acercó a ellos, los tocó y les dijo: "Levántense y no teman". Alzando entonces los ojos, ya no vieron a nadie más que a Jesús.

Mientras bajaban del monte, Jesús les ordenó: "No le cuenten a nadie lo que han visto, hasta que el Hijo del hombre haya resucitado de entre los muertos". **Palabra del Señor.**
Todos: Gloria a ti, Señor Jesús.

Se dice Credo

Oración sobre las Ofrendas

Santifica, Señor, las ofrendas que te presentamos en la gloriosa Transfiguración de tu Unigénito, y límpianos de las manchas del pecado con el resplandor de su luz. Por Jesucristo, nuestro Señor. *Todos:* **Amén.**

6 de agosto

Antífona de la Comunión

Cuando se manifieste el Señor, seremos semejantes a él, porque lo veremos tal cual es (Cfr. 1 Jn 3, 2).

Oración después de la Comunión

Te rogamos, Señor, que el alimento celestial que hemos recibido, nos transforme a imagen de aquel cuyo esplendor quisiste manifestar en su gloriosa Transfiguración. Él, que vive y reina por los siglos de los siglos. *Todos: **Amén.***

Juegos y Actividades

Alguien plasmó unas visiones en esta cueva ¿Cuántas figuras puedes encontrar?

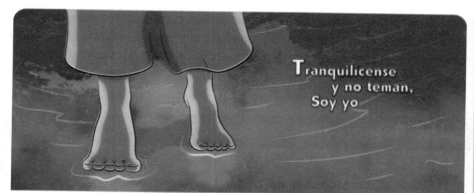

Tranquilícense y no teman, Soy yo

(Verde)

Antífona de entrada

Acuérdate, Señor, de tu alianza, no olvides por más tiempo la suerte de tus pobres. Levántate, Señor, a defender tu causa, no olvides las voces de los que te buscan (Cfr. Sal 73, 20. 19. 22. 23).

Se dice gloria

Oración Colecta

Dios todopoderoso y eterno, a quien, enseñados por el Espíritu Santo, invocamos con el nombre de Padre, intensifica en nuestros corazones el espíritu de hijos adoptivos tuyos, para que merezcamos entrar en posesión de la herencia que nos tienes prometida. Por nuestro Señor Jesucristo. ***Todos: Amén.***

1ª Lectura

Del primer libro de los Reyes
(1 Re 19, 9. 11-13)

Al llegar al monte de Dios, el Horeb, el profeta Elías entró en una cueva y permaneció allí. El Señor le dijo: "Sal de la cueva y quédate en el monte para ver al Señor, porque el Señor va a pasar".

Así lo hizo Elías, y al acercarse el Señor, vino primero un viento huracanado, que partía las montañas y resquebrajaba las rocas; pero el Señor no estaba en el viento. Se produjo después un terremoto; pero el Señor no estaba en el terremoto. Luego vino un fuego; pero el Señor no estaba en el fuego. Después del fuego se escuchó el murmullo de una brisa suave. Al oírlo, Elías se cubrió el rostro con el manto y salió a la entrada de la cueva.

Palabra de Dios.

Todos: **Te alabamos, Señor.**

Salmo Responsorial

(Sal 84)

Respuesta: Muéstranos, Señor, tu misericordia.

Lector: Escucharé las palabras del Señor, palabras de paz para su pueblo santo. Está ya cerca nuestra salvación y la gloria del Señor habitará en la tierra. / R.

Lector: La misericordia y la verdad se encontraron, la justicia y la paz se besaron, la fidelidad brotó en la tierra y la justicia vino del cielo. / R.

Lector: Cuando el Señor nos muestre su bondad, nuestra tierra producirá su fruto. La justicia le abrirá camino al Señor e irá siguiendo sus pisadas. / R.

2ª Lectura

De la carta del apóstol san Pablo a los romanos (Rom 9, 1-5)

Hermanos: Les hablo con toda verdad en Cristo; no miento. Mi conciencia me atestigua, con la luz del Espíritu Santo, que tengo una infinita tristeza y un dolor incesante tortura mi corazón.

Hasta aceptaría verme separado de Cristo, si esto fuera para bien de mis hermanos, los de mi raza y de mi sangre, los israelitas, a quienes pertenecen la adopción filial, la gloria, la alianza, la ley, el culto y las promesas. Ellos son descendientes de los patriarcas; y de su raza, según la carne, nació Cristo, el cual está por encima de todo y es Dios bendito por los siglos de los siglos. Amén.

Palabra de Dios.

Todos: **Te alabamos, Señor.**

Aclamación antes del Evangelio

(Sal 129, 5)

R. **Aleluya, aleluya.** Confío en el Señor,
mi alma espera y confía en su palabra.
R. **Aleluya, aleluya.**

Evangelio

Del santo Evangelio según san Mateo
(Mt 14, 22-33)
Todos: Gloria a ti, Señor.

En aquel tiempo, inmediatamente después de la multiplicación de los panes, Jesús hizo que sus discípulos subieran a la barca y se dirigieran a la otra orilla, mientras él despedía a la gente. Después de despedirla, subió al monte a solas para orar. Llegada la noche, estaba él solo allí.

Entretanto, la barca iba ya muy lejos de la costa y las olas la sacudían, porque el viento era contrario. A la madrugada, Jesús fue hacia ellos, caminando sobre el agua. Los discípulos, al verlo andar sobre el agua, se espantaron, y decían: "¡Es un fantasma!" Y daban gritos de terror. Pero Jesús les dijo enseguida: "Tranquilícense y no teman. Soy yo".

Entonces le dijo Pedro: "Señor, si eres tú, mándame ir a ti caminando sobre el agua". Jesús le contestó: "Ven". Pedro bajó de la barca y comenzó a caminar sobre el agua hacia Jesús; pero al sentir la fuerza del viento, le entró miedo, comenzó a hundirse y gritó: "¡Sálvame, Señor!" Inmediatamente Jesús le tendió la mano, lo sostuvo y le dijo: "Hombre de poca fe, ¿por qué dudaste?"

En cuanto subieron a la barca, el viento se calmó. Los que estaban en la barca se postraron ante Jesús, diciendo: "Verdaderamente tú eres el Hijo de Dios".

Palabra del Señor.
Todos: Gloria a ti, Señor Jesús.

Se dice Credo

13 de agosto

Oración sobre las Ofrendas

Recibe benignamente, Señor, los dones de tu Iglesia, y, al concederle en tu misericordia que te los pueda ofrecer, haces al mismo tiempo que se conviertan en sacramento de nuestra salvación. Por Jesucristo, nuestro Señor. *Todos: **Amén.***

Antífona de la Comunión

Alaba, Jerusalén, al Señor, porque te alimenta con lo mejor de su trigo (Sal 147, 12. 14).

Oración después de la Comunión

La comunión de tus sacramentos que hemos recibido, Señor, nos salven y nos confirmen en la luz de tu verdad. Por Jesucristo, nuestro Señor. *Todos: **Amén.***

Juegos y Actividades

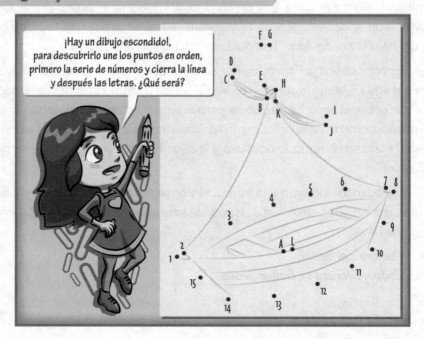

¡Hay un dibujo escondido!, para descubrirlo une los puntos en orden, primero la serie de números y cierra la línea y después las letras. ¿Qué será?

(Verde)

Antífona de entrada

Dios, protector nuestro, mira el rostro de tu Ungido. Un solo día en tu casa es más valioso, que mil días en cualquier otra parte (Sal 83, 10-11).

Se dice gloria

Oración Colecta

Señor Dios, que has preparado bienes invisibles para los que te aman, infunde en nuestros corazones el anhelo de amarte, para que, amándote en todo y sobre todo, consigamos tus promesas, que superan todo deseo. Por nuestro Señor Jesucristo. *Todos:* **Amén.**

1ª Lectura

Del libro del profeta Isaías
(Is 56, 1. 6-7)

Esto dice el Señor: "Velen por los derechos de los demás, practiquen la justicia, porque mi salvación está a punto de llegar y mi justicia a punto de manifestarse.

A los extranjeros que se han adherido al Señor para servirlo, amarlo y darle culto, a los que guardan el sábado sin profanarlo y se mantienen fieles a mi alianza, los conduciré a mi monte santo y los

20 de agosto

llenaré de alegría en mi casa de oración. Sus holocaustos y sacrificios serán gratos en mi altar, porque mi templo será la casa de oración para todos los pueblos". *Palabra de Dios.*

Todos: *Te alabamos, Señor.*

Salmo Responsorial

(Sal 66)

Respuesta: **Que te alaben, Señor, todos los pueblos.**

Lector: Ten piedad de nosotros y bendícenos; vuelve, Señor, tus ojos a nosotros. Que conozca la tierra tu bondad y los pueblos tu obra salvadora. / R.

Lector: Las naciones con júbilo te canten, porque juzgas al mundo con justicia; con equidad tú juzgas a los pueblos y riges en la tierra a las naciones. / R.

Lector: Que te alaben, Señor, todos los pueblos, que los pueblos te aclamen todos juntos. Que nos bendiga Dios y que le rinda honor el mundo entero. / R.

2ª Lectura

De la carta del apóstol san Pablo a los romanos (Rom 11, 13-15. 29-32)

Hermanos: Tengo algo que decirles a ustedes, los que no son judíos, y trato de desempeñar lo mejor posible este ministerio. Pero esto lo hago también para ver si provoco los celos de los de mi raza y logro salvar a algunos de ellos. Pues, si su rechazo ha sido reconciliación para el mundo, ¿qué no será su reintegración, sino resurrección de entre los muertos? Porque Dios no se arrepiente de sus dones ni de su elección.

Así como ustedes antes eran rebeldes contra Dios y ahora han alcanzado su misericordia con ocasión de la rebeldía de los judíos, en la misma forma, los judíos, que ahora son los rebeldes y que fueron la ocasión de que ustedes alcanzaran la misericordia de Dios, también ellos la alcanzarán. En efecto, Dios ha permitido que todos cayéramos en la rebeldía, para manifestarnos a todos su misericordia. *Palabra de Dios.*

Todos: *Te alabamos, Señor.*

Aclamación antes del Evangelio

(Cfr. Mt 4, 23)

R. **Aleluya, aleluya.** Jesús predicaba el Evangelio del Reino y curaba las enfermedades y dolencias del pueblo.

R. **Aleluya, aleluya.**

Evangelio

Del santo Evangelio según san Mateo
(Mt 15, 21-28)
Todos: Gloria a ti, Señor.

En aquel tiempo, Jesús se retiró a la comarca de Tiro y Sidón. Entonces una mujer cananea le salió al encuentro y se puso a gritar: "Señor, hijo de David, ten compasión de mí. Mi hija está terriblemente atormentada por un demonio". Jesús no le contestó una sola palabra; pero los discípulos se acercaron y le rogaban: "Atiéndela, porque viene gritando detrás de nosotros". Él les contestó: "Yo no he sido enviado sino a las ovejas descarriadas de la casa de Israel".

Ella se acercó entonces a Jesús, y postrada ante él, le dijo: "¡Señor, ayúdame!" Él le respondió: "No está bien quitarles el pan a los hijos para echárselo a los perritos". Pero ella replicó: "Es cierto, Señor; pero también los perritos se comen las migajas que caen de la mesa de sus amos". Entonces Jesús le respondió: "Mujer, ¡qué grande es tu fe! Que se cumpla lo que deseas". Y en aquel mismo instante quedó curada su hija.

Palabra del Señor.
Todos: Gloria a ti, Señor Jesús.

Se dice Credo

Oración sobre las Ofrendas

Recibe, Señor, nuestros dones, con los que se realiza tan glorioso intercambio, para que, al ofrecerte lo que tú nos diste, merezcamos recibirte a ti mismo. Por Jesucristo, nuestro Señor. *Todos:* **Amén.**

Antífona de la Comunión

Con el Señor viene la misericordia, y la abundancia de su redención (Sal 129, 7).

Oración después de la Comunión

Unidos a Cristo por este sacramento, suplicamos humildemente, Señor, tu misericordia, para que, hechos semejantes a él aquí en la tierra, merezcamos gozar de su compañía en el cielo. Él, que vive y reina por los siglos de los siglos. *Todos: Amén.*

Juegos y Actividades

Yo pude escribir muchas palabras solo tomando las letras de las cuatro que están aquí ¿Cuántas puedes descubrir tu? ¡Mira los ejemplos!

PROFANARLO *faro* _____

HOLOCAUSTOS *costa* _____

SACRIFICIOS *rico* _____

RECONCILIACION *calor* _____

Sobre esta piedra
edificaré mi Iglesia

(Verde)

Antífona de entrada

Inclina tu oído, Señor, y escúchame. Salva a tu siervo, que confía en ti. Ten piedad de mí, Dios mío, pues sin cesar te invoco (Cfr. Sal 85, 1-3).

Se dice gloria

Oración Colecta

Señor Dios, que unes en un mismo sentir los corazones de tus fieles, impulsa a tu pueblo a amar lo que mandas y a desear lo que prometes, para que, en medio de la inestabilidad del mundo, estén firmemente anclados nuestros corazones donde se halla la verdadera felicidad. Por nuestro Señor Jesucristo. *Todos: **Amén.***

1ª Lectura

Del libro del profeta Isaías
(Is 22, 19-23)

Esto dice el Señor a Sebná, mayordomo de palacio: "Te echaré de tu puesto y te destituiré de tu cargo. Aquel mismo día llamaré a mi siervo, a Eleacín, el hijo de Elcías; le vestiré tu túnica, le ceñiré tu banda y le traspasaré tus poderes.

Será un padre para los habitantes de Jerusalén y para la casa de Judá. Pondré la llave del palacio de David sobre su hombro. Lo que él abra, nadie lo cerrará; lo que él cierre, nadie lo abrirá. Lo fijaré como un clavo en muro firme y será un trono de gloria para la casa de su padre".

Palabra de Dios.

Todos: **Te alabamos, Señor.**

Salmo Responsorial

(Sal 137)

Respuesta: Señor, tu amor perdura eternamente.

Lector: De todo corazón te damos gracias, Señor, porque escuchaste nuestros ruegos. Te cantaremos delante de tus ángeles, te adoraremos en tu templo. / R.

Lector: Señor, te damos gracias por tu lealtad y por tu amor: siempre que te invocamos, nos oíste y nos llenaste de valor. / R.

Lector: Se complace el Señor en los humildes y rechaza al engreído. Señor, tu amor perdura eternamente; obra tuya soy, no me abandones. / R.

2ª Lectura

De la carta del apóstol san Pablo a los romanos (Rom 11, 33-36)

¡Qué inmensa y rica es la sabiduría y la ciencia de Dios! ¡Qué impenetrables son sus designios e incomprensibles sus caminos! ¿Quién ha conocido jamás el pensamiento del Señor o ha llegado a ser su consejero? ¿Quién ha podido darle algo primero, para que Dios se lo tenga que pagar? En efecto, todo proviene de Dios, todo ha sido hecho por él y todo está orientado hacia él. A él la gloria por los siglos de los siglos. Amén.

Palabra de Dios.

Todos: **Te alabamos, Señor.**

Aclamación antes del Evangelio

(Mt 16, 18)

R. Aleluya, aleluya. Tú eres Pedro y sobre esta piedra edificaré mi Iglesia, y los poderes del infierno no prevalecerán sobre ella, dice el Señor.

R. Aleluya, aleluya.

Evangelio

Del santo Evangelio según san Mateo
(Mt 16, 13-20)
Todos: Gloria a ti, Señor.

En aquel tiempo, cuando llegó Jesús a la región de Cesarea de Filipo, hizo esta pregunta a sus discípulos: "¿Quién dice la gente que es el Hijo del hombre?" Ellos le respondieron: "Unos dicen que eres Juan el Bautista; otros, que Elías; otros, que Jeremías o alguno de los profetas".

Luego les preguntó: "Y ustedes, ¿quién dicen que soy yo?" Simón Pedro tomó la palabra y le dijo: "Tú eres el Mesías, el Hijo de Dios vivo".

Jesús le dijo entonces: "¡Dichoso tú, Simón, hijo de Juan, porque esto no te lo ha revelado ningún hombre, sino mi Padre, que está en los cielos! Y yo te digo a ti que tú eres Pedro y sobre esta piedra edificaré mi Iglesia. Los poderes del infierno no prevalecerán sobre ella. Yo te daré las llaves del Reino de los cielos; todo lo que ates en la tierra, quedará atado en el cielo, y todo lo que desates en la tierra, quedará desatado en el cielo".

Y les ordenó a sus discípulos que no dijeran a nadie que él era el Mesías.

Palabra del Señor.
Todos: Gloria a ti, Señor Jesús.

Se dice Credo

Oración sobre las Ofrendas

Señor, que con un mismo y único sacrificio adquiriste para ti un pueblo de adopción, concede, propicio, a tu Iglesia, los dones de la unidad y de la paz. Por Jesucristo, nuestro Señor. *Todos: Amén.*

Antífona de la Comunión

La tierra está llena, Señor, de dones tuyos: el pan que sale de la tierra y el vino que alegra el corazón del hombre (Cfr. Sal 103, 13-15).

Oración después de la Comunión

Te pedimos, Señor, que la obra salvadora de tu misericordia fructifique plenamente en nosotros, y haz que, con la ayuda continua de tu gracia, de tal manera tendamos a la perfección, que podamos siempre agradarte en todo. Por Jesucristo, nuestro Señor. *Todos: Amén.*

Juegos y Actividades

Estén, pues, preparados,
porque no saben ni el día ni la hora

(Verde)

Antífona de entrada

Los proyectos de su corazón subsisten de generación en generación, para librar de la muerte a sus fieles y reanimarlos en tiempo de hambre (Sal 32, 11. 19).

Oración Colecta

Señor Dios, haz que nos revistamos con las virtudes del corazón de tu Hijo y nos encendamos con el amor que lo inflama, para que, configurados a imagen suya, merezcamos ser partícipes de la redención eterna. Por nuestro Señor Jesucristo. *Todos: **Amén.***

1ª Lectura

De la primera carta del apóstol san Pablo a los tesalonicenses (1 Tes 4, 1-8)

Hermanos: les rogamos y los exhortamos en el nombre del Señor Jesús a que vivan como conviene, para agradar a Dios, según aprendieron de nosotros, a fin de que sigan ustedes progresando. Ya conocen, en efecto, las instrucciones que les hemos dado de parte del Señor Jesús.

Lo que Dios quiere de ustedes es que se santifiquen; que se abstengan de todo acto impuro; que cada uno de ustedes sepa tratar a su esposa con santidad y respeto y no dominado por la pasión, como los paganos, que no conocen a Dios. Que en esta materia, nadie ofenda a su hermano ni abuse de él, porque el Señor castigará todo esto, como se lo dijimos y aseguramos a ustedes, pues no nos ha llamado Dios a la impureza, sino a la santidad. Así pues, el que desprecia estas instrucciones no desprecia a un hombre, sino al mismo Dios, que les ha dado a ustedes su Espíritu Santo.

Palabra de Dios.

Todos: **Te alabamos, Señor.**

Salmo Responsorial

(Sal 96)

Respuesta: Alegrémonos con el Señor.

Lector: Reina el Señor, alégrese la tierra; cante de regocijo el mundo entero. El trono del Señor se asienta en la justicia y el derecho. / **R.**

Lector: Los montes se derriten como cera ante el Señor, ante el Señor de toda la tierra. Los cielos pregonan su justicia, su inmensa gloria ven todos los pueblos. / **R.**

Lector: El Señor ama al que aborrece el mal, protege la vida de sus fieles y los libra de los malvados. / **R.**

Lector: Amanece la luz para el justo y la alegría para los rectos de corazón. Alégrense, justos, con el Señor y bendigan su santo nombre. / **R.**

Aclamación antes del Evangelio

(Cfr. Lc 21, 36)

R. Aleluya, aleluya. Velen y oren, para que puedan presentarse sin temor ante el Hijo del hombre. **R. Aleluya.**

Evangelio

Del santo Evangelio según san Mateo
(Mt 25, 1-13)
Todos: Gloria a ti, Señor.

En aquel tiempo, Jesús dijo a sus discípulos esta parábola: "El Reino de los cielos es semejante a diez jóvenes, que tomando sus lámparas, salieron al encuentro del esposo. Cinco de ellas eran descuidadas y cinco, previsoras. Las descuidadas llevaron sus lámparas, pero no llevaron aceite para llenarlas de nuevo; las previsoras, en cambio, llevaron cada una un frasco de aceite junto con su lámpara. Como el esposo tardaba, les entró sueño a todas y se durmieron.

A medianoche se oyó un grito: '¡Ya viene el esposo! ¡Salgan a su encuentro!' Se levantaron entonces todas aquellas jóvenes y se pusieron a preparar sus lámparas, y las descuidadas dijeron a las previsoras: 'Dennos un poco de su aceite, porque nuestras lámparas se están apagando'. Las previsoras les contestaron: 'No, porque no va a alcanzar para ustedes y para nosotras. Vayan mejor a donde lo venden y cómprenlo'.

Mientras aquéllas iban a comprarlo, llegó el esposo, y las que estaban listas entraron con él al banquete de bodas y se cerró la puerta. Más tarde llegaron las otras jóvenes y dijeron: 'Señor, señor, ábrenos'. Pero él les respondió: 'Yo les aseguro que no las conozco'.

Estén, pues, preparados, porque no saben ni el día ni la hora".
Palabra del Señor.
Todos: Gloria a ti, Señor Jesús.

Oración sobre las Ofrendas

Dios nuestro, Padre de misericordia, que por el inmenso amor con que nos has amado, nos diste con inefable bondad a tu Unigénito, concédenos que, unidos íntimamente a él, te ofrezcamos una digna oblación. Por Jesucristo, nuestro Señor. *Todos: Amén.*

Antífona de la Comunión

Dice el Señor: Si alguno tiene sed, que venga a mí y beba, aquel que cree en mí. Como dice la Escritura: De sus entrañas brotarán ríos de agua viva (Cfr. Jn 7, 37-38).

Oración después de la Comunión

Habiendo participado de tu sacramento de amor, imploramos, Señor, tu clemencia, para que, configurados con Cristo en la tierra, merezcamos compartir su gloria en el cielo. Él, que vive y reina por los siglos de los siglos. *Todos: Amén.*

Que tome su cruz y me siga

(Verde)

Antífona de entrada

Dios mío, ten piedad de mí, pues sin cesar te invoco: Tú eres bueno y clemente, y rico en misericordia con quien te invoca (Cfr. Sal 85, 3. 5).

Se dice gloria

Oración Colecta

Dios de toda virtud, de quien procede todo lo que es bueno, infunde en nuestros corazones el amor de tu nombre, y concede que, haciendo más religiosa nuestra vida, hagas crecer el bien que hay en nosotros y lo conserves con solicitud amorosa. Por nuestro Señor Jesucristo. *Todos: **Amén.***

1ª Lectura

Del libro del profeta Jeremías
(Jer 20, 7-9)

Me sedujiste, Señor, y me dejé seducir; fuiste más fuerte que yo y me venciste. He sido el hazmerreír de todos; día tras día se burlan de mí. Desde que comencé a hablar, he tenido que anunciar a gritos violencia y destrucción. Por anunciar la palabra del Señor, me he convertido en objeto de oprobio y de burla todo el día. He llegado a decirme: "Ya no me acordaré del Señor ni hablaré más en su nombre". Pero había en mí como un fuego ardiente, encerrado en mis huesos; yo me esforzaba por contenerlo y no podía.

Palabra de Dios.

*Todos: **Te alabamos, Señor.***

Salmo Responsorial

(Sal 62)

Respuesta: **Señor, mi alma tiene sed de ti.**

Lector: Señor, tú eres mi Dios, a ti te busco; de ti sedienta está mi alma. Señor, todo mi ser te añora como el suelo reseco añora el agua. / R.

Lector: Para admirar tu gloria y tu poder, con este afán te busco en tu santuario. Pues mejor es tu amor que la existencia; siempre, Señor, te alabarán mis labios. / R.

Lector: Podré así bendecirte mientras viva y levantar en oración mis manos. De lo mejor se saciará mi alma; te alabaré con jubilosos labios. / R.

Lector: Porque fuiste mi auxilio y a tu sombra, Señor, canto con gozo. A ti se adhiere mi alma y tu diestra me da seguro apoyo. / R.

2ª Lectura

De la carta del apóstol san Pablo a los romanos (Rom 12, 1-2)

Hermanos: Por la misericordia que Dios les ha manifestado, los exhorto a que se ofrezcan ustedes mismos como una ofrenda viva, santa y agradable a Dios, porque en esto consiste el verdadero culto. No se dejen transformar por los criterios de este mundo, sino dejen que una nueva manera de pensar los transforme internamente, para que sepan distinguir cuál es la voluntad de Dios, es decir, lo que es bueno, lo que le agrada, lo perfecto.

Palabra de Dios.

*Todos: **Te alabamos, Señor.***

Aclamación antes del Evangelio

(Cfr. Ef 1, 17-18)

R. **Aleluya, aleluya.** Que el Padre de nuestro Señor Jesucristo ilumine nuestras mentes para que podamos comprender cuál es la esperanza que nos da su llamamiento.

R. **Aleluya, aleluya.**

Evangelio

Del santo Evangelio según san Mateo
(Mt 16, 21-27)
Todos: Gloria a ti, Señor.

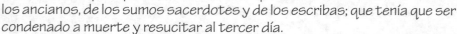

En aquel tiempo, comenzó Jesús a anunciar a sus discípulos que tenía que ir a Jerusalén para padecer allí mucho de parte de los ancianos, de los sumos sacerdotes y de los escribas; que tenía que ser condenado a muerte y resucitar al tercer día.

Pedro se lo llevó aparte y trató de disuadirlo, diciéndole: "No lo permita Dios, Señor. Eso no te puede suceder a ti". Pero Jesús se volvió a Pedro y le dijo: "¡Apártate de mí, Satanás, y no intentes hacerme tropezar en mi camino, porque tu modo de pensar no es el de Dios, sino el de los hombres!"

Luego Jesús dijo a sus discípulos: "El que quiera venir conmigo, que renuncie a sí mismo, que tome su cruz y me siga. Pues el que quiera salvar su vida, la perderá; pero el que pierda su vida por mí, la encontrará. ¿De qué le sirve a uno ganar el mundo entero, si pierde su vida? ¿Y qué podrá dar uno a cambio para recobrarla?

Porque el Hijo del hombre ha de venir rodeado de la gloria de su Padre, en compañía de sus ángeles, y entonces le dará a cada uno lo que merecen sus obras". *Palabra del Señor.*

Todos: Gloria a ti, Señor Jesús.

Se dice Credo

Oración sobre las Ofrendas

Que esta ofrenda sagrada, Señor, nos traiga siempre tu bendición salvadora, para que dé fruto en nosotros lo que realiza el misterio. Por Jesucristo, nuestro Señor. *Todos: Amén.*

Antífona de la Comunión

Qué grande es tu bondad, Señor, que tienes reservada para tus fieles (Sal 30, 20).

Oración después de la Comunión

S aciados con el pan de esta mesa celestial, te suplicamos, Señor, que este alimento de caridad fortalezca nuestros corazones, para que nos animemos a servirte en nuestros hermanos. Por Jesucristo, nuestro Señor. *Todos: **Amén.***

Juegos y Actividades

Si te escucha, habrás salvado a tu hermano

(Verde)

Antífona de entrada

Eres justo, Señor, y rectos son tus mandamientos; muéstrate bondadoso con tu siervo (Sal 118, 137. 124).

Se dice gloria

Oración Colecta

Señor Dios, de quien nos viene la redención y a quien debemos la filiación adoptiva, protege con bondad a los hijos que tanto amas, para que todos los que creemos en Cristo obtengamos la verdadera libertad y la herencia eterna. Por nuestro Señor Jesucristo. *Todos: Amén.*

1ª Lectura

Del libro del profeta Ezequiel (Ez 33, 7-9)

Esto dice el Señor: "A ti, hijo de hombre, te he constituido centinela para la casa de Israel. Cuando escuches una palabra de mi boca, tú se la comunicarás de mi parte.

Si yo pronuncio sentencia de muerte contra un hombre, porque es malvado, y tú no lo amonestas para que se aparte del mal camino, el malvado morirá por su culpa, pero yo te pediré a ti cuentas de su vida.

En cambio, si tú lo amonestas para que deje su mal camino y él no lo deja, morirá por su culpa, pero tú habrás salvado tu vida". *Palabra de Dios.*

Todos: Te alabamos, Señor.

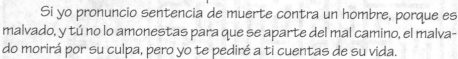

Salmo Responsorial

(Sal 94)

Respuesta: **Señor, que no seamos sordos a tu voz.**

Lector: Vengan, lancemos vivas al Señor, aclamemos al Dios que nos salva. Acerquémonos a él, llenos de júbilo, y démosle gracias. / R.

Lector: Vengan, y puestos de rodillas, adoremos y bendigamos al Señor, que nos hizo, pues él es nuestro Dios y nosotros, su pueblo, él es nuestro pastor y nosotros, sus ovejas. / R.

Lector: Hagámosle caso al Señor, que nos dice: "No endurezcan su corazón, como el día de la rebelión en el desierto, cuando sus padres dudaron de mí, aunque habían visto mis obras". / R.

2ª Lectura

De la carta del apóstol san Pablo a los romanos (Rom 13, 8-10)

Hermanos: No tengan con nadie otra deuda que la del amor mutuo, porque el que ama al prójimo, ha cumplido ya toda la ley. En efecto, los mandamientos que ordenan: "No cometerás adulterio, no robarás, no matarás, no darás falso testimonio, no codiciarás" y todos los otros, se resumen en éste: "Amarás a tu prójimo como a ti mismo", pues quien ama a su prójimo no le causa daño a nadie. Así pues, cumplir perfectamente la ley consiste en amar.

Palabra de Dios.
Todos: Te alabamos, Señor.

Aclamación antes del Evangelio

(2 Cor 5, 19)

R. **Aleluya, aleluya.** Dios ha reconciliado consigo al mundo por medio de Cristo, y nos ha encomendado a nosotros el mensaje de la reconciliación.

R. **Aleluya, aleluya.**

Evangelio

Del santo Evangelio según san Mateo
(Mt 18, 15-20)
Todos: Gloria a ti, Señor.

En aquel tiempo, Jesús dijo a sus discípulos: "Si tu hermano comete un pecado, ve y amonéstalo a solas. Si te escucha, habrás salvado a tu hermano. Si no te hace caso, hazte acompañar de una o dos personas, para que todo lo que se diga conste por boca de dos o tres testigos. Pero si ni así te hace caso, díselo a la comunidad; y si ni a la comunidad le hace caso, apártate de él como de un pagano o de un publicano.

Yo les aseguro que todo lo que aten en la tierra quedará atado en el cielo, y todo lo que desaten en la tierra quedará desatado en el cielo.

Yo les aseguro también que si dos de ustedes se ponen de acuerdo para pedir algo, sea lo que fuere, mi Padre celestial se lo concederá; pues donde dos o tres se reúnen en mi nombre, ahí estoy yo en medio de ellos".

Palabra del Señor.
Todos: Gloria a ti, Señor Jesús.

Se dice Credo

Oración sobre las Ofrendas

Señor Dios, fuente de toda devoción sincera y de la paz, concédenos honrar de tal manera, con estos dones, tu majestad, que, al participar en estos santos misterios, todos quedemos unidos en un mismo sentir. Por Jesucristo, nuestro Señor. *Todos: Amén.*

Antífona de la Comunión

Como la cierva busca el agua de las fuentes, así, sedienta, mi alma te busca a ti, Dios mío. Mi alma tiene sed del Dios vivo (Cfr. Sal 41, 2-3).

Oración después de la Comunión

oncede, Señor, a tus fieles, a quienes alimentas y vivificas con tu palabra y el sacramento del cielo, aprovechar de tal manera tan grandes dones de tu Hijo amado, que merezcamos ser siempre partícipes de su vida. Él, que vive y reina por los siglos de los siglos. *Todos: Amén.*

Juegos y Actividades

Las sílabas de cinco palabras están revueltas. Cada una inicia con letras de colores, ¡vamos a unirlas correctamente con una línea!

CEN   NI   LA   CU
TES   VA   TI
ES   DAD   CHA
SAL   NIO
          TI   DO
CO   MO   NE   MU

¿No debías tú también haber tenido compasión de tu compañero?

(Verde)

Antífona de entrada

Concede, Señor, la paz a los que esperan en ti, y cumple así las palabras de tus profetas; escucha las plegarias de tu siervo, y de tu pueblo Israel (Cfr. Sir 36, 18).

Se dice gloria

Oración Colecta

Señor Dios, creador y soberano de todas las cosas, vuelve a nosotros tus ojos y concede que te sirvamos de todo corazón, para que experimentemos los efectos de tu misericordia. Por nuestro Señor Jesucristo. ***Todos: Amén.***

1ª Lectura

Del libro del Sirácide (Eclesiástico)
(Sir 27, 33-28, 9)

Cosas abominables son el rencor y la cólera; sin embargo, el pecador se aferra a ellas. El Señor se vengará del vengativo y llevará rigurosa cuenta de sus pecados.

Perdona la ofensa a tu prójimo, y así, cuando pidas perdón, se te perdonarán tus pecados. Si un hombre le guarda rencor a otro, ¿le puede acaso pedir la salud al Señor?

17 de septiembre

El que no tiene compasión de un semejante, ¿cómo pide perdón de sus pecados? Cuando el hombre que guarda rencor pide a Dios el perdón de sus pecados, ¿hallará quien interceda por él?

Piensa en tu fin y deja de odiar, piensa en la corrupción del sepulcro y guarda los mandamientos.

Ten presentes los mandamientos y no guardes rencor a tu prójimo. Recuerda la alianza del Altísimo y pasa por alto las ofensas.

Palabra de Dios.

Todos: Te alabamos, Señor.

Salmo Responsorial

(Sal 102)

Respuesta: El Señor es compasivo y misericordioso.

Lector: Bendice al Señor, alma mía; que todo mi ser bendiga su santo nombre. Bendice al Señor, alma mía, y no te olvides de sus beneficios. / **R.**

Lector: El Señor perdona tus pecados y cura tus enfermedades; él rescata tu vida del sepulcro y te colma de amor y de ternura. / **R.**

Lector: El Señor no nos condena para siempre, ni nos guarda rencor perpetuo. No nos trata como merecen nuestras culpas, ni nos paga según nuestros pecados. / **R.**

Lector: Como desde la tierra hasta el cielo, así es de grande su misericordia; como un padre es compasivo con sus hijos, así es compasivo el Señor con quien lo ama. / **R.**

2ª Lectura

De la carta del apóstol san Pablo a los romanos (Rom 14, 7-9)

Hermanos: Ninguno de nosotros vive para sí mismo, ni muere para sí mismo. Si vivimos, para el Señor vivimos; y si morimos, para el Señor morimos. Por lo tanto, ya sea que estemos vivos o que hayamos muerto, somos del Señor. Porque Cristo murió y resucitó para ser Señor de vivos y muertos.

Palabra de Dios.

Todos: Te alabamos, Señor.

Aclamación antes del Evangelio

(Jn 13, 34)

R. **Aleluya, aleluya.** Les doy un mandamiento nuevo, dice el Señor, que se amen los unos a los otros, como yo les he amado.
R. **Aleluya, aleluya.**

Evangelio

Del santo Evangelio según san Mateo (Mt 18, 21-35)
Todos: Gloria a ti, Señor.

En aquel tiempo, Pedro se acercó a Jesús y le preguntó: "Si mi hermano me ofende, ¿cuántas veces tengo que perdonarlo? ¿Hasta siete veces?" Jesús le contestó: "No sólo hasta siete, sino hasta setenta veces siete".

Entonces Jesús les dijo: "El Reino de los cielos es semejante a un rey que quiso ajustar cuentas con sus servidores. El primero que le presentaron le debía muchos millones. Como no tenía con qué pagar, el señor mandó que lo vendieran a él, a su mujer, a sus hijos y todas sus posesiones, para saldar la deuda. El servidor, arrojándose a sus pies, le suplicaba, diciendo: 'Ten paciencia conmigo y te lo pagaré todo'. El rey tuvo lástima de aquel servidor, lo soltó y hasta le perdonó la deuda.

Pero, apenas había salido aquel servidor, se encontró con uno de sus compañeros, que le debía poco dinero. Entonces lo agarró por el cuello y casi lo estrangulaba, mientras le decía: 'Págame lo que me debes'. El compañero se le arrodilló y le rogaba: 'Ten paciencia conmigo y te lo pagaré todo'. Pero el otro no quiso escucharlo, sino que fue y lo metió en la cárcel hasta que le pagara la deuda.

Al ver lo ocurrido, sus compañeros se llenaron de indignación y fueron a contar al rey lo sucedido. Entonces el señor lo llamó y le dijo: 'Siervo malvado. Te perdoné toda aquella deuda porque me lo suplicaste. ¿No debías tú también haber tenido compasión de tu compañero, como yo tuve compasión de ti?' Y el señor, encolerizado, lo entregó a los verdugos para que no lo soltaran hasta que pagara lo que debía.

Pues lo mismo hará mi Padre celestial con ustedes si cada cual no perdona de corazón a su hermano". ***Palabra del Señor.***

*Todos: **Gloria a ti, Señor Jesús.***

Se dice Credo

Oración sobre las Ofrendas

Sé propicio, Señor, a nuestras plegarias y acepta benignamente estas ofrendas de tus siervos, para que aquello que cada uno ofrece en honor de tu nombre aproveche a todos para su salvación. Por Jesucristo, nuestro Señor. *Todos: Amén.*

Antífona de la Comunión

Señor Dios, qué preciosa es tu misericordia. Por eso los hombres se acogen a la sombra de tus alas (Cfr. Sal 35, 8).

Oración después de la Comunión

Que el efecto de este don celestial, Señor, transforme nuestro cuerpo y nuestro espíritu, para que sea su fuerza, y no nuestro sentir, lo que siempre inspire nuestras acciones. Por Jesucristo, nuestro Señor. *Todos: Amén.*

Juegos y Actividades

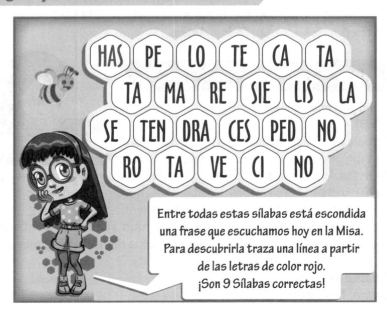

HAS PE LO TE CA TA
TA MA RE SIE LIS LA
SE TEN DRA CES PED NO
RO TA VE CI NO

Entre todas estas sílabas está escondida una frase que escuchamos hoy en la Misa. Para descubrirla traza una línea a partir de las letras de color rojo.
¡Son 9 Sílabas correctas!

Los últimos serán los primeros, y los primeros, los últimos

(Verde)

Antífona de entrada

Yo soy la salvación de mi pueblo, dice el Señor. Los escucharé cuando me llamen en cualquier tribulación, y siempre seré su Dios.

Se dice gloria

Oración Colecta

Señor Dios, que has hecho del amor a ti y a los hermanos la plenitud de todo lo mandado en tu santa ley, concédenos que, cumpliendo tus mandamientos, merezcamos llegar a la vida eterna. Por nuestro Señor Jesucristo. *Todos:* **Amén.**

1ª Lectura

Del libro del profeta Isaías
(Is 55, 6-9)

Busquen al Señor mientras lo pueden encontrar, invóquenlo mientras está cerca; que el malvado abandone su camino, y el criminal, sus planes; que regrese al Señor, y él tendrá piedad; a nuestro Dios, que es rico en perdón.

Mis pensamientos no son los pensamientos de ustedes, sus caminos no son mis caminos, dice el Señor. Porque así como aventajan los cielos a la tierra, así aventajan mis caminos a los de ustedes y mis pensamientos a sus pensamientos.

Palabra de Dios.
Todos: Te alabamos, Señor.

Salmo Responsorial

(Sal 144)

Respuesta: Bendeciré al Señor eternamente.

Lector: Un día tras otro bendeciré tu nombre y no cesará mi boca de alabarte. Muy digno de alabanza es el Señor, por ser su grandeza incalculable. / **R.**

Lector: El Señor es compasivo y misericordioso, lento para enojarse y generoso para perdonar. Bueno es el Señor para con todos y su amor se extiende a todas sus creaturas. / **R.**

Lector: Siempre es justo el Señor en sus designios y están llenas de amor todas sus obras. No está lejos de aquellos que lo buscan; muy cerca está el Señor, de quien lo invoca. / **R.**

2ª Lectura

De la carta del apóstol san Pablo a los filipenses (Flp 1, 20-24. 27)

Hermanos: Ya sea por mi vida, ya sea por mi muerte, Cristo será glorificado en mí. Porque para mí, la vida es Cristo, y la muerte, una ganancia. Pero si el continuar viviendo en este mundo me permite trabajar todavía con fruto, no sabría yo qué elegir.

Me hacen fuerza ambas cosas: por una parte, el deseo de morir y estar con Cristo, lo cual, ciertamente, es con mucho lo mejor; y por la otra, el de permanecer en vida, porque esto es necesario para el bien de ustedes. Por lo que a ustedes toca, lleven una vida digna del Evangelio de Cristo.

Palabra de Dios.
Todos: Te alabamos, Señor.

Aclamación antes del Evangelio

(Cfr. Hech 16, 14)

R. Aleluya, aleluya. Abre, Señor, nuestros corazones para que comprendamos las palabras de tu Hijo.
R. Aleluya, aleluya.

Evangelio

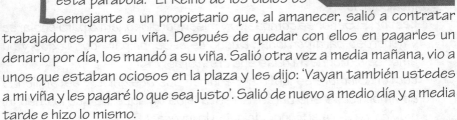

Del santo Evangelio según san Mateo
(Mt 20, 1-16)
Todos: Gloria a ti, Señor.

En aquel tiempo, Jesús dijo a sus discípulos esta parábola: "El Reino de los cielos es semejante a un propietario que, al amanecer, salió a contratar trabajadores para su viña. Después de quedar con ellos en pagarles un denario por día, los mandó a su viña. Salió otra vez a media mañana, vio a unos que estaban ociosos en la plaza y les dijo: 'Vayan también ustedes a mi viña y les pagaré lo que sea justo'. Salió de nuevo a medio día y a media tarde e hizo lo mismo.

Por último, salió también al caer la tarde y encontró todavía a otros que estaban en la plaza y les dijo: '¿Por qué han estado aquí todo el día sin trabajar?' Ellos le respondieron: 'Porque nadie nos ha contratado'. Él les dijo: 'Vayan también ustedes a mi viña'.

Al atardecer, el dueño de la viña le dijo a su administrador: 'Llama a los trabajadores y págales su jornal, comenzando por los últimos hasta que llegues a los primeros'. Se acercaron, pues, los que habían llegado al caer la tarde y recibieron un denario cada uno.

Cuando les llegó su turno a los primeros, creyeron que recibirían más; pero también ellos recibieron un denario cada uno. Al recibirlo, comenzaron a reclamarle al propietario, diciéndole: 'Esos que llegaron al último sólo trabajaron una hora, y sin embargo, les pagas lo mismo que a nosotros, que soportamos el peso del día y del calor'.

Pero él respondió a uno de ellos: 'Amigo, yo no te hago ninguna injusticia. ¿Acaso no quedamos en que te pagaría un denario? Toma, pues, lo tuyo y vete. Yo quiero darle al que llegó al último lo mismo que a ti. ¿Qué no puedo hacer con lo mío lo que yo quiero? ¿O vas a tenerme rencor porque yo soy bueno?'

De igual manera, los últimos serán los primeros, y los primeros, los últimos".

Palabra del Señor.
Todos: Gloria a ti, Señor Jesús.

Se dice Credo

24 de septiembre

Oración sobre las Ofrendas

A cepta benignamente, Señor, los dones de tu pueblo, para que recibamos, por este sacramento celestial, aquello mismo que el fervor de nuestra fe nos mueve a proclamar. Por Jesucristo, nuestro Señor. *Todos:* **Amén.**

Antífona de la Comunión

Tú promulgas tus preceptos para que se observen con exactitud. Ojalá que mi conducta se ajuste siempre al cumplimiento de tu voluntad (Sal 118, 4-5).

Oración después de la Comunión

A quienes alimentas, Señor, con tus sacramentos, confórtanos con tu incesante ayuda, para que en estos misterios recibamos el fruto de la redención y la conversión de nuestra vida. Por Jesucristo, nuestro Señor. *Todos:* **Amén.**

Juegos y Actividades

Un Trabajador quiere llegar al viñedo, ¡ayúdalo a elegir el camino correcto!

¿Cuál de los dos hizo la voluntad del padre?

(Verde)

Antífona de entrada

Todo lo que hiciste con nosotros, Señor, es verdaderamente justo, porque hemos pecado contra ti y hemos desobedecido tus mandatos; pero haz honor a tu nombre y trátanos conforme a tu inmensa misericordia (Dn 3, 31. 29. 30. 43. 42).

Se dice gloria

Oración Colecta

Señor Dios, que manifiestas tu poder de una manera admirable sobre todo cuando perdonas y ejerces tu misericordia, multiplica tu gracia sobre nosotros, para que, apresurándonos hacia lo que nos prometes, nos hagas partícipes de los bienes celestiales. Por nuestro Señor Jesucristo. *Todos:* **Amén.**

1ª Lectura

Del libro del profeta Ezequiel
(Ez 18, 25-28)

Esto dice el Señor: "Si ustedes dicen: 'No es justo el proceder del Señor', escucha, casa de Israel: ¿Conque es injusto mi proceder? ¿No es más bien el proceder de ustedes el injusto?

Cuando el justo se aparta de su justicia, comete la maldad y muere; muere por la maldad que cometió. Cuando el pecador se arrepiente del mal

que hizo y practica la rectitud y la justicia, él mismo salva su vida. Si reca-
pacita y se aparta de los delitos cometidos, ciertamente vivirá y no morirá".
Palabra de Dios.
Todos: **Te alabamos, Señor.**

Salmo Responsorial

(Sal 24)

Respuesta: Descúbrenos, Señor, tus caminos.

Lector: Descúbrenos, Señor, tus caminos, guíanos con la verdad de
tu doctrina. Tú eres nuestro Dios y salvador y tenemos en ti nuestra esperanza. / R.

Lector: Acuérdate, Señor, que son eternos tu amor y tu ternura.
Según ese amor y esa ternura, acuérdate de nosotros. / R.

Lector: Porque el Señor es recto y bondadoso indica a los pecadores el sendero, guía por la senda recta a los humildes y descubre a
los pobres sus caminos. / R.

2ª Lectura

**De la carta del apóstol san Pablo
a los filipenses** (Flp 2, 1-11)

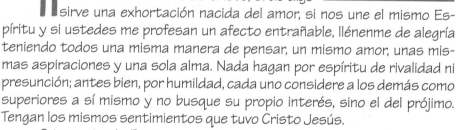

Hermanos: Si alguna fuerza tiene una ad-
vertencia en nombre de Cristo, si de algo
sirve una exhortación nacida del amor, si nos une el mismo Espíritu y si ustedes me profesan un afecto entrañable, llénenme de alegría
teniendo todos una misma manera de pensar, un mismo amor, unas mismas aspiraciones y una sola alma. Nada hagan por espíritu de rivalidad ni
presunción; antes bien, por humildad, cada uno considere a los demás como
superiores a sí mismo y no busque su propio interés, sino el del prójimo.
Tengan los mismos sentimientos que tuvo Cristo Jesús.

Cristo, siendo Dios, no consideró que debía aferrarse a las prerrogativas de su condición divina, sino que, por el contrario, se anonadó a sí
mismo, tomando la condición de siervo, y se hizo semejante a los hombres.
Así, hecho uno de ellos, se humilló a sí mismo y por obediencia aceptó incluso la muerte, y una muerte de cruz.

Por eso Dios lo exaltó sobre todas las cosas y le otorgó el nombre
que está sobre todo nombre, para que al nombre de Jesús todos doblen la

rodilla en el cielo, en la tierra y en los abismos, y todos reconozcan públicamente que Jesucristo es el Señor, para gloria de Dios Padre.

Palabra de Dios.

Todos: ***Te alabamos, Señor.***

Aclamación antes del Evangelio

(Jn 10, 27)

R. Aleluya, aleluya. Mis ovejas escuchan mi voz, dice el Señor; yo las
conozco y ellas me siguen.

R. Aleluya, aleluya.

Evangelio

Del santo Evangelio según san Mateo
(Mt 21, 28-32)
Todos: Gloria a ti, Señor.

En aquel tiempo, Jesús dijo a los sumos sacerdotes y a los ancianos del pueblo:
"¿Qué opinan de esto? Un hombre que tenía dos hijos fue a ver al
primero y le ordenó: 'Hijo, ve a trabajar hoy en la viña'. Él le contestó: 'Ya voy,
señor', pero no fue. El padre se dirigió al segundo y le dijo lo mismo. Éste
le respondió: 'No quiero ir', pero se arrepintió y fue. ¿Cuál de los dos hizo la
voluntad del padre?" Ellos le respondieron: "El segundo".

Entonces Jesús les dijo: "Yo les aseguro que los publicanos y las
prostitutas se les han adelantado en el camino del Reino de Dios. Porque
vino a ustedes Juan, predicó el camino de la justicia y no le creyeron; en
cambio, los publicanos y las prostitutas sí le creyeron; ustedes, ni siquiera
después de haber visto, se han arrepentido ni han creído en él".

Palabra del Señor.

Todos: Gloria a ti, Señor Jesús.

Se dice Credo

Oración sobre las Ofrendas

Concédenos, Dios misericordioso, que nuestra ofrenda te sea
aceptable y que por ella quede abierta para nosotros la fuente
de toda bendición. Por Jesucristo, nuestro Señor. *Todos: Amén.*

1 de octubre

Antífona de la Comunión

Recuerda, Señor, la promesa que le hiciste a tu siervo, ella me infunde esperanza y consuelo en mi dolor (Cfr. Sal 118, 49-50).

Oración después de la Comunión

Que este misterio celestial renueve, Señor, nuestro cuerpo y nuestro espíritu, para que seamos coherederos en la gloria de aquel cuya muerte, al anunciarla, la hemos compartido. Él, que vive y reina por los siglos de los siglos. *Todos: **Amén.***

Juegos y Actividades

Aquí hay dos imágenes del hijo obediente ¿puedes encontrar las 6 diferencias?

6 de octubre

(Verde)

Antífona de entrada

Los proyectos de su corazón subsisten de generación en generación, para librar de la muerte a sus fieles y reanimarlos en tiempo de hambre (Sal 32, 11. 19).

Oración Colecta

Señor Dios, haz que nos revistamos con las virtudes del corazón de tu Hijo y nos encendamos con el amor que lo inflama, para que, configurados a imagen suya, merezcamos ser partícipes de la redención eterna. Por nuestro Señor Jesucristo. *Todos:* **Amén.**

1ª Lectura

Del libro del profeta Baruc
(Bar 1, 15-22)

"Reconocemos que el Señor, Dios nuestro, es justo, y todos nosotros, los habitantes de Judea y de Jerusalén, nuestros reyes y príncipes, nuestros sacerdotes, profetas y padres, nos sentimos hoy llenos de vergüenza, porque hemos pecado contra el Señor y no le hemos hecho caso; lo hemos desobedecido y no hemos escuchado su voz ni hemos cumplido los mandamientos que él nos dio.

Desde el día en que el Señor sacó de Egipto a nuestros padres hasta el día de hoy, no hemos obedecido al Señor, nuestro Dios, y nos hemos obstinado en no escuchar su voz.

Por eso han caído ahora sobre nosotros las desgracias y la maldición que el Señor anunció por medio de Moisés, su siervo, el día en que sacó de Egipto a nuestros padres, para darnos una tierra que mana leche y miel.

No hemos escuchado la voz del Señor, nuestro Dios, conforme a las palabras de los profetas que nos ha enviado y todos nosotros, siguiendo las inclinaciones de nuestro perverso corazón, hemos adorado a dioses extraños y hemos hecho lo que el Señor, nuestro Dios, reprueba".

Palabra de Dios.
Todos: **Te alabamos, Señor.**

Salmo Responsorial

(Sal 78)

Respuesta: **Sálvanos, Señor, y perdona nuestros pecados.**

Lector: Dios mío, los paganos han invadido tu propiedad, han profanado tu santo templo, y han convertido a Jerusalén en ruinas. / R.

Lector: Han echado los cadáveres de tus siervos a las aves de rapiña, y la carne de tus fieles a los animales feroces. R.

Lector: Hemos sido el escarnio de nuestros vecinos, la irrisión y la burla de los que nos rodean. ¿Hasta cuándo, Señor, vas a estar enojado y arderá como fuego tu ira? / R.

Lector: No recuerdes, Señor, contra nosotros las culpas de nuestros padres. Que tu amor venga pronto a socorrernos, porque estamos totalmente abatidos. / R.

Lector: Para que sepan quién eres, socórrenos, Dios y salvador nuestro. Para que sepan quién eres, sálvanos y perdona nuestros pecados. / R.

Aclamación antes del Evangelio

(Cfr. Sal 94, 8)

R. **Aleluya, aleluya.** Hagámosle caso al Señor, que nos dice: "No endurezcan su corazón".
R. **Aleluya.**

6 de octubre

Evangelio

Del santo Evangelio según san Lucas
(Lc 10, 13-16) / *Todos: Gloria a ti, Señor.*

En aquel tiempo, Jesús dijo: "¡Ay de ti, ciudad de Corozaín! ¡Ay de ti, ciudad de Betsaida! Porque si en las ciudades de Tiro y de Sidón se hubieran realizado los prodigios que se han hecho en ustedes, hace mucho tiempo que hubieran hecho penitencia, cubiertas de sayal y de ceniza. Por eso el día del juicio será menos severo para Tiro y Sidón que para ustedes. Y tú, Cafarnaúm, ¿crees que *serás encumbrada* hasta el cielo? No. Serás precipitada en el abismo".

Luego, Jesús dijo a sus discípulos: "El que los escucha a ustedes, a mí me escucha; el que los rechaza a ustedes, a mí me rechaza y el que me rechaza a mí, rechaza al que me ha enviado".

Palabra del Señor.
Todos: Gloria a ti, Señor Jesús.

Oración sobre las Ofrendas

Dios nuestro, Padre de misericordia, que por el inmenso amor con que nos has amado, nos diste con inefable bondad a tu Unigénito, concédenos que, unidos íntimamente a él, te ofrezcamos una digna oblación. Por Jesucristo, nuestro Señor. *Todos: **Amén.***

Antífona de la Comunión

Dice el Señor: Si alguno tiene sed, que venga a mí y beba, aquel que cree en mí. Como dice la Escritura: De sus entrañas brotarán ríos de agua viva (Cfr. Jn 7, 37-38).

Oración después de la Comunión

Habiendo participado de tu sacramento de amor, imploramos, Señor, tu clemencia, para que, configurados con Cristo en la tierra, merezcamos compartir su gloria en el cielo. Él, que vive y reina por los siglos de los siglos. *Todos: **Amén.***

A mi hijo lo respetarán

(Verde)

Antífona de entrada

En tu voluntad, Señor, está puesto el universo, y no hay quien pueda resistirse a ella. Tú hiciste todo, el cielo y la tierra, y todo lo que está bajo el firmamento; tú eres Señor del universo (Cfr. Est 4, 17).

Se dice gloria

Oración Colecta

Dios todopoderoso y eterno, que en la superabundancia de tu amor sobrepasas los méritos y aun los deseos de los que te suplican, derrama sobre nosotros tu misericordia para que libres nuestra conciencia de toda inquietud y nos concedas aun aquello que no nos atrevemos a pedir. Por nuestro Señor Jesucristo. *Todos:* **Amén.**

1ª Lectura

Del libro del profeta Isaías (Is 5, 1-7)

Voy a cantar, en nombre de mi amado, una canción a su viña. Mi amado tenía una viña en una ladera fértil. Removió la tierra, quitó las piedras y plantó en ella vides selectas; edificó en medio una torre y excavó un lagar. Él esperaba que su viña diera buenas uvas, pero la viña dio uvas agrias.

Ahora bien, habitantes de Jerusalén y gente de Judá, yo les ruego, sean jueces entre mi viña y yo. ¿Qué más pude hacer por mi viña, que yo no lo hiciera? ¿Por qué cuando yo esperaba que diera uvas buenas, las dio agrias?

8 de octubre

Ahora voy a darles a conocer lo que haré con mi viña; le quitaré su cerca y será destrozada. Derribaré su tapia y será pisoteada. La convertiré en un erial, nadie la podará ni le quitará los cardos, crecerán en ella los abrojos y las espinas, mandaré a las nubes que no lluevan sobre ella.

Pues bien, la viña del Señor de los ejércitos es la casa de Israel, y los hombres de Judá son su plantación preferida. El Señor esperaba de ellos que obraran rectamente y ellos, en cambio, cometieron iniquidades; él esperaba justicia y sólo se oyen reclamaciones. *Palabra de Dios.*

Todos: Te alabamos, Señor.

Salmo Responsorial

(Sal 79)

Respuesta: La viña del Señor es la casa de Israel.

Lector: Señor, tú trajiste de Egipto una vid, arrojaste de aquí a los paganos y la plantaste; ella extendió sus sarmientos hasta el mar y sus brotes llegaban hasta el río. / **R.**

Lector: Señor, ¿por qué has derribado su cerca, de modo que puedan saquear tu viña los que pasan, pisotearla los animales salvajes, y las bestias del campo destrozarla? / **R.**

Lector: Señor, Dios de los ejércitos, vuelve tus ojos, mira tu viña y visítala; protege la cepa plantada por tu mano, el renuevo que tú mismo cultivaste. / **R.**

Lector: Ya no nos alejaremos de ti; consérvanos la vida y alabaremos tu poder. Restablécenos, Señor, Dios de los ejércitos, míranos con bondad y estaremos a salvo. / **R.**

2ª Lectura

De la carta del apóstol san Pablo
a los filipenses (Flp 4, 6-9)

Hermanos: No se inquieten por nada; más bien presenten en toda ocasión sus peticiones a Dios en la oración y la súplica, llenos de gratitud. Y que la paz de Dios, que sobrepasa toda inteligencia, custodie sus corazones y sus pensamientos en Cristo Jesús.

Por lo demás, hermanos, aprecien todo lo que es verdadero y noble, cuanto hay de justo y puro, todo lo que es amable y honroso, todo lo que sea virtud y merezca elogio. Pongan por obra cuanto han aprendido y recibido de mí, todo lo que yo he dicho y me han visto hacer; y el Dios de la paz estará con ustedes.

> **Palabra de Dios.**
>
> *Todos:* **Te alabamos, Señor.**

Aclamación antes del Evangelio

(Cfr. Jn 15, 16)

> R. **Aleluya, aleluya.** Yo los he elegido del mundo, dice el Señor, para que vayan y den fruto, y su fruto permanezca.
>
> R. **Aleluya, aleluya.**

Evangelio

Del santo Evangelio según san Mateo
(Mt 21, 33-43) / *Todos:* **Gloria a ti, Señor.**

En aquel tiempo, Jesús dijo a los sumos sacerdotes y a los ancianos del pueblo esta parábola: "Había una vez un propietario que plantó un viñedo, lo rodeó con una cerca, cavó un lagar en él, construyó una torre para el vigilante y luego lo alquiló a unos viñadores y se fue de viaje.

Llegado el tiempo de la vendimia, envió a sus criados para pedir su parte de los frutos a los viñadores; pero éstos se apoderaron de los criados, golpearon a uno, mataron a otro y a otro más lo apedrearon. Envió de nuevo a otros criados, en mayor número que los primeros, y los trataron del mismo modo.

Por último, les mandó a su propio hijo, pensando: 'A mi hijo lo respetarán'. Pero cuando los viñadores lo vieron, se dijeron unos a otros: 'Éste es el heredero. Vamos a matarlo y nos quedaremos con su herencia'. Le echaron mano, lo sacaron del viñedo y lo mataron.

Ahora, díganme: cuando vuelva el dueño del viñedo, ¿qué hará con esos viñadores?" Ellos le respondieron: "Dará muerte terrible a esos desalmados y arrendará el viñedo a otros viñadores, que le entreguen los frutos a su tiempo".

Entonces Jesús les dijo: "¿No han leído nunca en la Escritura: *La piedra que desecharon los constructores, es ahora la piedra angular. Esto es obra del Señor y es un prodigio admirable?*

Por esta razón les digo que les será quitado a ustedes el Reino de Dios y se le dará a un pueblo que produzca sus frutos". *Palabra del Señor.* *Todos: Gloria a ti, Señor Jesús.*

Se dice Credo

Oración sobre las Ofrendas

Acepta, Señor, el sacrificio que tú mismo nos mandaste ofrecer, y, por estos sagrados misterios, que celebramos en cumplimiento de nuestro servicio, dígnate llevar a cabo en nosotros la santificación que proviene de tu redención. Por Jesucristo, nuestro Señor. *Todos: Amén.*

Antífona de la Comunión

Bueno es el Señor con los que en él confían, con aquellos que lo buscan (Lam 3, 25).

Oración después de la Comunión

Dios omnipotente, saciados con este alimento y bebida celestiales, concédenos ser transformados en aquel a quien hemos recibido en este sacramento. Por Jesucristo, nuestro Señor. *Todos: Amén.*

Dos de estos racimos de uvas son exactamente iguales ¿Puedes distinguirlos?

Conviden al banquete de bodas a todos los que encuentren

(Verde)

Antífona de entrada

Si conservaras el recuerdo de nuestras faltas, Señor, ¿quién podría resistir? Pero tú, Dios de Israel, eres Dios de perdón (Cfr. Sal 129, 3-4).

Se dice gloria

Oración Colecta

Te pedimos, Señor, que tu gracia continuamente nos disponga y nos acompañe, de manera que estemos siempre dispuestos a obrar el bien. Por nuestro Señor Jesucristo. *Todos:* **Amén.**

1ª Lectura

Del libro del profeta Isaías
(Is 25, 6-10)

En aquel día, el Señor del universo preparará sobre este monte un festín con platillos suculentos para todos los pueblos; un banquete con vinos exquisitos y manjares sustanciosos. Él arrancará en este monte el velo que cubre el rostro de todos los pueblos, el paño que oscurece a todas las naciones. Destruirá la muerte para siempre; el Señor Dios enjugará las lágrimas de todos los rostros y borrará de toda la tierra la afrenta de su pueblo. Así lo ha dicho el Señor.

En aquel día se dirá: "Aquí está nuestro Dios, de quien esperábamos que nos salvara. Alegrémonos y gocemos con la salvación que nos trae, porque la mano del Señor reposará en este monte".

Palabra de Dios.

Todos: Te alabamos, Señor.

Salmo Responsorial

(Sal 22)

Respuesta: **Habitaré en la casa del Señor toda la vida.**

Lector: El Señor es mi pastor, nada me falta; en verdes praderas me hace reposar y hacia fuentes tranquilas me conduce para reparar mis fuerzas. / R.

Lector: Por ser un Dios fiel a sus promesas, me guía por el sendero recto; así, aunque camine por cañadas oscuras, nada temo, porque tú estás conmigo. Tu vara y tu cayado me dan seguridad. / R.

Lector: Tú mismo me preparas la mesa, a despecho de mis adversarios; me unges la cabeza con perfume y llenas mi copa hasta los bordes. / R.

2ª Lectura

De la carta del apóstol san Pablo a los filipenses (Flp 4, 12-14. 19-20)

Hermanos: Yo sé lo que es vivir en pobreza y también lo que es tener de sobra. Estoy acostumbrado a todo: lo mismo a comer bien que a pasar hambre; lo mismo a la abundancia que a la escasez. Todo lo puedo unido a aquel que me da fuerza. Sin embargo, han hecho ustedes bien en socorrerme cuando me vi en dificultades.

Mi Dios, por su parte, con su infinita riqueza, remediará con esplendidez todas las necesidades de ustedes, por medio de Cristo Jesús. Gloria a Dios, nuestro Padre, por los siglos de los siglos. Amén.

Palabra de Dios.

Todos: Te alabamos, Señor.

Aclamación antes del Evangelio

(Cfr. Ef 1, 17-18)

R. **Aleluya, aleluya.** Que el Padre de nuestro Señor Jesucristo ilumine nuestras mentes para que podamos comprender cuál es la esperanza que nos da su llamamiento.

R. **Aleluya, aleluya.**

Evangelio

Del santo Evangelio según san Mateo (Mt 22, 1-14)
Todos: Gloria a ti, Señor.

En aquel tiempo, volvió Jesús a hablar en parábolas a los sumos sacerdotes y a los ancianos del pueblo, diciendo: "El Reino de los cielos es semejante a un rey que preparó un banquete de bodas para su hijo. Mandó a sus criados que llamaran a los invitados, pero éstos no quisieron ir.

Envió de nuevo a otros criados que les dijeran: 'Tengo preparado el banquete; he hecho matar mis terneras y los otros animales gordos; todo está listo. Vengan a la boda'. Pero los invitados no hicieron caso. Uno se fue a su campo, otro a su negocio y los demás se les echaron encima a los criados, los insultaron y los mataron.

Entonces el rey se llenó de cólera y mandó sus tropas, que dieron muerte a aquellos asesinos y prendieron fuego a la ciudad.

Luego les dijo a sus criados: 'La boda está preparada; pero los que habían sido invitados no fueron dignos. Salgan, pues, a los cruces de los caminos y conviden al banquete de bodas a todos los que encuentren'. Los criados salieron a los caminos y reunieron a todos los que encontraron, malos y buenos, y la sala del banquete se llenó de convidados.

Cuando el rey entró a saludar a los convidados vio entre ellos a un hombre que no iba vestido con traje de fiesta y le preguntó: 'Amigo, ¿cómo has entrado aquí sin traje de fiesta?' Aquel hombre se quedó callado. Entonces el rey dijo a los criados: 'Átenlo de pies y manos y arrójenlo fuera, a las tinieblas. Allí será el llanto y la desesperación. Porque muchos son los llamados y pocos los escogidos'".

Palabra del Señor.
Todos: Gloria a ti, Señor Jesús.

Se dice Credo

15 de octubre

Oración sobre las Ofrendas

Recibe, Señor, las súplicas de tus fieles junto con estas ofrendas que te presentamos, para que, lo que celebramos con devoción, nos lleve a alcanzar la gloria del cielo. Por Jesucristo, nuestro Señor. *Todos:* **Amén.**

Antífona de la Comunión

Los ricos se empobrecen y pasan hambre; los que buscan al Señor, no carecen de nada (Cfr. Sal 33, 11).

Oración después de la Comunión

Señor, suplicamos a tu majestad que así como nos nutres con el sagrado alimento del Cuerpo y de la Sangre de tu Hijo, nos hagas participar de la naturaleza divina. Por Jesucristo, nuestro Señor. *Todos:* **Amén.**

Juegos y Actividades

¡Resolvamos esta sopa! Adúdame a encontrar estas palabras: Suculentos, Lágrimas Pobreza, Riqueza, Reino Ancianos, Terneras Banquete, Negocio y Rostro

Al César lo que es del César

Domingo mundial de las misiones (Verde)

Antífona de entrada

Te invoco, Dios mío, porque tú me respondes; inclina tu oído y escucha mis palabras. Cuídame, Señor, como a la niña de tus ojos y cúbreme bajo la sombra de tus alas (Cfr. Sal 16, 6. 8).

Se dice gloria

Oración Colecta

Dios todopoderoso y eterno, haz que nuestra voluntad sea siempre dócil a la tuya y que te sirvamos con un corazón sincero. Por nuestro Señor Jesucristo. *Todos:* **Amén.**

1ª Lectura

Del libro del profeta Isaías
(Is 45, 1. 4-6)

Así habló el Señor a Ciro, su ungido, a quien ha tomado de la mano para someter ante él a las naciones y desbaratar la potencia de los reyes, para abrir ante él los portones y que no quede nada cerrado: "Por amor a Jacob, mi siervo, y a Israel, mi escogido, te llamé por tu nombre y te di un título de honor, aunque tú no me conocieras. Yo soy el Señor y no hay otro; fuera de mí no hay Dios. Te hago poderoso, aunque tú no me conoces, para que todos sepan, de oriente a occidente, que no hay otro Dios fuera de mí. Yo soy el Señor y no hay otro".

Palabra de Dios.

*Todos: **Te alabamos, Señor.***

O bien, cuando se celebra el **Domingo Mundial de las Misiones**

1ª Lectura

Del libro del profeta Isaías
(Is 60, 1-6)

Levántate y resplandece, Jerusalén, porque ha llegado tu luz y la gloria del Señor alborea sobre ti. Mira: las tinieblas cubren la tierra y espesa niebla envuelve a los pueblos; pero sobre ti resplandece el Señor y en ti se manifiesta su gloria. Caminarán los pueblos a tu luz y los reyes, al resplandor de tu aurora.

Levanta los ojos y mira alrededor: todos se reúnen y vienen a ti; tus hijos llegan de lejos, a tus hijas las traen en brazos. Entonces verás esto radiante de alegría; tu corazón se alegrará, y se ensanchará, cuando se vuelquen sobre ti los tesoros del mar y te traigan las riquezas de los pueblos. Te inundará una multitud de camellos y dromedarios, procedentes de Madián y de Efá. Vendrán todos los de Sabá trayendo incienso y oro y proclamando las alabanzas del Señor.

Palabra de Dios.

*Todos: **Te alabamos, Señor.***

Salmo Responsorial

(Sal 95)

Respuesta: Cantemos la grandeza del Señor.

Lector: Cantemos al Señor un canto nuevo, que le cante al Señor toda la tierra. Su grandeza anunciemos a los pueblos; de nación en nación sus maravillas. / R.

Lector: Cantemos al Señor, porque él es grande, más digno de alabanza y más tremendo que todos los dioses paganos, que ni existen; ha sido el Señor quien hizo el cielo. / R.

Lector: Alaben al Señor, pueblos del orbe, reconozcan su gloria y su poder y tribútenle honores a su nombre. Ofrézcanle en sus atrios sacrificios. / R.

Lector: Caigamos en su templo de rodillas. Tiemblen ante el Señor los atrevidos. "Reina el Señor", digamos a los pueblos. Él gobierna a las naciones con justicia. / R.

O bien, cuando se celebra el **Domingo Mundial de las Misiones**

Salmo Responsorial

(Sal 116)

R. **Vayan por todo el mundo y prediquen el Evangelio.**

L. Que alaben al Señor todas las naciones, que lo aclamen todos los pueblos. / R.

L. Porque grande es su amor hacia nosotros y su fidelidad dura por siempre. / R.

2ª Lectura

De la primera carta del apóstol san Pablo a los tesalonicenses (1 Tes 1, 1-5)

Pablo, Silvano y Timoteo deseamos la gracia y la paz a la comunidad cristiana de los tesalonicenses, congregada por Dios Padre y por Jesucristo, el Señor.

En todo momento damos gracias a Dios por ustedes y los tenemos presentes en nuestras oraciones. Ante Dios, nuestro Padre, recordamos sin cesar las obras que manifiestan la fe de ustedes, los trabajos fatigosos que ha emprendido su amor y la perseverancia que les da su esperanza en Jesucristo, nuestro Señor.

Nunca perdemos de vista, hermanos muy amados de Dios, que él es quien los ha elegido. En efecto, nuestra predicación del Evangelio entre ustedes no se llevó a cabo sólo con palabras, sino también con la fuerza del Espíritu Santo, que produjo en ustedes abundantes frutos.

Palabra de Dios.

Todos: Te alabamos, Señor.

22 de octubre

Aclamación antes del Evangelio

(Flp 2, 15. 16)

R. **Aleluya, aleluya.-** Iluminen al mundo con la luz del Evangelio reflejada en su vida.

R. **Aleluya, aleluya.**

Evangelio

Del santo Evangelio según san Mateo
(Mt 22, 15-21)
Todos: Gloria a ti, Señor.

En aquel tiempo, se reunieron los fariseos para ver la manera de hacer caer a Jesús, con preguntas insidiosas, en algo de que pudieran acusarlo.

Le enviaron, pues, a algunos de sus secuaces, junto con algunos del partido de Herodes, para que le dijeran: "Maestro, sabemos que eres sincero y enseñas con verdad el camino de Dios, y que nada te arredra, porque no buscas el favor de nadie. Dinos, pues, qué piensas: ¿Es lícito o no pagar el tributo al César?"

Conociendo Jesús la malicia de sus intenciones, les contestó: "Hipócritas, ¿por qué tratan de sorprenderme? Enséñenme la moneda del tributo". Ellos le presentaron una moneda. Jesús les preguntó: "¿De quién es esta imagen y esta inscripción?" Le respondieron: "Del César". Y Jesús concluyó: "Den, pues, al César lo que es del César, y a Dios lo que es de Dios".

Palabra del Señor.
Todos: Gloria a ti, Señor Jesús.

Se dice Credo

Oración sobre las Ofrendas

Concédenos, Señor, el don de poderte servir con libertad de espíritu, para que, por la acción purificadora de tu gracia, los mismos misterios que celebramos nos limpien de toda culpa. Por Jesucristo, nuestro Señor. *Todos: **Amén.***

Antífona de la Comunión

Los ojos del Señor están puestos en sus hijos, en los que esperan en su misericordia; para librarlos de la muerte, y reanimarlos en tiempo de hambre (Cfr. Sal 32, 18-19).

Oración después de la Comunión

Te rogamos, Señor, que la frecuente recepción de estos dones celestiales, produzca fruto en nosotros y nos ayude a aprovechar los bienes temporales y alcanzar con sabiduría los eternos. Por Jesucristo, nuestro Señor. *Todos:* **Amén.**

Juegos y Actividades

Amarás a tu prójimo como a ti mismo

(Verde)

Antífona de entrada

Alégrese el corazón de los que buscan al Señor. Busquen al Señor y serán fuertes; busquen su rostro sin descanso (Cfr. Sal 104, 3-4).

Se dice gloria

Oración Colecta

Dios todopoderoso y eterno, aumenta en nosotros la fe, la esperanza y la caridad, y para que merezcamos alcanzar lo que nos prometes, concédenos amar lo que nos mandas. Por nuestro Señor Jesucristo. *Todos: **Amén.***

1ª Lectura

Del libro del Éxodo (Éx 22, 20-26)

Esto dice el Señor a su pueblo: "No hagas sufrir ni oprimas al extranjero, porque ustedes fueron extranjeros en Egipto. No explotes a las viudas ni a los huérfanos, porque si los explotas y ellos claman a mí, ciertamente oiré yo su clamor; mi ira se encenderá, te mataré a espada, tus mujeres quedarán viudas y tus hijos, huérfanos.

Cuando prestes dinero a uno de mi pueblo, al pobre que está contigo, no te portes con él como usurero, cargándole intereses.

Si tomas en prenda el manto de tu prójimo, devuélveselo antes de que se ponga el sol, porque no tiene otra cosa con qué cubrirse; su manto es su único cobertor y si no se lo devuelves, ¿cómo va a dormir? Cuando él clame a mí, yo lo escucharé, porque soy misericordioso".

Palabra de Dios.

Todos: Te alabamos, Señor.

Salmo Responsorial

(Sal 17)

Respuesta: Tú, Señor, eres mi refugio.

Lector: Yo te amo, Señor, tú eres mi fuerza, el Dios que me protege y me libera. / R.

Lector: Tú eres mi refugio, mi salvación, mi escudo, mi castillo. Cuando invoqué al Señor de mi esperanza, al punto me libró de mi enemigo. / R.

Lector: Bendito seas, Señor, que me proteges; que tú, mi salvador, seas bendecido. Tú concediste al rey grandes victorias y mostraste tu amor a tu elegido. / R.

2ª Lectura

De la primera carta del apóstol san Pablo a los tesalonicenses (1 Tes 1, 5-10)

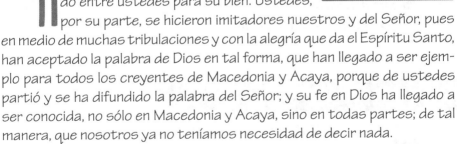

Hermanos: Bien saben cómo hemos actuado entre ustedes para su bien. Ustedes, por su parte, se hicieron imitadores nuestros y del Señor, pues en medio de muchas tribulaciones y con la alegría que da el Espíritu Santo, han aceptado la palabra de Dios en tal forma, que han llegado a ser ejemplo para todos los creyentes de Macedonia y Acaya, porque de ustedes partió y se ha difundido la palabra del Señor; y su fe en Dios ha llegado a ser conocida, no sólo en Macedonia y Acaya, sino en todas partes; de tal manera, que nosotros ya no teníamos necesidad de decir nada.

Porque ellos mismos cuentan de qué manera tan favorable nos acogieron ustedes y cómo, abandonando los ídolos, se convirtieron al Dios vivo y verdadero para servirlo, esperando que venga desde el cielo su Hijo, Jesús, a quien él resucitó de entre los muertos, y es quien nos libra del castigo venidero.

Palabra de Dios.

Todos: Te alabamos, Señor.

Aclamación antes del Evangelio

(Jn 14, 23)

R. **Aleluya, aleluya.** El que me ama cumplirá mi palabra, dice el Señor; y mi Padre lo amará y vendremos a él.

R. **Aleluya, aleluya.**

Evangelio

Del santo Evangelio según san Mateo
(Mt 22, 34-40)

Todos: Gloria a ti, Señor.

En aquel tiempo, habiéndose enterado los fariseos de que Jesús había dejado callados a los saduceos, se acercaron a él. Uno de ellos, que era doctor de la ley, le preguntó para ponerlo a prueba: "Maestro, ¿cuál es el mandamiento más grande de la ley?"

Jesús le respondió: "*Amarás al Señor, tu Dios, con todo tu corazón, con toda tu alma y con toda tu mente. Éste es el más grande y el primero de los mandamientos. Y el segundo es semejante a éste: Amarás a tu prójimo como a ti mismo. En estos dos mandamientos se fundan toda la ley y los profetas*".

Palabra del Señor.

Todos: Gloria a ti, Señor Jesús.

Se dice Credo

Oración sobre las Ofrendas

Mira, Señor, los dones que presentamos a tu majestad, para que lo que hacemos en tu servicio esté siempre ordenado a tu mayor gloria. Por Jesucristo, nuestro Señor. *Todos:* **Amén.**

Antífona de la Comunión

Nos alegraremos en tu victoria y cantaremos alabanzas en el nombre de nuestro Dios (Cfr. Sal 19, 6).

Oración después de la Comunión

Que tus sacramentos, Señor, produzcan en nosotros todo lo que significan, para que lo que ahora celebramos en figura lo alcancemos en su plena realidad. Por Jesucristo, nuestro Señor. *Todos:* **Amén.**

Juegos y Actividades

Estas palabras tienen una letra cambiada. Cada una necesita cambiar una letra con una palabra de la otra columna ¡Observa el ejemplo y resuelvelas todas!

LOBERTOR	CARIBAD
PALAORA	EGTRANJERO
NXCESIDAD	CLAMOC
IDOLOD	PREJIMO
CASTIRO	CASTISLO

¿Está permitido curar en sábado o no?

San Martín de Porres, religioso (m) (Blanco)

Antífona de entrada

El Señor es la parte de mi herencia y mi cáliz; tú, Señor, me devuelves mi heredad (Cfr. Sal 15, 5).

Oración Colecta

Dios nuestro, que condujiste a san Martín de Porres a la gloria celestial por el camino de la humildad, concédenos imitar de tal modo sus admirables ejemplos, que merezcamos ser glorificados con él en el cielo. Por nuestro Señor Jesucristo. *Todos: **Amén***.

1ª Lectura

**De la carta del apóstol san Pablo
a los romanos** (Rom 9, 1-5)

Hermanos: Les hablo con toda verdad en Cristo; no miento. Mi conciencia me atestigua, con la luz del Espíritu Santo, que tengo una infinita tristeza y un dolor incesante tortura mi corazón.

Hasta aceptaría verme separado de Cristo, si esto fuera para bien de mis hermanos, los de mi raza y de mi sangre, los israelitas, a quienes pertenecen la adopción filial, la gloria, la alianza, la ley, el culto, las promesas. Ellos son descendientes de los patriarcas; y de su raza, según la carne, nació Cristo, el cual está por encima de todo y es Dios bendito por los siglos de los siglos. Amén.

*Palabra de Dios.
Todos: **Te alabamos, Señor.***

Salmo Responsorial

(Sal 147)

> Respuesta: **Bendigamos al Señor, nuestro Dios.**
>
> Lector: Glorifica al Señor, Jerusalén, a Dios ríndele honores, Israel. Él refuerza el cerrojo de tus puertas y bendice a tus hijos en tu casa. / **R.**
>
> Lector: Él mantiene la paz en tus fronteras, con su trigo mejor sacia tu hambre. Él envía a la tierra su mensaje y su palabra corre velozmente. / **R.**
>
> Lector: Le muestra a Jacob su pensamiento, sus normas y designios a Israel. No ha hecho nada igual con ningún pueblo, ni le ha confiado a otro sus proyectos. / **R.**

Aclamación antes del Evangelio

(Jn 10, 27)

> **R.** **Aleluya, aleluya.** Mis ovejas escuchan mi voz, dice el Señor; yo las conozco y ellas me siguen.
>
> **R.** **Aleluya.**

Evangelio

Del santo Evangelio según san Lucas
(Lc 14, 1-6)
Todos: Gloria a ti, Señor.

Un sábado, Jesús fue a comer en casa de uno de los jefes de los fariseos, y éstos estaban espiándolo. Había allí, frente a él, un enfermo de hidropesía, y Jesús, dirigiéndose a los escribas y fariseos, les preguntó: "¿Está permitido curar en sábado o no?"

Ellos se quedaron callados. Entonces Jesús tocó con la mano al enfermo, lo curó y le dijo que se fuera. Y dirigiéndose a ellos les preguntó: "Si a alguno de ustedes se le cae en un pozo su burro o su buey, ¿no lo saca enseguida, aunque sea sábado?" Y ellos no supieron qué contestarle.

Palabra del Señor.
Todos: Gloria a ti, Señor Jesús.

Oración sobre las Ofrendas

Dios misericordioso, que, despojando a san Martín de Porres del hombre viejo, te dignaste formar en él un hombre nuevo conforme a tu imagen, concédenos, propicio, que nosotros, igualmente renovados, te ofrezcamos este sacrificio de reconciliación, agradable a tus ojos. Por Jesucristo, nuestro Señor. **Todos: Amén.**

Antífona de la Comunión

Yo les aseguro que ustedes que han dejado todo para seguirme, recibirán cien veces más y heredarán la vida eterna (Mt 19, 27-29).

Oración después de la Comunión

Por la eficacia de este sacramento, te rogamos, Señor, que, a ejemplo de san Martín de Porres, nos conduzcas siempre por el camino de tu amor, y que la obra buena que empezaste en nosotros, la perfecciones, hasta el día en que se manifieste Jesucristo. Él, que vive y reina por los siglos de los siglos. **Todos: Amén.**

Juegos y Actividades

¿Conoces a San Martín de Porres? ¡Ayúdame a colorearlo!

5 de noviembre

(Verde)

Antífona de entrada

No me abandones, Señor, Dios mío, no te alejes de mí. Ven de prisa a socorrerme, Señor mío, mi salvador (Cfr. Sal 37, 22-23).

Se dice gloria

Oración Colecta

Dios omnipotente y misericordioso, a cuya gracia se debe el que tus fieles puedan servirte digna y laudablemente, concédenos caminar sin tropiezos hacia los bienes que nos tienes prometidos. Por nuestro Señor Jesucristo. *Todos:* **Amén.**

1ª Lectura

Del libro del profeta Malaquías (Mal 1, 14-2, 2. 8-10)

"Yo soy el rey soberano, dice el Señor de los ejércitos; mi nombre es temible entre las naciones. Ahora les voy a dar a ustedes, sacerdotes, estas advertencias: Si no me escuchan y si no se proponen de corazón dar gloria a mi nombre, yo mandaré contra ustedes la maldición".

Esto dice el Señor de los ejércitos:

"Ustedes se han apartado del camino, han hecho tropezar a muchos en la ley; han anulado la alianza que hice con la tribu sacerdotal de Leví. Por eso yo los hago despreciables y viles ante todo el pueblo, pues no han seguido mi camino y han aplicado la ley con parcialidad".

¿Acaso no tenemos todos un mismo Padre? ¿No nos ha creado un mismo Dios? ¿Por qué, pues, nos traicionamos entre hermanos, profanando así la alianza de nuestros padres?

Palabra de Dios.

Todos: Te alabamos, Señor.

Salmo Responsorial

(Sal 130)

Respuetas: Señor, consérvame en tu paz.

Lector: Señor, mi corazón no es ambicioso ni mis ojos soberbios; grandezas que superen mis alcances no pretendo. / R.

Lector: Estoy, Señor, por lo contrario, tranquilo y en silencio, como niño recién amamantado en los brazos maternos. / R.

Lector: Que igual en el Señor esperen los hijos de Israel, ahora y siempre. / R.

2ª Lectura

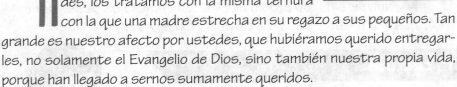

De la primera carta del apóstol san Pablo a los tesalonicenses (1 Tes 2, 7-9. 13)

Hermanos: Cuando estuvimos entre ustedes, los tratamos con la misma ternura con la que una madre estrecha en su regazo a sus pequeños. Tan grande es nuestro afecto por ustedes, que hubiéramos querido entregarles, no solamente el Evangelio de Dios, sino también nuestra propia vida, porque han llegado a sernos sumamente queridos.

Sin duda, hermanos, ustedes se acuerdan de nuestros esfuerzos y fatigas, pues, trabajando de día y de noche, a fin de no ser una carga para nadie, les hemos predicado el Evangelio de Dios.

Ahora damos gracias a Dios continuamente, porque al recibir ustedes la palabra que les hemos predicado, la aceptaron, no como palabra humana, sino como lo que realmente es: palabra de Dios, que sigue actuando en ustedes, los creyentes.

Palabra de Dios.

Todos: Te alabamos, Señor.

Aclamación antes del Evangelio

(Cfr. Mt 23, 9. 10)

R. **Aleluya, aleluya.** Su Maestro es uno solo, Cristo, y su Padre es uno solo, el del cielo, dice el Señor.

R. **Aleluya, aleluya.**

Evangelio

Del santo Evangelio según san Mateo
(Mt 23, 1-12).

Todos: Gloria a ti, Señor.

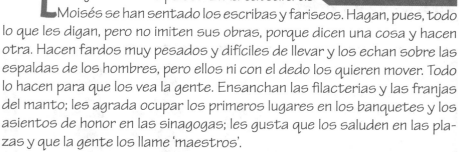

En aquel tiempo, Jesús dijo a las multitudes y a sus discípulos: "En la cátedra de Moisés se han sentado los escribas y fariseos. Hagan, pues, todo lo que les digan, pero no imiten sus obras, porque dicen una cosa y hacen otra. Hacen fardos muy pesados y difíciles de llevar y los echan sobre las espaldas de los hombres, pero ellos ni con el dedo los quieren mover. Todo lo hacen para que los vea la gente. Ensanchan las filacterias y las franjas del manto; les agrada ocupar los primeros lugares en los banquetes y los asientos de honor en las sinagogas; les gusta que los saluden en las plazas y que la gente los llame 'maestros'.

Ustedes, en cambio, no dejen que los llamen 'maestros', porque no tienen más que un Maestro y todos ustedes son hermanos. A ningún hombre sobre la tierra lo llamen 'padre', porque el Padre de ustedes es sólo el Padre celestial. No se dejen llamar 'guías', porque el guía de ustedes es solamente Cristo. Que el mayor de entre ustedes sea su servidor, porque el que se enaltece será humillado y el que se humilla será enaltecido".

Palabra del Señor.
Todos: Gloria a ti, Señor.

Se dice Credo

Oración sobre las Ofrendas

Señor, que este sacrificio sea para ti una ofrenda pura, y nos obtenga la plenitud de tu misericordia. Por Jesucristo, nuestro Señor. *Todos: Amén.*

5 de noviembre

Antífona de la Comunión

Me has enseñado el sendero de la vida, me saciarás de gozo en tu presencia, Señor (Cfr. Sal 15, 11).

Oración después de la Comunión

Te rogamos, Señor, que aumente en nosotros la acción de tu poder y que, alimentados con estos sacramentos celestiales, tu favor nos disponga para alcanzar las promesas que contienen. Por Jesucristo, nuestro Señor. *Todos:* **Amén.**

Juegos y Actividades

Solo una de las sombras corresponde al sacerdote levita. ¡Observa bien y descúbrelo!

Cinco de ellas eran descuidadas y cinco, previsoras

(Verde)

Antífona de entrada

Que llegue hasta ti mi súplica, Señor, inclina tu oído a mi clamor (Cfr. Sal 87, 3).

Se dice gloria

Oración Colecta

Dios omnipotente y misericordioso, aparta de nosotros todos los males, para que, con el alma y el cuerpo bien dispuestos, podamos con libertad de espíritu cumplir lo que es de tu agrado. Por nuestro Señor Jesucristo. *Todos: **Amén.***

1ª Lectura

Del libro de la Sabiduría (Sab 6, 12-16)

Radiante e incorruptible es la sabiduría; con facilidad la contemplan quienes la aman y ella se deja encontrar por quienes la buscan y se anticipa a darse a conocer a los que la desean.

El que madruga por ella no se fatigará, porque la hallará sentada a su puerta. Darle la primacía en los pensamientos es prudencia consumada; quien por ella se desvela pronto se verá libre de preocupaciones.

A los que son dignos de ella, ella misma sale a buscarlos por los caminos; se les aparece benévola y colabora con ellos en todos sus proyectos.

Palabra de Dios.

*Todos: **Te alabamos, Señor.***

Salmo Responsorial

(Sal 62)

> **Respuesta: Señor, mi alma tiene sed de ti.**
>
> **Lector:** Señor, tú eres mi Dios, a ti te busco; de ti sedienta está mi alma. Señor, todo mi ser te añora, como el suelo reseco añora el agua. / R.
>
> **Lector:** Para admirar tu gloria y tu poder, con este afán te busco en tu santuario. Pues mejor es tu amor que la existencia; siempre, Señor, te alabarán mis labios. / R.
>
> **Lector:** Podré así bendecirte mientras viva y levantar en oración mis manos. De lo mejor se saciará mi alma; te alabaré con jubilosos labios. / R.

2ª Lectura

De la primera carta del apóstol san Pablo a los tesalonicenses (1 Tes 4, 13-18)

Hermanos: No queremos que ignoren lo que pasa con los difuntos, para que no vivan tristes, como los que no tienen esperanza. Pues, si creemos que Jesús murió y resucitó, de igual manera debemos creer que, a los que murieron en Jesús, Dios los llevará con él.

Lo que les decimos, como palabra del Señor, es esto: que nosotros, los que quedemos vivos para cuando venga el Señor, no tendremos ninguna ventaja sobre los que ya murieron.

Cuando Dios mande que suenen las trompetas, se oirá la voz de un arcángel y el Señor mismo bajará del cielo. Entonces, los que murieron en Cristo resucitarán primero; después nosotros, los que quedemos vivos, seremos arrebatados, juntamente con ellos entre nubes por el aire, para ir al encuentro del Señor, y así estaremos siempre con él.

Consuélense, pues, unos a otros con estas palabras. *Palabra de Dios.*

Todos: Te alabamos, Señor.

Aclamación antes del Evangelio

(Mt 24, 42. 44)

> R. **Aleluya, aleluya.** Estén preparados, porque no saben a qué hora va a venir el Hijo del hombre.
> R. **Aleluya, aleluya.**

Evangelio

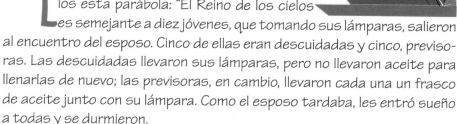

Del santo Evangelio según san Mateo
(Mt 25, 1-13)
Todos: Gloria a ti Señor.

En aquel tiempo, Jesús dijo a sus discípulos esta parábola: "El Reino de los cielos es semejante a diez jóvenes, que tomando sus lámparas, salieron al encuentro del esposo. Cinco de ellas eran descuidadas y cinco, previsoras. Las descuidadas llevaron sus lámparas, pero no llevaron aceite para llenarlas de nuevo; las previsoras, en cambio, llevaron cada una un frasco de aceite junto con su lámpara. Como el esposo tardaba, les entró sueño a todas y se durmieron.

A medianoche se oyó un grito: ¡Ya viene el esposo! ¡Salgan a su encuentro!' Se levantaron entonces todas aquellas jóvenes y se pusieron a preparar sus lámparas, y las descuidadas dijeron a las previsoras: 'Dennos un poco de su aceite, porque nuestras lámparas se están apagando'. Las previsoras les contestaron: 'No, porque no va a alcanzar para ustedes y para nosotras. Vayan mejor a donde lo venden y cómprenlo'.

Mientras aquéllas iban a comprarlo, llegó el esposo, y las que estaban listas entraron con él al banquete de bodas y se cerró la puerta. Más tarde llegaron las otras jóvenes y dijeron: 'Señor, señor, ábrenos'. Pero él les respondió: 'Yo les aseguro que no las conozco'.

Estén, pues, preparados, porque no saben ni el día ni la hora".

Palabra del Señor.
Todos: Gloria a ti, Señor Jesús.

Se dice Credo

Oración sobre las Ofrendas

Señor, mira con bondad este sacrificio, y concédenos alcanzar los frutos de la pasión de tu Hijo, que ahora celebramos sacramentalmente. Él, que vive y reina por los siglos de los siglos.
Todos: Amén.

Antífona de la Comunión

El Señor es mi pastor, nada me falta; en verdes praderas me hace recostar; me conduce hacia fuentes tranquilas (Cfr. Sal 22, 1-2).

Oración después de la Comunión

Alimentados con estos sagrados dones, te damos gracias, Señor, e imploramos tu misericordia, para que, por la efusión de tu Espíritu, cuya eficacia celestial recibimos, nos concedas perseverar en la gracia de la verdad. Por Jesucristo, nuestro Señor. *Todos: **Amén.***

Juegos y Actividades

Para descubrir este objeto une los puntos de las dos formas, primero la de los números y después la de las letras

A uno le dio cinco millones; a otro, dos; y a un tercero, uno

(Verde)

Antífona de entrada

Yo tengo designios de paz, no de aflicción, dice el Señor. Ustedes me invocarán y yo los escucharé y los libraré de la esclavitud donde quiera que se encuentren (Jer 29, 11. 12. 14).

Se dice gloria

Oración Colecta

Concédenos, Señor, Dios nuestro, alegrarnos siempre en tu servicio, porque la profunda y verdadera alegría está en servirte siempre a ti, autor de todo bien. Por nuestro Señor Jesucristo. ***Todos: Amén.***

1ª Lectura

Del libro de los Proverbios
(Prov 31, 10-13. 19-20. 30-31)

Dichoso el hombre que encuentra una mujer hacendosa: muy superior a las perlas es su valor.

Su marido confía en ella y, con su ayuda, él se enriquecerá; todos los días de su vida le procurará bienes y no males.

Adquiere lana y lino y los trabaja con sus hábiles manos.

Sabe manejar la rueca y con sus dedos mueve el huso; abre sus manos al pobre y las tiende al desvalido.

Son engañosos los encantos y vana la hermosura; merece alabanza la mujer que teme al Señor.

19 de noviembre

Es digna de gozar del fruto de sus trabajos y de ser alabada por todos.

Palabra de Dios.

Todos: **Te alabamos, Señor.**

Salmo Responsorial

(Sal 127)

Respuesta: Dichoso el que teme al Señor.

Lector: Dichoso el que teme al Señor y sigue sus caminos: comerá del fruto de su trabajo, será dichoso, le irá bien. / R.

Lector: Su mujer como vid fecunda en medio de su casa; sus hijos, como renuevos de olivo, alrededor de su mesa. / R.

Lector: Ésta es la bendición del hombre que teme al Señor: "Que el Señor te bendiga desde Sión, que veas la prosperidad de Jerusalén, todos los días de tu vida". / R.

2ª Lectura

De la primera carta del apóstol san Pablo a los tesalonicenses (1 Tes 5, 1-6)

Hermanos: Por lo que se refiere al tiempo y a las circunstancias de la venida del Señor, no necesitan que les escribamos nada, puesto que ustedes saben perfectamente que el día del Señor llegará como un ladrón en la noche. Cuando la gente esté diciendo: "¡Qué paz y qué seguridad tenemos!", de repente vendrá sobre ellos la catástrofe, como de repente le vienen a la mujer encinta los dolores del parto, y no podrán escapar.

Pero a ustedes, hermanos, ese día no los tomará por sorpresa, como un ladrón, porque ustedes no viven en tinieblas, sino que son hijos de la luz y del día, no de la noche y las tinieblas.

Por lo tanto, no vivamos dormidos, como los malos; antes bien, mantengámonos despiertos y vivamos sobriamente.

Palabra de Dios.

Todos: **Te alabamos, Señor.**

Aclamación antes del Evangelio

(Jn 15, 4. 5)

℟. **Aleluya, aleluya.** Permanezcan en mí y yo en ustedes, dice el Señor; el que permanece en mí da fruto abundante.

℟. **Aleluya, aleluya.**

Evangelio

Del santo Evangelio según san Mateo
(Mt 25, 14-30)

Todos: Gloria a ti, Señor.

En aquel tiempo, Jesús dijo a sus discípulos esta parábola: "El Reino de los cielos se parece también a un hombre que iba a salir de viaje a tierras lejanas; llamó a sus servidores de confianza y les encargó sus bienes. A uno le dio cinco talentos; a otro, dos; y a un tercero, uno, según la capacidad de cada uno, y luego se fue.

El que recibió cinco talentos fue enseguida a negociar con ellos y ganó otros cinco. El que recibió dos hizo lo mismo y ganó otros dos. En cambio, el que recibió un talento hizo un hoyo en la tierra y allí escondió el dinero de su señor. Después de mucho tiempo regresó aquel hombre y llamó a cuentas a sus servidores.

Se acercó el que había recibido cinco talentos y le presentó otros cinco, diciendo: 'Señor, cinco talentos me dejaste; aquí tienes otros cinco, que con ellos he ganado'. Su señor le dijo: 'Te felicito, siervo bueno y fiel. Puesto que has sido fiel en cosas de poco valor, te confiaré cosas de mucho valor. Entra a tomar parte en la alegría de tu señor'.

Se acercó luego el que había recibido dos talentos y le dijo: 'Señor, dos talentos me dejaste; aquí tienes otros dos, que con ellos he ganado'. Su señor le dijo: 'Te felicito, siervo bueno y fiel. Puesto que has sido fiel en cosas de poco valor, te confiaré cosas de mucho valor. Entra a tomar parte en la alegría de tu señor'.

Finalmente, se acercó el que había recibido un talento y le dijo: 'Señor, yo sabía que eres un hombre duro, que quieres cosechar lo que no has plantado y recoger lo que no has sembrado. Por eso tuve miedo y fui a esconder tu talento bajo tierra. Aquí tienes lo tuyo'.

El señor le respondió: 'Siervo malo y perezoso. Sabías que cosecho lo que no he plantado y recojo lo que no he sembrado. ¿Por qué, entonces, no pusiste mi dinero en el banco para que, a mi regreso, lo recibiera yo con intereses? Quítenle el talento y dénselo al que tiene diez. Pues al que tiene se le dará y le sobrará; pero al que tiene poco, se le quitará aun eso poco que tiene. Y a este hombre inútil, échenlo fuera, a las tinieblas. Allí será el llanto y la desesperación'". **Palabra del Señor.**

Todos: **Gloria a ti, Señor Jesús.**

Se dice Credo

Oración sobre las Ofrendas

Concédenos, Señor, que estas ofrendas que ponemos bajo tu mirada, nos obtengan la gracia de vivir entregados a tu servicio y nos alcancen, en recompensa, la felicidad eterna. Por Jesucristo, nuestro Señor. *Todos:* **Amén.**

Antífona de la Comunión

Mi felicidad consiste en estar cerca de Dios y en poner sólo en él mis esperanzas (Sal 72, 28).

Oración después de la Comunión

Al recibir, Señor, el don de estos sagrados misterios, te suplicamos humildemente que lo que tu Hijo nos mandó celebrar en memoria suya, nos aproveche para crecer en nuestra caridad fraterna. Por Jesucristo, nuestro Señor. *Todos:* **Amén.**

Juegos y Actividades

Menciona: ¿Que cualidades tienes?

_____ _____ _____

-Haz un próposito a cumplir en esta semana.

¿Cuándo te vimos hambriento y te dimos de comer?

(Blanco)

Antífona de entrada

Digno es el Cordero que fue inmolado, de recibir el poder y la riqueza, la sabiduría, la fuerza y el honor. A él la gloria y el imperio por los siglos de los siglos (Apoc 5, 12; 1, 6).

Se dice Gloria

Oración Colecta

Dios todopoderoso y eterno, que quisiste fundamentar todas las cosas en tu Hijo muy amado, Rey del universo, concede, benigno, que toda la creación, liberada de la esclavitud del pecado, sirva a tu majestad y te alabe eternamente. Por nuestro Señor Jesucristo. *Todos:* **Amén.**

1ª Lectura

Del libro del profeta Ezequiel
(Ez 34, 11-12. 15-17)

Esto dice el Señor Dios: "Yo mismo iré a buscar a mis ovejas y velaré por ellas. Así como un pastor vela por su rebaño cuando las ovejas se encuentran dispersas, así velaré yo por mis ovejas e iré por ellas a todos los lugares por donde se dispersaron un día de niebla y oscuridad.

Yo mismo apacentaré a mis ovejas, yo mismo las haré reposar, dice el Señor Dios. Buscaré a la oveja perdida y haré volver a la descarriada;

curaré a la herida, robusteceré a la débil, y a la que está gorda y fuerte, la cuidaré. Yo las apacentaré con justicia.

En cuanto a ti, rebaño mío, he aquí que yo voy a juzgar entre oveja y oveja, entre carneros y machos cabríos".

Palabra de Dios.

Todos: Te alabamos, Señor.

Salmo Responsorial

(Sal 22)

Respuesta: El Señor es mi pastor, nada me faltará.

Lector: El Señor es mi pastor, nada me falta; en verdes praderas me hace reposar y hacia fuentes tranquilas me conduce para reparar mis fuerzas. / R.

Lector: Tú mismo me preparas la mesa, a despecho de mis adversarios; me unges la cabeza con perfume y llenas mi copa hasta los bordes. / R.

Lector: Tu bondad y tu misericordia me acompañarán todos los días de mi vida; y viviré en la casa del Señor por años sin término. / R.

2ª Lectura

De la primera carta del apóstol san Pablo a los corintios (1 Cor 15, 20-26. 28)

Hermanos: Cristo resucitó, y resucitó como la primicia de todos los muertos. Porque si por un hombre vino la muerte, también por un hombre vendrá la resurrección de los muertos.

En efecto, así como en Adán todos mueren, así en Cristo todos volverán a la vida; pero cada uno en su orden: primero Cristo, como primicia; después, a la hora de su advenimiento, los que son de Cristo.

Enseguida será la consumación, cuando, después de haber aniquilado todos los poderes del mal, Cristo entregue el Reino a su Padre. Porque él tiene que reinar hasta que el Padre ponga bajo sus pies a todos sus enemigos. El último de los enemigos en ser aniquilado, será la muerte. Al final, cuando todo se le haya sometido, Cristo mismo se someterá al Padre, y así Dios será todo en todas las cosas.

Palabra de Dios.

Todos: Te alabamos, Señor.

Aclamación antes del Evangelio

(Mc 11, 9. 10)

R. **Aleluya, aleluya.** ¡Bendito el que viene en el nombre del Señor! ¡Bendito el reino que llega, el reino de nuestro padre David! R. **Aleluya, aleluya.**

Evangelio

Del santo Evangelio según san Mateo (Mt 25, 31-46)
Todos: Gloria a ti, Señor.

En aquel tiempo, Jesús dijo a sus discípulos: "Cuando venga el Hijo del hombre, rodeado de su gloria, acompañado de todos sus ángeles, se sentará en su trono de gloria. Entonces serán congregadas ante él todas las naciones, y él apartará a los unos de los otros, como aparta el pastor a las ovejas de los cabritos, y pondrá a las ovejas a su derecha y a los cabritos a su izquierda.

Entonces dirá el rey a los de su derecha: 'Vengan, benditos de mi Padre; tomen posesión del Reino preparado para ustedes desde la creación del mundo; porque estuve hambriento y me dieron de comer, sediento y me dieron de beber, era forastero y me hospedaron, estuve desnudo y me vistieron, enfermo y me visitaron, encarcelado y fueron a verme'. Los justos le contestarán entonces: 'Señor, ¿cuándo te vimos hambriento y te dimos de comer, sediento y te dimos de beber? ¿Cuándo te vimos de forastero y te hospedamos, o desnudo y te vestimos? ¿Cuándo te vimos enfermo o encarcelado y te fuimos a ver?' Y el rey les dirá: 'Yo les aseguro que, cuando lo hicieron con el más insignificante de mis hermanos, conmigo lo hicieron'.

Entonces dirá también a los de la izquierda: 'Apártense de mí, malditos; vayan al fuego eterno, preparado para el diablo y sus ángeles; porque estuve hambriento y no me dieron de comer, sediento y no me dieron de beber, era forastero y no me hospedaron, estuve desnudo y no me vistieron, enfermo y encarcelado y no me visitaron'.

Entonces ellos le responderán: 'Señor, ¿cuándo te vimos hambriento o sediento, de forastero o desnudo, enfermo o encarcelado y no te asistimos?' Y él les replicará: 'Yo les aseguro que, cuando no lo hicieron con uno de aquellos más insignificantes, tampoco lo hicieron conmigo'. Entonces irán éstos al castigo eterno y los justos a la vida eterna". *Palabra del Señor. Todos: Gloria a ti, Señor Jesús.*

Se dice Credo

Oración sobre las Ofrendas

Al ofrecerte, Señor, el sacrificio de la reconciliación humana, te suplicamos humildemente que tu Hijo conceda a todos los pueblos los dones de la unidad y de la paz. Él, que vive y reina por los siglos de los siglos. *Todos: Amén.*

Antífona de la Comunión

En su trono reinará el Señor para siempre y le dará a su pueblo la bendición de la paz (Sal 28, 10-11).

Oración después de la Comunión

Habiendo recibido, Señor, el alimento de vida eterna, te rogamos que quienes nos gloriamos de obedecer los mandamientos de Jesucristo, Rey del universo, podamos vivir eternamente con él en el reino de los cielos. Él, que vive y reina por los siglos de los siglos. *Todos: Amén.*

Juegos y Actividades

AZUFRE
ÑAROEB
RONCERA
NAAD

Si queremos ordenar las letras de estas palabras tenemos que fijarnos en los dibujos. ¡Une cada palabra con su figura correcta!

Fíjense en la higuera y en los demás árboles

(Verde)

Antífona de entrada

Que nuestro único orgullo sea la Cruz de nuestro Señor Jesucristo, porque en él tenemos la salvación, la vida y la resurrección, y por él hemos sido salvados y redimidos (Cfr. Gál 6, 14).

Oración Colecta

Señor Dios, que quisiste que tu Unigénito sufriera la cruz para salvar al género humano, concédenos que quienes conocimos su misterio en la tierra, merezcamos alcanzar en el cielo el premio de su redención. Por nuestro Señor Jesucristo. *Todos: **Amén.***

1ª Lectura

Del libro del profeta Daniel
(Dn 7, 2-14)

Yo, Daniel, tuve una visión nocturna: los cuatro vientos del cielo agitaron el océano y de él salieron cuatro bestias enormes, todas diferentes entre sí.

La primera bestia era como un león con alas de águila. Mientras yo lo miraba, le arrancaron las alas, lo levantaron del suelo, lo incorporaron sobre sus patas, como un hombre y le dieron inteligencia humana.

La segunda bestia parecía un oso en actitud de incorporarse, con tres costillas entre los dientes de sus fauces. Y le decían: "Levántate; come carne en abundancia".

Seguí mirando y vi otra bestia semejante a un leopardo, con cuatro alas de ave en el lomo y con cuatro cabezas. Y le dieron poder.

Después volví a ver en mis visiones nocturnas una cuarta bestia, terrible, espantosa y extraordinariamente fuerte; tenía enormes dientes de hierro; comía y trituraba, y pisoteaba lo sobrante con sus patas. Era diferente a las bestias anteriores y tenía diez cuernos.

Mientras estaba observando los cuernos, despuntó de entre ellos otro cuerno pequeño, que arrancó tres de los primeros cuernos. Este cuerno tenía ojos humanos y una boca que profería blasfemias.

Vi que colocaban unos tronos y un anciano se sentó. Su vestido era blanco como la nieve y sus cabellos blancos como lana. Su trono, llamas de fuego, con ruedas encendidas. Un río de fuego brotaba delante de él. Miles y miles lo servían, millones y millones estaban a sus órdenes. Comenzó el juicio y se abrieron los libros.

Admirado por las blasfemias que profería aquel cuerno, seguí mirando hasta que mataron la bestia, la descuartizaron y la echaron al fuego. A las otras bestias les quitaron el poder y las dejaron vivir durante un tiempo determinado.

Yo seguí contemplando en mi visión nocturna y vi a alguien semejante a un hijo de hombre, que venía entre las nubes del cielo. Avanzó hacia el anciano de muchos siglos y fue introducido a su presencia. Entonces recibió la soberanía, la gloria y el reino. Y todos los pueblos y naciones de todas las lenguas lo servían. Su poder nunca se acabará, porque es un poder eterno, y su reino jamás será destruido.

Palabra de Dios.
Todos: **Te alabamos, Señor.**

Salmo Responsorial

(Dn 3)

Respuesta: **Bendito seas para siempre, Señor.**
Lector: Montañas y colinas, bendigan al Señor. Todas las plantas de la tierra, bendigan al Señor. / R.
Lector: Fuentes, bendigan al Señor. Mares y ríos, bendigan al Señor. / R.
Lector: Ballenas y peces, bendigan al Señor. Aves del cielo, bendigan al Señor. Fieras y ganados, bendigan al Señor. / R.

Aclamación antes del Evangelio

(Lc 21, 28)

R. **Aleluya, aleluya.** Estén atentos y levanten la cabeza, porque se acerca la hora de su liberación, dice el Señor.

R. **Aleluya.**

Evangelio

Del santo Evangelio según san Lucas

(Lc 21, 29-33) / *Todos: Gloria a ti, Señor.*

En aquel tiempo, Jesús propuso a sus discípulos esta comparación: "Fíjense en la higuera y en los demás árboles. Cuando ven que empiezan a dar fruto, saben que ya está cerca el verano. Así también, cuando vean que suceden las cosas que les he dicho, sepan que el Reino de Dios está cerca. Yo les aseguro que antes de que esta generación muera, todo esto se cumplirá. Podrán dejar de existir el cielo y la tierra, pero mis palabras no dejarán de cumplirse". ***Palabra del Señor.***

*Todos: **Gloria a ti, Señor Jesús.***

Oración sobre las Ofrendas

Te rogamos, Señor, que este sacrificio, que en el altar de la cruz borró el pecado del mundo entero, nos purifique de todas nuestras ofensas. Por Jesucristo, nuestro Señor. *Todos: **Amén.***

Antífona de la Comunión

Cuando yo sea levantado de la tierra, atraeré a todos hacia mí, dice el Señor (Jn 12, 32).

Oración después de la Comunión

Señor nuestro, Jesucristo, fortalecidos con este alimento santo, te pedimos que conduzcas a la gloria de tu resurrección a quienes redimiste por el madero vivificante de la Cruz. Tú que vives y reinas por los siglos de los siglos. *Todos: **Amén.***

No saben a qué hora va a regresar el dueño de la casa

(Morado)

Antífona de entrada

A ti, Señor, levanto mi alma; Dios mío, en ti confío, no quede yo defraudado, que no triunfen de mí mis enemigos; pues los que esperan en ti no quedan defraudados (Cfr. Sal 24, 1-3).

No se dice Gloria

Oración Colecta

Concede a tus fieles, Dios todopoderoso, el deseo de salir al encuentro de Cristo, que viene a nosotros, para que, mediante la práctica de las buenas obras, colocados un día a su derecha, merezcamos poseer el reino celestial. Por nuestro Señor Jesucristo. *Todos:* **Amén.**

1ª Lectura

Del libro del profeta Isaías
(Is 63, 16-17. 19; 64, 2-7)

Tú, Señor, eres nuestro padre y nuestro redentor; ése es tu nombre desde siempre.

¿Por qué, Señor, nos has permitido alejarnos de tus mandamientos y dejas endurecer nuestro corazón hasta el punto de no temerte? Vuélvete, por amor a tus siervos, a las tribus que son tu heredad. Ojalá rasgaras los cielos y bajaras, estremeciendo las montañas con tu presencia.

Descendiste y los montes se estremecieron con tu presencia. Jamás se oyó decir, ni nadie vio jamás que otro Dios, fuera de ti, hiciera tales cosas en favor de los que esperan en él. Tú sales al encuentro del que practica alegremente la justicia y no pierde de vista tus mandamientos.

Estabas airado porque nosotros pecábamos y te éramos siempre rebeldes. Todos éramos impuros y nuestra justicia era como trapo asqueroso; todos estábamos marchitos, como las hojas, y nuestras culpas nos arrebataban, como el viento.

Nadie invocaba tu nombre, nadie se levantaba para refugiarse en ti, porque nos ocultabas tu rostro y nos dejabas a merced de nuestras culpas.

Sin embargo, Señor, tú eres nuestro padre; nosotros somos el barro y tú el alfarero; todos somos hechura de tus manos.

Palabra de Dios.

Todos: Te alabamos, Señor.

Salmo Responsorial

(Sal 79)

Respuesta: Señor, muéstranos tu favor y sálvanos.

Lector: Escúchanos, pastor de Israel; tú, que estás rodeado de querubines, manifiéstate, despierta tu poder y ven a salvarnos. / R.

Lector: Señor, Dios de los ejércitos, vuelve tus ojos, mira tu viña y visítala; protege la cepa plantada por tu mano, el renuevo que tú mismo cultivaste. / R.

Lector: Que tu diestra defienda al que elegiste, al hombre que has fortalecido. Ya no nos alejaremos de ti; consérvanos la vida y alabaremos tu poder. / R.

2ª Lectura

De la primera carta del apóstol san Pablo a los corintios (1 Cor 1, 3-9)

Hermanos: Les deseo la gracia y la paz de parte de Dios, nuestro Padre, y de Cristo Jesús, el Señor.

Continuamente agradezco a mi Dios los dones divinos que les ha concedido a ustedes por medio de Cristo Jesús, ya que por él los ha enriquecido con abundancia en todo lo que se refiere a la palabra y al conocimiento; porque el testimonio que damos de Cristo ha sido confirmado en ustedes a tal grado, que no carecen de ningún don ustedes, los que esperan la manifestación de nuestro Señor Jesucristo. Él los hará permanecer irreprochables hasta el fin, hasta el día de su advenimiento. Dios es quien los ha llamado a la unión con su Hijo Jesucristo, y Dios es fiel. *Palabra de Dios.*

Todos: Te alabamos, Señor.

Aclamación antes del Evangelio

(Sal 84, 8)

R. **Aleluya, aleluya.** Muéstranos, Señor, tu misericordia y danos tu salvación.

R. **Aleluya, aleluya.**

Evangelio

Del santo Evangelio según san Marcos
(Mc 13, 33-37)
Todos: Gloria a ti, Señor.

En aquel tiempo, Jesús dijo a sus discípulos: "Velen y estén preparados, porque no saben cuándo llegará el momento. Así como un hombre que se va de viaje, deja su casa y encomienda a cada quien lo que debe hacer y encarga al portero que esté velando, así también velen ustedes, pues no saben a qué hora va a regresar el dueño de la casa: si al anochecer, a la medianoche, al canto del gallo o a la madrugada. No vaya a suceder que llegue de repente y los halle durmiendo. Lo que les digo a ustedes, lo digo para todos: permanezcan alerta". *Palabra del Señor.*

Todos: Gloria a ti, Señor Jesús.

Se dice Credo

Oración sobre las Ofrendas

Recibe, Señor, estos dones que te ofrecemos, tomados de los mismos bienes que nos has dado, y haz que lo que nos das en el tiempo presente para aumento de nuestra fe, se convierta para nosotros en prenda de tu redención eterna. Por Jesucristo, nuestro Señor. *Todos: Amén.*

Antífona de la Comunión

El Señor nos mostrará su misericordia y nuestra tierra producirá su fruto (Sal 84, 13).

Oración después de la Comunión

Te pedimos, Señor, que nos aprovechen los misterios en que hemos participado, mediante los cuales, mientras caminamos en medio de las cosas pasajeras, nos inclinas ya desde ahora a anhelar las realidades celestiales y a poner nuestro corazón en las que han de durar para siempre. Por Jesucristo, nuestro Señor. *Todos:* **Amén.**

Juegos y Actividades

Observa el código
y resuelve
la frase escondida
¿Lo lograrás?

Ya viene detrás de mí uno que es más poderoso que yo

(Morado)

Antífona de entrada

Pueblo de Sión, mira que el Señor va a venir para salvar a todas las naciones y dejará oír la majestad de su voz para alegría de tu corazón (Cfr. Is 30, 19. 30).

No se dice Gloria

Oración Colecta

Dios omnipotente y misericordioso, haz que ninguna ocupación terrena sirva de obstáculo a quienes van presurosos al encuentro de tu Hijo, antes bien, que el aprendizaje de la sabiduría celestial, nos lleve a gozar de su presencia. Él, que vive y reina contigo. *Todos:* **Amén.**

1ª Lectura

Del libro del profeta Isaías
(Is 40, 1-5. 9-11)

"Consuelen, consuelen a mi pueblo, dice nuestro Dios. Hablen al corazón de Jerusalén y díganle a gritos que ya terminó el tiempo de su servidumbre y que ya ha satisfecho por sus iniquidades, porque ya ha recibido de manos del Señor castigo doble por todos sus pecados".

Una voz clama: "Preparen el camino del Señor en el desierto, construyan en el páramo una calzada para nuestro Dios. Que todo valle se eleve, que todo monte y colina se rebajen; que lo torcido se enderece y lo escabroso se allane. Entonces se revelará la gloria del Señor y todos los hombres la verán". Así ha hablado la boca del Señor.

Sube a lo alto del monte, mensajero de buenas nuevas para Sión; alza con fuerza la voz, tú que anuncias noticias alegres a Jerusalén. Alza la voz y no temas; anuncia a los ciudadanos de Judá: "Aquí está su Dios. Aquí llega el Señor, lleno de poder, el que con su brazo lo domina todo. El premio de su victoria lo acompaña y sus trofeos lo anteceden. Como pastor apacentará su rebaño; llevará en sus brazos a los corderitos recién nacidos y atenderá solícito a sus madres". **Palabra de Dios.**

*Todos: **Te alabamos, Señor.***

Salmo Responsorial

(Sal 84)

Respuesta: **Muéstranos, Señor, tu misericordia y danos al Salvador.**
Lector: Escucharé las palabras del Señor, palabras de paz para su pueblo santo. Está ya cerca nuestra salvación y la gloria del Señor habitará en la tierra. / R.
Lector: La misericordia y la verdad se encontraron, la justicia y la paz se besaron, la fidelidad brotó en la tierra y la justicia vino del cielo. / R.
Lector: Cuando el Señor nos muestre su bondad, nuestra tierra producirá su fruto. La justicia le abrirá camino al Señor e irá siguiendo sus pisadas. / R.

2ª Lectura

De la segunda carta del apóstol san Pedro
(2 Pedro 3, 8-14)

Queridos hermanos: No olviden que para el Señor, un día es como mil años y mil años, como un día. No es que el Señor se tarde, como algunos suponen, en cumplir su promesa, sino que les tiene a ustedes mucha paciencia, pues no quiere que nadie perezca, sino que todos se arrepientan.

El día del Señor llegará como los ladrones. Entonces los cielos desaparecerán con gran estrépito, los elementos serán destruidos por el fuego y perecerá la tierra con todo lo que hay en ella.

Puesto que todo va a ser destruido, piensen con cuánta santidad y entrega deben vivir ustedes esperando y apresurando el advenimiento del día del Señor, cuando desaparecerán los cielos, consumidos por el fuego, y se derretirán los elementos.

Pero nosotros confiamos en la promesa del Señor y esperamos un cielo nuevo y una tierra nueva, en que habite la justicia. Por lo tanto, queridos hermanos, apoyados en esta esperanza, pongan todo su empeño en que el Señor los halle en paz con él, sin mancha ni reproche. *Palabra de Dios.*

Todos: Te alabamos, Señor.

Aclamación antes del Evangelio

(Cfr. Lc 3, 4. 6)

R. **Aleluya, aleluya.** Preparen el camino del Señor, hagan rectos sus senderos, y todos los hombres verán al Salvador.

R. **Aleluya, aleluya.**

Evangelio

Del santo Evangelio según san Marcos
(Mc 1, 1-8) / *Todos: Gloria a ti, Señor.*

Este es el principio del Evangelio de Jesucristo, Hijo de Dios. En el libro del profeta Isaías está escrito:

He aquí que yo envío a mi mensajero delante de ti, a preparar tu camino. Voz del que clama en el desierto: "Preparen el camino del Señor, enderecen sus senderos".

En cumplimiento de esto, apareció en el desierto Juan el Bautista predicando un bautismo de arrepentimiento, para el perdón de los pecados. A él acudían de toda la comarca de Judea y muchos habitantes de Jerusalén; reconocían sus pecados y él los bautizaba en el Jordán.

Juan usaba un vestido de pelo de camello, ceñido con un cinturón de cuero y se alimentaba de saltamontes y miel silvestre. Proclamaba: "Ya viene detrás de mí uno que es más poderoso que yo, uno ante quien no merezco ni siquiera inclinarme para desatarle la correa de sus sandalias. Yo los he bautizado a ustedes con agua, pero él los bautizará con el Espíritu Santo". *Palabra del Señor.*

Todos: Gloria a ti, Señor Jesús.

Se dice Credo

Oración sobre las Ofrendas

Que te sean agradables, Señor, nuestras humildes súplicas y ofrendas, y puesto que no tenemos méritos en qué apoyarnos, nos socorra el poderoso auxilio de tu benevolencia. Por Jesucristo, nuestro Señor. *Todos: **Amén.***

Antífona de la Comunión

Levántate, Jerusalén, sube a lo alto, para que contemples la alegría que te viene de Dios (Bar 5, 5; 4, 36).

Oración después de la Comunión

Saciados por el alimento que nutre nuestro espíritu, te rogamos, Señor, que, por nuestra participación en estos misterios, nos enseñes a valorar sabiamente las cosas de la tierra y a poner nuestro corazón en las del cielo. Por Jesucristo, nuestro Señor. *Todos: **Amén.***

Juegos y Actividades

MEN DAD ME
PRO SA SIER ?
SAN RO ME
DE SA JE
CA TO LLO TI

Ayúdame a ordenar estas palabras, cada una empieza con una sílaba de color. ¡Únelas con una línea en el orden correcto!

¡Bendita tú entre las mujeres!

(s) (Blanco)

Antífona de entrada

Una gran señal apareció en el cielo: una mujer vestida de sol, con la luna bajo sus pies y una corona de doce estrellas sobre su cabeza (Cfr. Apoc 12, 1).

Se dice Gloria

Oración Colecta

Dios, Padre de misericordia, que has puesto a este pueblo tuyo bajo la especial protección de la siempre Virgen María de Guadalupe, Madre de tu Hijo, concédenos, por su intercesión, profundizar en nuestra fe y buscar el progreso de nuestra patria por caminos de justicia y de paz. Por nuestro Señor Jesucristo. *Todos:* **Amén.**

1ª Lectura

Del libro del Sirácide (Eclesiástico)
(Sir 24, 23-31)

Yo soy como una vid de fragantes hojas y mis flores son producto de gloria y de riqueza. Yo soy la madre del amor, del temor, del conocimiento y de la santa esperanza. En mí está toda la gracia del camino y de la verdad, toda esperanza de vida y de virtud.

Vengan a mí, ustedes, los que me aman y aliméntense de mis frutos. Porque mis palabras son más dulces que la miel y mi heredad, mejor que los panales.

Los que me coman seguirán teniendo hambre de mí, los que me beban seguirán teniendo sed de mí; los que me escuchan no tendrán de qué avergonzarse y los que se dejan guiar por mí no pecarán. Los que me honran tendrán una vida eterna.

Palabra de Dios.

Todos: Te alabamos, Señor.

Salmo Responsorial

(Sal 66)

Respuesta: **Que te alaben, Señor, todos los pueblos.**

Lector: Ten piedad de nosotros y bendícenos; vuelve, Señor, tus ojos a nosotros. Que conozca la tierra tu bondad y los pueblos tu obra salvadora. / R.

Lector: Las naciones con júbilo te canten, porque juzgas al mundo con justicia; con equidad tú juzgas a los pueblos y riges en la tierra a las naciones. / R.

Lector: Que te alaben, Señor, todos los pueblos, que los pueblos te aclamen todos juntos. Que nos bendiga Dios y que le rinda honor el mundo entero. / R.

2ª Lectura

**De la carta del apóstol san Pablo
a los gálatas** (Gál 4, 4-7)

Hermanos: Al llegar la plenitud de los tiempos, envió Dios a su Hijo, nacido de una mujer, nacido bajo la ley, para rescatar a los que estábamos bajo la ley, a fin de hacernos hijos suyos.

Puesto que ya son ustedes hijos, Dios envió a sus corazones el Espíritu de su Hijo, que clama: "¡Abbá!", es decir, ¡Padre! Así que ya no eres siervo, sino hijo; y siendo hijo, eres también heredero por voluntad de Dios.

Palabra de Dios.

Todos: Te alabamos, Señor.

Aclamación antes del Evangelio

(Lc 1, 47)

R. **Aleluya, aleluya.** Mi alma glorifica al Señor y mi espíritu se llena de júbilo en Dios, mi salvador.

R. **Aleluya, aleluya.**

Evangelio

Del santo Evangelio según san Lucas

(Lc 1, 39-48)

Todos: Gloria a ti, Señor.

En aquellos días, María se encaminó presurosa a un pueblo de las montañas de Judea, y entrando en la casa de Zacarías, saludó a Isabel. En cuanto ésta oyó el saludo de María, la criatura saltó en su seno.

Entonces Isabel quedó llena del Espíritu Santo y, levantando la voz, exclamó: "¡Bendita tú entre las mujeres y bendito el fruto de tu vientre! ¿Quién soy yo, para que la madre de mi Señor venga a verme? Apenas llegó tu saludo a mis oídos, el niño saltó de gozo en mi seno. Dichosa tú, que has creído, porque se cumplirá cuanto te fue anunciado de parte del Señor".

Entonces dijo María: *"Mi alma glorifica al Señor y mi espíritu se llena de júbilo en Dios mi salvador, porque puso sus ojos en la humildad de su esclava".*

Palabra del Señor.

Todos: Gloria a ti, Señor Jesús.

Se dice Credo

Oración sobre las Ofrendas

Acepta, Señor, los dones que te presentamos en esta solemnidad de nuestra Señora de Guadalupe, y haz que este sacrificio nos dé fuerza para cumplir tus mandamientos, como verdaderos hijos de la Virgen María. Por Jesucristo, nuestro Señor. *Todos: **Amén.***

Antífona de la Comunión

No ha hecho nada semejante con ningún otro pueblo; a ninguno le ha manifestado tan claramente su amor (Cfr. Sal 147, 20).

Oración después de la Comunión

Que el Cuerpo y la Sangre de tu Hijo, que acabamos de recibir en este sacramento, nos ayuden, Señor, por intercesión de santa María de Guadalupe, a reconocernos y amarnos todos como verdaderos hermanos. Por Jesucristo, nuestro Señor. *Todos: **Amén.***

Juegos y Actividades

Une con una línea cada dibujo con su palabra correspondiente, ¡pero ordena las letras primero!

SOFTUR

REMDA

JAHOS

CLEDSU

La Virgen María se hizo presente en el pueblo mexicano para traernos a su hijo Jesús. En diciembre de 1531 se apareció y nos dejó su imagen plasmada en un ayate.

(Morado)

Antífona de entrada

Estén siempre alegres en el Señor, les repito, estén alegres. El Señor está cerca (Cfr. Flp 4, 4. 5).

No se dice Gloria

Oración Colecta

Dios nuestro, que contemplas a tu pueblo esperando fervorosamente la fiesta del nacimiento de tu Hijo, concédenos poder alcanzar la dicha que nos trae la salvación y celebrarla siempre, con la solemnidad de nuestras ofrendas y con vivísima alegría. Por nuestro Señor Jesucristo. *Todos:* **Amén.**

1ª Lectura

Del libro del profeta Isaías (Is 61, 1-2. 10-11)

El espíritu del Señor está sobre mí, porque me ha ungido y me ha enviado para anunciar la buena nueva a los pobres, a curar a los de corazón quebrantado, a proclamar el perdón a los cautivos, la libertad a los prisioneros, y a pregonar el año de gracia del Señor.

Me alegro en el Señor con toda el alma y me lleno de júbilo en mi Dios, porque me revistió con vestiduras de salvación y me cubrió con un manto de justicia, como el novio que se pone la corona, como la novia que se adorna con sus joyas.

Así como la tierra echa sus brotes y el jardín hace germinar lo sembrado en él, así el Señor hará brotar la justicia y la alabanza ante todas las naciones.

Palabra de Dios.

Todos: Te alabamos, Señor.

Salmo Responsorial

(Lc 1)

Respuesta: Mi espíritu se alegra en Dios, mi salvador.

Lector: Mi alma glorifica al Señor y mi espíritu se llena de júbilo en Dios, mi salvador, porque puso los ojos en la humildad de su esclava. / R.

Lector: Desde ahora me llamarán dichosa todas las generaciones, porque ha hecho en mí grandes cosas el que todo lo puede. Santo es su nombre, y su misericordia llega de generación en generación a los que lo temen. / R.

Lector: A los hambrientos los colmó de bienes y a los ricos los despidió sin nada. Acordándose de su misericordia, vino en ayuda de Israel, su siervo. / R.

2ª Lectura

De la primera carta del apóstol san Pablo a los tesalonicenses (1 Tes 5, 16-24)

Hermanos: Vivan siempre alegres, oren sin cesar, den gracias en toda ocasión, pues esto es lo que Dios quiere de ustedes en Cristo Jesús. No impidan la acción del Espíritu Santo, ni desprecien el don de profecía; pero sométanlo todo a prueba y quédense con lo bueno. Absténganse de toda clase de mal. Que el Dios de la paz los santifique a ustedes en todo y que todo su ser, espíritu, alma y cuerpo, se conserve irreprochable hasta la llegada de nuestro Señor Jesucristo. El que los ha llamado es fiel y cumplirá su promesa.

Palabra de Dios.

Todos: Te alabamos, Señor.

Aclamación antes del Evangelio

(Is 61, 1)

R. **Aleluya, aleluya.** El Espíritu del Señor está sobre mí. Me ha enviado para anunciar la buena nueva a los pobres.
R. **Aleluya, aleluya.**

Evangelio

Del santo Evangelio según san Juan
(Jn 1, 6-8. 19-28)
Todos: Gloria a ti, Señor.

Hubo un hombre enviado por Dios, que se llamaba Juan. Éste vino como testigo, para dar testimonio de la luz, para que todos creyeran por medio de él. Él no era la luz, sino testigo de la luz.

Éste es el testimonio que dio Juan el Bautista, cuando los judíos enviaron desde Jerusalén a unos sacerdotes y levitas para preguntarle: "¿Quién eres tú?"

Él reconoció y no negó quién era. Él afirmó: "Yo no soy el Mesías". De nuevo le preguntaron: "¿Quién eres, pues? ¿Eres Elías?" Él les respondió: "No lo soy". "¿Eres el profeta?" Respondió: "No". Le dijeron: "Entonces dinos quién eres, para poder llevar una respuesta a los que nos enviaron. ¿Qué dices de ti mismo?" Juan les contestó: *"Yo soy la voz que grita en el desierto: 'Enderecen el camino del Señor', como anunció el profeta Isaías".*

Los enviados, que pertenecían a la secta de los fariseos, le preguntaron: "Entonces ¿por qué bautizas, si no eres el Mesías, ni Elías, ni el profeta?" Juan les respondió: "Yo bautizo con agua, pero en medio de ustedes hay uno, al que ustedes no conocen, alguien que viene detrás de mí, a quien yo no soy digno de desatarle las correas de sus sandalias".

Esto sucedió en Betania, en la otra orilla del Jordán, donde Juan bautizaba.

Palabra del Señor.
Todos: Gloria a ti, Señor Jesús.

Se dice Credo

Oración sobre las Ofrendas

Que este sacrificio, Señor, que te ofrecemos con devoción, nunca deje de realizarse, para que cumpla el designio que encierra tan santo misterio y obre eficazmente en nosotros tu salvación. Por Jesucristo, nuestro Señor. *Todos: **Amén.***

Antífona de la Comunión

Digan a los cobardes: "¡Ánimo, no teman!; miren a su Dios: viene en persona a salvarlos" (Cfr. Is 35, 4).

Oración después de la Comunión

Imploramos, Señor, tu misericordia, para que estos divinos auxilios nos preparen, purificados de nuestros pecados, para celebrar las fiestas venideras. Por Jesucristo, nuestro Señor. *Todos: **Amén.***

Juegos y Actividades

CAUTIVOS *activo*

GENERACION *roca*

ABSTENGANSE *bata*

IRREPROCHABLE *ropa*

Tomé algunas palabras de la Misa de hoy
para ver cuántas puedo formar
si combino sus letras.
¡Ve los ejemplos y ayúdame
a escribir muchas!

Alégrate, llena de gracia, el Señor está contigo

(Morado)

Antífona de entrada

Cielos, destilen el rocío; nubes, lluevan la salvación; que la tierra se abra, y germine el Salvador (Cfr. Is 45, 8).

No se dice Gloria

Oración Colecta

Te pedimos, Señor, que infundas tu gracia en nuestros corazones, para que, habiendo conocido, por el anuncio del ángel, la encarnación de tu Hijo, lleguemos, por medio de su pasión y de su cruz, a la gloria de la resurrección. Por nuestro Señor Jesucristo. *Todos: **Amén.***

1ª Lectura

Del segundo libro de Samuel (2 Sam 7, 1-5. 8-12. 14. 16)

Tan pronto como el rey David se instaló en su palacio y el Señor le concedió descansar de todos los enemigos que lo rodeaban, el rey dijo al profeta Natán: "¿Te has dado cuenta de que yo vivo en una mansión de cedro, mientras el arca de Dios sigue alojada en una tienda de campaña?" Natán le respondió: "Anda y haz todo lo que te dicte el corazón, porque el Señor está contigo".

Aquella misma noche habló el Señor a Natán y le dijo: "Ve y dile a mi siervo David que el Señor le manda decir esto: '¿Piensas que vas a ser tú el que me construya una casa, para que yo habite en ella? Yo te saqué de los apriscos y de andar tras las ovejas, para que fueras el jefe de mi pueblo, Israel. Yo estaré contigo en todo lo que emprendas, acabaré con tus enemigos y te haré tan famoso como los hombres más famosos de la tierra.

Le asignaré un lugar a mi pueblo, Israel; lo plantaré allí para que habite en su propia tierra. Vivirá tranquilo y sus enemigos ya no lo oprimirán más, como lo han venido haciendo desde los tiempos en que establecí jueces para gobernar a mi pueblo, Israel. Y a ti, David, te haré descansar de todos tus enemigos.

Además, yo, el Señor, te hago saber que te daré una dinastía; y cuando tus días se hayan cumplido y descanses para siempre con tus padres, engrandeceré a tu hijo, sangre de tu sangre, y consolidaré su reino. Yo seré para él un padre y él será para mí un hijo. Tu casa y tu reino permanecerán para siempre ante mí, y tu trono será estable eternamente'".

Palabra de Dios.

Todos: **Te alabamos, Señor.**

Salmo Responsorial

(Sal 88)

Respuesta: Proclamaré sin cesar la misericordia del Señor.

Lector: Proclamaré sin cesar la misericordia del Señor y daré a conocer que su fidelidad es eterna, pues el Señor ha dicho: "Mi amor es para siempre y mi lealtad, más firme que los cielos. / R.

Lector: Un juramento hice a David, mi servidor, una alianza pacté con mi elegido: 'Consolidaré tu dinastía para siempre y afianzaré tu trono eternamente'. / R.

Lector: Él me podrá decir: 'Tú eres mi padre, el Dios que me protege y que me salva'. Yo jamás le retiraré mi amor, ni violaré el juramento que le hice". / R.

2ª Lectura

De la carta del apóstol san Pablo a los romanos (Rom 16, 25-27)

Hermanos: A aquel que puede darles fuerzas para cumplir el Evangelio que yo he proclamado, predicando a Cristo, conforme a la revelación del misterio, mantenido en secreto durante siglos, y que ahora, en cumplimiento del

24 de diciembre

designio eterno de Dios, ha quedado manifestado por las Sagradas Escrituras, para atraer a todas las naciones a la obediencia de la fe, al Dios único, infinitamente sabio, démosle gloria, por Jesucristo, para siempre. Amén. **Palabra de Dios.**

Todos: **Te alabamos, Señor.**

Aclamación antes del Evangelio

(Lc 1, 38)

R. **Aleluya, aleluya.** Yo soy la esclava del Señor; que se cumpla en mí lo que me has dicho.

R. **Aleluya, aleluya.**

Evangelio

Del santo Evangelio según san Lucas
(Lc 1, 26-38)

Todos: Gloria a ti, Señor.

En aquel tiempo, el ángel Gabriel fue enviado por Dios a una ciudad de Galilea, llamada Nazaret, a una virgen desposada con un varón de la estirpe de David, llamado José. La virgen se llamaba María.

Entró el ángel a donde ella estaba y le dijo: "Alégrate, llena de gracia, el Señor está contigo". Al oír estas palabras, ella se preocupó mucho y se preguntaba qué querría decir semejante saludo.

El ángel le dijo: "No temas, María, porque has hallado gracia ante Dios. Vas a concebir y a dar a luz un hijo y le pondrás por nombre Jesús. Él será grande y será llamado Hijo del Altísimo; el Señor Dios le dará el trono de David, su padre, y él reinará sobre la casa de Jacob por los siglos y su reinado no tendrá fin".

María le dijo entonces al ángel: "¿Cómo podrá ser esto, puesto que yo permanezco virgen?" El ángel le contestó: "El Espíritu Santo descenderá sobre ti y el poder del Altísimo te cubrirá con su sombra. Por eso, el Santo, que va a nacer de ti, será llamado Hijo de Dios. Ahí tienes a tu parienta Isabel, que a pesar de su vejez, ha concebido un hijo y ya va en el sexto mes la que llamaban estéril, porque no hay nada imposible para Dios". María contestó: "Yo soy la esclava del Señor; cúmplase en mí lo que me has dicho". Y el ángel se retiró de su presencia. **Palabra del Señor.**

*Todos: **Gloria a ti, Señor Jesús.***

Se dice Credo

24 de diciembre

Oración sobre las Ofrendas

Que santifique, Señor, estos dones, colocados en tu altar, el mismo Espíritu Santo que fecundó con su poder el seno de la bienaventurada Virgen María. Por Jesucristo, nuestro Señor. *Todos: Amén.*

Antífona de la Comunión

Miren: la Virgen concebirá y dará a luz un hijo, a quien le pondrá el nombre de Emmanuel (Is 7, 14).

Oración después de la Comunión

Habiendo recibido esta prenda de redención eterna, te rogamos, Dios todopoderoso, que, cuanto más se acerca el día de la festividad que nos trae la salvación, con tanto mayor fervor nos apresuremos a celebrar dignamente el misterio del nacimiento de tu Hijo. Él, que vive y reina por los siglos de los siglos. *Todos: Amén.*

Juegos y Actividades

Encontrarán al niño envuelto en pañales

(Blanco)

MISA DEL DÍA

Antífona de entrada

Un niño nos ha nacido, un hijo se nos ha dado; lleva sobre sus hombros el imperio y su nombre será Ángel del gran consejo (Cfr. Is 9, 5).

Se dice Gloria

Oración Colecta

Señor Dios, que de manera admirable creaste la naturaleza humana y, de modo aún más admirable, la restauraste, concédenos compartir la divinidad de aquel que se dignó compartir nuestra humanidad. Él, que vive y reina contigo. ***Todos: Amén.***

1ª Lectura

Del libro del profeta Isaías
(Is 52, 7-10)

¡Qué hermoso es ver correr sobre los montes al mensajero que anuncia la paz, al mensajero que trae la buena nueva, que pregona la salvación, que dice a Sión: "Tu Dios es rey"!

Escucha: Tus centinelas alzan la voz y todos a una gritan alborozados, porque ven con sus propios ojos al Señor, que retorna a Sión.

Prorrumpan en gritos de alegría, ruinas de Jerusalén, porque el Señor rescata a su pueblo, consuela a Jerusalén. Descubre el Señor su santo brazo a la vista de todas las naciones. Verá la tierra entera la salvación que viene de nuestro Dios.

Palabra de Dios.

Todos: **Te alabamos, Señor.**

Salmo Responsorial

(Sal 97)

Respuesta: **Toda la tierra ha visto al Salvador.**

Lector: Cantemos al Señor un canto nuevo, pues ha hecho maravillas. Su diestra y su santo brazo le han dado la victoria. / R.

Lector: El Señor ha dado a conocer su victoria y ha revelado a las naciones su justicia. Una vez más ha demostrado Dios su amor y su lealtad hacia Israel. / R.

Lector: La tierra entera ha contemplado la victoria de nuestro Dios. Que todos los pueblos y naciones aclamen con júbilo al Señor. / R.

Lector: Cantemos al Señor al son del arpa, suenen los instrumentos. Aclamemos al son de los clarines al Señor, nuestro rey. / R.

2ª Lectura

De la carta a los hebreos
(Heb 1, 1-6)

En distintas ocasiones y de muchas maneras habló Dios en el pasado a nuestros padres, por boca de los profetas. Ahora, en estos tiempos, nos ha hablado por medio de su Hijo, a quien constituyó heredero de todas las cosas y por medio del cual hizo el universo.

El Hijo es el resplandor de la gloria de Dios, la imagen fiel de su ser y el sostén de todas las cosas con su palabra poderosa. Él mismo, después de efectuar la purificación de los pecados, se sentó a la diestra de la majestad de Dios, en las alturas, tanto más encumbrado sobre los ángeles, cuanto más excelso es el nombre que, como herencia, le corresponde.

Porque ¿a cuál de los ángeles le dijo Dios: *Tú eres mi Hijo; yo te he engendrado hoy?* ¿*O de qué ángel dijo Dios: Yo seré para él un padre y él será para mí un hijo?* Además, en otro pasaje, cuando introduce en el mundo a su primogénito, dice: *Adórenlo todos los ángeles de Dios.*

Palabra de Dios.

Todos: Te alabamos, Señor.

Aclamación antes del Evangelio

R. Aleluya, aleluya. Un día sagrado ha brillado para nosotros. Vengan, naciones, y adoren al Señor, porque hoy ha descendido una gran luz sobre la tierra.

R. Aleluya, aleluya.

Evangelio

Del santo Evangelio según san Juan
(Jn 1, 1-18)
Todos: Gloria a ti, Señor.

En el principio ya existía aquel que es la Palabra, y aquel que es la Palabra estaba con Dios y era Dios. Ya en el principio él estaba con Dios. Todas las cosas vinieron a la existencia por él y sin él nada empezó de cuanto existe. Él era la vida, y la vida era la luz de los hombres. La luz brilla en las tinieblas y las tinieblas no la recibieron.

Hubo un hombre enviado por Dios, que se llamaba Juan. Éste vino como testigo, para dar testimonio de la luz, para que todos creyeran por medio de él. Él no era la luz, sino testigo de la luz.

Aquel que es la Palabra era la luz verdadera, que ilumina a todo hombre que viene a este mundo. En el mundo estaba; el mundo había sido hecho por él y, sin embargo, el mundo no lo conoció.

Vino a los suyos y los suyos no lo recibieron; pero a todos los que lo recibieron les concedió poder llegar a ser hijos de Dios, a los que creen en su nombre, los cuales no nacieron de la sangre, ni del deseo de la carne, ni por voluntad del hombre, sino que nacieron de Dios.

Y aquel que es la Palabra se hizo hombre y habitó entre nosotros. Hemos visto su gloria, gloria que le corresponde como a Unigénito del Padre, lleno de gracia y de verdad.

Juan el Bautista dio testimonio de él, clamando: "A éste me refería cuando dije: 'El que viene después de mí, tiene precedencia sobre mí, porque ya existía antes que yo'".

De su plenitud hemos recibido todos gracia sobre gracia. Porque la ley fue dada por medio de Moisés, mientras que la gracia y la verdad vinieron por Jesucristo. A Dios nadie lo ha visto jamás. El Hijo unigénito, que está en el seno del Padre, es quien lo ha revelado.

Palabra del Señor.

Todos: *Gloria a ti, Señor Jesús.*

Se dice Credo. A las palabras: Y por obra..., todos se arrodillan.

Oración sobre las Ofrendas

Que sea aceptable ante ti, Señor, la oblación de la presente solemnidad, por la que llegó a nosotros tu benevolencia para nuestra perfecta reconciliación y nos fue concedido participar en plenitud del culto divino. Por Jesucristo, nuestro Señor. *Todos: **Amén.***

Antífona de la Comunión

Los confines de la tierra han contemplado la salvación que nos viene de Dios (Cfr. Sal 97, 3).

Oración después de la Comunión

Concédenos, Dios misericordioso, que el Salvador del mundo, que hoy nos ha nacido, puesto que es el autor de nuestro nacimiento a la vida, también nos haga partícipes de su inmortalidad. Él, que vive y reina por los siglos de los siglos. *Todos: **Amén.***

Juegos y Actividades

Comprometete a hablar de Jesús a tus amigos.

Como el pastor tu también habla de Jesus.

Mis ojos han visto a tu Salvador

(f) (Blanco)

Antífona de entrada

Llegaron los pastores a toda prisa y encontraron a María y a José, y al niño recostado en un pesebre (Lc 2, 16).

Se dice Gloria

Oración Colecta

Señor Dios, que te dignaste dejarnos el más perfecto ejemplo en la Sagrada Familia de tu Hijo, concédenos benignamente que, imitando sus virtudes domésticas y los lazos de caridad que la unió, podamos gozar de la eterna recompensa en la alegría de tu casa. Por nuestro Señor Jesucristo. *Todos: **Amén.***

1ª Lectura

Del libro del *Génesis*
(Gén 15, 1-6; 21, 1-3)

En aquel tiempo, el Señor se le apareció a Abram y le dijo: "No temas, Abram. Yo soy tu protector y tu recompensa será muy grande". Abram le respondió: "Señor, Señor mío, ¿qué me vas a poder dar, puesto que voy a morir sin hijos? Ya que no me has dado descendientes, un criado de mi casa será mi heredero".

Pero el Señor le dijo: "Ése no será tu heredero, sino uno que saldrá de tus entrañas". Y haciéndolo salir de la casa, le dijo: "Mira el cielo y cuenta las estrellas, si puedes". Luego añadió: "Así será tu descendencia". Abram creyó lo que el Señor le decía y, por esa fe, el Señor lo tuvo por justo.

Poco tiempo después, el Señor tuvo compasión de Sara, como lo había dicho y le cumplió lo que le había prometido. Ella concibió y le dio a Abraham un hijo en su vejez, en el tiempo que Dios había predicho. Abraham le puso por nombre Isaac al hijo que le había nacido de Sara.

Palabra de Dios.

*Todos: **Te alabamos, Señor.***

Salmo Responsorial

(Sal 104)

Respuesta: **El Señor nunca olvida sus promesas.**

Lector: Aclamen al Señor y denle gracias, relaten sus prodigios a los pueblos. Entonen en su honor himnos y cantos, celebren sus portentos. / R.

Lector: Del nombre del Señor enorgullézcanse y siéntase feliz el que lo busca. Recurran al Señor y a su poder y a su presencia acudan. / R.

Lector: Recuerden los prodigios que él ha hecho, sus portentos y oráculos, descendientes de Abraham, su servidor, estirpe de Jacob, su predilecto. / R.

Lector: Ni aunque transcurran mil generaciones, se olvidará el Señor de sus promesas, de la alianza pactada con Abraham, del juramento a Isaac, que un día le hiciera. / R.

2ª Lectura

De la carta a los hebreos
(Heb 11, 8. 11-12. 17-19)

Hermanos: Por su fe, Abraham, obediente al llamado de Dios, y sin saber a dónde iba, partió hacia la tierra que habría de recibir como herencia.

Por su fe, Sara, aun siendo estéril y a pesar de su avanzada edad, pudo concebir un hijo, porque creyó que Dios habría de ser fiel a la promesa; y así, de un solo hombre, ya anciano, nació una descendencia, numerosa como las estrellas del cielo e incontable como las arenas del mar.

Por su fe, Abraham, cuando Dios le puso una prueba, se dispuso a sacrificar a Isaac, su hijo único, garantía de la promesa, porque Dios le había dicho: *De Isaac nacerá la descendencia que ha de llevar tu nombre.* Abraham pensaba, en efecto, que Dios tiene poder hasta para resucitar a los muertos; por eso le fue devuelto Isaac, que se convirtió así en un símbolo profético. **Palabra de Dios.**

Todos: **Te alabamos, Señor.**

Aclamación antes del Evangelio

(Heb 1, 1-2)

R. **Aleluya, aleluya.** *En distintas ocasiones y de muchas maneras habló Dios en el pasado a nuestros padres, por boca de los profetas. Ahora, en estos tiempos, que son los últimos, nos ha hablado por medio de su Hijo.*

R. **Aleluya, aleluya.**

Evangelio

Del santo Evangelio según san Lucas
(Lc 2, 22-40)
Todos: **Gloria a ti, Señor.**

Transcurrido el tiempo de la purificación de María, según la ley de Moisés, ella y José llevaron al niño a Jerusalén para presentarlo al Señor, de acuerdo con lo escrito en la ley: *Todo primogénito varón será consagrado al Señor,* y también para ofrecer, como dice la ley, *un par de tórtolas o dos pichones.*

Vivía en Jerusalén un hombre llamado Simeón, varón justo y temeroso de Dios, que aguardaba el consuelo de Israel; en él moraba el Espíritu Santo, el cual le había revelado que no moriría sin haber visto antes al Mesías del Señor. Movido por el Espíritu, fue al templo, y cuando José y María entraban con el niño Jesús para cumplir con lo prescrito por la ley, Simeón lo tomó en brazos y bendijo a Dios, diciendo:

"Señor, ya puedes dejar morir en paz a tu siervo, según lo que me habías prometido, porque mis ojos han visto a tu Salvador, al que has preparado para bien de todos los pueblos; luz que alumbra a las naciones y gloria de tu pueblo, Israel".

El padre y la madre del niño estaban admirados de semejantes palabras. Simeón los bendijo, y a María, la madre de Jesús, le anunció: "Este niño ha sido puesto para ruina y resurgimiento de muchos en Israel, como signo que provocará contradicción, para que queden al descubierto los pensamientos de todos los corazones. Y a ti, una espada te atravesará el alma".

Había también una profetisa, Ana, hija de Fanuel, de la tribu de Aser. Era una mujer muy anciana. De joven, había vivido siete años casada y tenía ya ochenta y cuatro años de edad. No se apartaba del templo ni de día ni de noche, sirviendo a Dios con ayunos y oraciones. Ana se acercó en aquel momento, dando gracias a Dios y hablando del niño a todos los que aguardaban la liberación de Israel.

Y cuando cumplieron todo lo que prescribía la ley del Señor, se volvieron a Galilea, a su ciudad de Nazaret. El niño iba creciendo y fortaleciéndose, se llenaba de sabiduría y la gracia de Dios estaba con él.

Palabra del Señor.
Todos: **Gloria a ti, Señor Jesús.**

Se dice Credo

Oración sobre las Ofrendas

Te ofrecemos, Señor, este sacrificio de reconciliación, y te pedimos humildemente que, por la intercesión de la Virgen Madre de Dios y de san José, fortalezcas nuestras familias en tu gracia y en tu paz. Por Jesucristo, nuestro Señor. *Todos:* **Amén.**

Antífona de la Comunión

Nuestro Dios apareció en el mundo
y convivió con los hombres (Bar 3, 38).

Oración después de la Comunión

Padre misericordioso, haz que, reanimados con este sacramento celestial, imitemos constantemente los ejemplos de la Sagrada Familia, para que, superadas las aflicciones de esta vida, consigamos gozar eternamente de su compañía. Por Jesucristo, nuestro Señor. *Todos: **Amén.***

Juegos y Actividades

En estas dos imágenes de Abraham y Sara hay 6 diferencias ¿Puedes encontrarlas?

Tiempo de Adviento
Formulario I

Sacerdote: En espera de la venida del Señor, que acogerá en su Reino a toda la humanidad redimida, oremos para que su amor, su luz, su paz, transformen nuestras vidas y las de nuestros hermanos. Después de cada petición decimos:

Todos: VEN, SEÑOR, JESÚS

1. Por el Papa N., por nuestro Obispo N., por los sacerdotes y los diáconos, por los religiosos y religiosas, por todos los que tienen responsabilidades en la comunidad cristiana para que sean testigos del Evangelio. **Roguemos al Señor.**

2. Por los que no comparten la fe en Jesucristo pero tienen el corazón abierto al amor y al servicio a los demás para que Dios venga a sus vidas, y puedan encontrar un día la alegría y la luz de la Buena Nueva. **Roguemos al Señor.**

3. Por nuestros gobernantes, políticos y los que tienen el poder económico o militar, para que trabajen sinceramente por el bienestar de todos, y especialmente de los más pobres y débiles. **Roguemos al Señor.**

4. Por los que no tienen trabajo, o tienen trabajos inestables que les hacen vivir en la inseguridad y la angustia, para que existan personas generosas que contribuyan al bien común generando empleos. **Roguemos al Señor.**

5. Por nosotros, que celebramos la Eucaristía en este tiempo de espera de la venida del Señor para que renovemos nuestra fe en la vida definitiva que Dios nos ofrece más allá de este mundo. **Roguemos al Señor.**

Sacerdote: Señor Jesús, escucha nuestra oración. Ven y renuévanos, a nosotros, a toda la Iglesia, y a la humanidad entera. Tú que vives y reinas por los siglos de los siglos.

Todos: Amén.

Formulario II

Sacerdote: Durante este tiempo de Adviento experimentamos el amor, la misericordia y la ternura de Dios para con nosotros, con esa confianza acudamos a Él para que nos acompañe en nuestro camino y nos dé fuerza y esperanza. Digamos confiados:

    Todos: ESCÚCHANOS, PADRE.

1. Para que este tiempo de espera sea un estímulo de renovación para la Iglesia, a fin de que con sus palabras y sus obras transmita alegría y esperanza a toda la humanidad. **Roguemos al Señor.**

2. Para que el pueblo de Israel, que recibió la llamada del Señor, se esfuerce en buscar la paz y muestre ante el mundo el rostro amoroso de Dios que viene a encarnarse en medio de la humanidad. **Roguemos al Señor.**

3. Para que todos los que experimentan tristeza y desanimo encuentren fortaleza en Dios, y personas que les ayuden a superar sus angustias y dolores. **Roguemos al Señor.**

4. Para que todos los niños encuentren en los adultos el testimonio y el ejemplo de la generosidad, la sencillez, y el amor a Jesús. **Roguemos al Señor.**

5. Para que todos nosotros tengamos viva conciencia de nuestra debilidad, y sintamos la necesidad de que el Señor venga a salvarnos del pecado. **Roguemos al Señor.**

Sacerdote: Escucha, Señor, nuestra oración, y haz que sepamos descubrirte y esperarte en todos los acontecimientos de la vida. Tú que vives y reinas por los siglos de los siglos.

    Todos: Amén.

Tiempo de Cuaresma
Formulario I

Sacerdote: Guiados por Jesucristo, que nos enseña a orar confiadamente a Dios nuestro Padre, pidamos que el Reino de Dios se realice en medio de nosotros diciendo:

Todos: **TE ROGAMOS, ÓYENOS.**

1. Por el Papa N., nuestro obispo N., y por los presbíteros para que en toda ocasión den testimonio de la Buena Noticia de Jesús, y ayuden a que crezca en todos los ciudadanos el espíritu de concordia y de fraternidad. **Roguemos al Señor.**

2. Para que los catecúmenos que se preparan para recibir el bautismo o la confirmación sientan muy cercana la gracia del Espíritu Santo que les acompaña. **Roguemos al Señor.**

3. Por los que ostentan un cargo público o tienen que guiar a una comunidad para que no busquen su propio interés sino que pongan todos sus esfuerzos al servicio de los ciudadanos. **Roguemos al Señor.**

4. Por los que sufren enfermedades incurables para que en su dolor sientan la cercanía de Dios y el apoyo de los que están a su alrededor. **Roguemos al Señor.**

5. Por los que estamos reunidos en esta celebración eucarística para que con el mensaje del Evangelio podamos ser personas de perdón y comunión al estilo de la primera comunidad cristiana. **Roguemos al Señor.**

Sacerdote: Escucha, Padre de bondad, las oraciones que te elevamos en este tiempo de conversión para que nuestro corazón esté siempre abierto al perdón y a la reconciliación. Por Jesucristo, nuestro Señor.
   Todos: **Amén.**

Formulario II

Sacerdote: En nuestro camino hacia la Pascua, pongamos en las manos del Señor nuestras oraciones y con fe supliquemos diciendo:

Todos: TE LO PEDIMOS, SEÑOR

1. Para que Dios, nuestro Padre, proteja y guíe con amor a su Iglesia, la fortalezca en la fe y en la esperanza para que brille hasta los confines de la tierra. **Roguemos al Señor.**

2. Por nuestros gobernantes, para que rijan con justicia y equidad los destinos de los pueblos que están a su cuidado. **Roguemos al Señor.**

3. Por los que son perseguidos por causa del Evangelio para que el Espíritu del Señor les dé su fortaleza y su gracia y continúen dando testimonio de la ternura del Padre. **Roguemos al Señor.**

4. Por la paz, la justicia y la fraternidad en todos los pueblos de la tierra, de modo especial por las naciones que se encuentran en conflictos bélicos. **Roguemos al Señor.**

5. Por cada uno de nosotros, para que en este tiempo de cuaresma busquemos la verdadera y auténtica reconciliación con los hermanos. **Roguemos al Señor.**

Sacerdote: Derrama, Señor, tu gracia salvadora sobre la humanidad, y asiste benignamente las intenciones que te hemos presentado a Ti que vives y reinas por los siglos de los siglos.
Todos: Amén.

Formulario III

Sacerdote: Oremos a Dios, el Padre de la misericordia que tiene siempre los brazos abiertos para acoger a sus hijos, y digámosle:

Todos: TE LO PEDIMOS, SEÑOR

1. Por la Iglesia, Pueblo de Dios, para que siguiendo las huellas de Jesús sea signo de unidad y armonía en el mundo. **Roguemos al Señor.**

2. Por los gobernantes para luchen por el bienestar de las familias, de modo especial las que se encuentra en dificultad económica. **Roguemos al Señor.**

3. Por los que son perseguidos a causa de su compromiso por la justicia y la igualdad para que su trabajo no quede infecundo sino trascienda los limites humanos. **Roguemos al Señor.**

4. Por los más necesitados: los que pasan hambre, los que han tenido que marchar de su tierra, los que se sienten abandonados de todos para que puedan experimentar a través de nosotros el amor de Dios. **Roguemos al Señor.**

5. Por nosotros para que reconozcamos nuestras infidelidades al camino de Dios, y sepamos pedir perdón y convertirnos constantemente. **Roguemos al Señor.**

Sacerdote: Escucha, Señor, nuestras súplicas, y haz que esta Cuaresma nos sea provechosa, para nosotros y para todo el pueblo cristiano. Por Jesucristo nuestro Señor.

Todos: Amén.

Tiempo de Pascua
Formulario I

Sacerdote: ¡Cristo ha resucitado! Es el grito de júbilo de la comunidad cristiana por eso con fe y esperanza acudamos a Él diciendo:

Todos: JESÚS RESUCITADO, ESCÚCHANOS

1. Por la Iglesia extendida de Oriente a Occidente para que sean testigos de la Buena Noticia de Jesús. **Roguemos al Señor.**

2. Por todos los que rigen los destinos de los pueblos para que promuevan el bien común y que Cristo Resucitado sea su modelo a imitar. **Roguemos al Señor.**

3. Por los niños y niñas que se preparan para participar por primera vez de la Eucaristía; por los jóvenes que se preparan para recibirla confirmación para que el Resucitado los transforme en testigos fieles del amor misericordioso del Padre. **Roguemos al Señor.**

4. Por nuestra comunidad parroquial para que la evangelización aumente cada día y así Cristo Resucitado reine en los corazones. **Roguemos al Señor.**

5. Por los enfermos de nuestra parroquia para que a ninguno de ellos le falte la atención y la compañía que necesitan. **Roguemos al Señor.**

6. Por quienes nos hemos reunido en esta celebración para dar gracias por los beneficios recibidos para que vivamos formando auténticas comunidades cristianas en donde se respire paz y amor. **Roguemos al Señor.**

Sacerdote: Padre, fuente de todo bien y de toda bondad: escucha nuestras peticiones, derrama tu Espíritu sobre cada uno de nosotros y haznos fieles seguidores de tu Hijo Jesucristo, nuestro Buen Pastor, que vive y reina por los siglos de los siglos.
Todos: Amén.

Formulario II

Sacerdote: *Habiendo participado de la Palabra de Dios ahora participaremos del pan de la Eucaristía. Jesús se nos da como alimento, Por eso ahora, con fe, le presentamos nuestras necesidades diciendo:*

Todos: POR LA RESURRECCIÓN DE TU HIJO, ESCÚCHANOS SEÑOR.

1. Oremos para que la Iglesia sea un hogar de misericordia abierto a todos los que se encuentran en graves dificultades y sufrimientos. **Roguemos al Señor.**

2. Oremos para que la alegría del Resucitado llegue a todas las naciones del mundo y así puedan vivir en concordia y paz. **Roguemos al Señor.**

3. Oremos para que los jóvenes que se encuentran alejados de la fe en el Resucitado encuentren ayuda y compañía en el proceso de encuentro con Jesucristo que es Camino, Verdad y Vida. **Roguemos al Señor.**

4. Oremos para que el amor de los esposos crezca constantemente, en la prosperidad y en la adversidad, en la salud y en la enfermedad, en todas las circunstancias de la vida. **Roguemos al Señor.**

5. Oremos para que todos los fieles de nuestra comunidad sepamos ponernos a favor de los pobres, los débiles, de los que sufren discriminación o violencia y así alcancen una luz de esperanza. **Roguemos al Señor.**

6. Oremos para que estas fiestas de Pascua nos muevan a formar verdaderas comunidades que trasmitan alegría y un sincero espíritu de fe y de amor. **Roguemos al Señor.**

Sacerdote: *Jesús resucitado, escúchanos y envíanos tu Espíritu para que alcancemos lo que pudimos expresarte con nuestras palabras, te lo pedimos a ti nuestro hermano y Señor, que vives y reinas por los siglos de los siglos.*

Todos: Amén.

Formulario III

Sacerdote: Unidos a Jesús, imploremos al Padre por nosotros mismos, por la Iglesia y por toda la humanidad. *Después de cada petición diremos:*

Todos: ESCÚCHANOS, PADRE

1. Por la Iglesia extendida por toda la tierra para que fiel a su fundador pregone incansablemente las abundantes riquezas del Padre a la humanidad. **Roguemos al Señor.**

2. Por el Papa N., nuestro Obispo N., y nuestro Párroco N., para que el Señor los bendiga y los llene de esperanza en los momentos de dificultad y desaliento. **Roguemos al Señor.**

3. Por todos los gobernantes del mundo para que busquen siempre por encima de todo la paz, la concordia y el bienestar de los que se encuentran en condiciones precarias. **Roguemos al Señor.**

4. Por todos los niños del mundo para que sean educados con paciencia, puedan adquirir la protección de los adultos y así crezcan acompañados del amor de una familia. **Roguemos al Señor.**

5. Por los que celebramos en esta Eucaristía el don de la vida para que constantemente experimentemos los frutos del Resucitado. **Roguemos al Señor.**

Sacerdote: Escucha, Jesús resucitado, nuestra oración, y envía al Espíritu Santo que prometiste, para que llene con su gracia nuestros corazones y renueve a la humanidad entera. Te lo pedimos a ti, que vives y reinas por los siglos de los siglos.

Todos: Amén.

Tiempo Ordinario
Formulario I

Sacerdote: Unidos en la fe que nos salva y confiando en el amor de Dios nuestro Padre que escucha a sus hijos cuando imploran su favor, oremos diciendo:

Todos: ESCÚCHANOS, PADRE

1. Por la Iglesia presente en todo el mundo para que el Señor la proteja y la conserve fiel al Evangelio de Jesucristo. **Roguemos al Señor.**

2. Por los líderes de las naciones para que siguiendo las enseñanzas de Jesucristo busquen trabajar por la paz y el bienestar de la sociedad. **Roguemos al Señor.**

3. Por los enfermos y por todos los que se sienten excluidos para que encuentren en Cristo consuelo, fortaleza y esperanza. **Roguemos al Señor.**

4. Por los maestros de las distintas instituciones educativas para que su esfuerzo por la construcción de una sociedad justa y equitativa sea recompensada. **Roguemos al Señor.**

5. Por los que estamos aquí reunidos en esta celebración eucarística para que nuestra fe en Jesucristo nos haga transformar nuestro entorno en un ambiente fraterno. **Roguemos al Señor.**

Sacerdote: Escucha, Señor, las oraciones de tu Iglesia, y en tu bondad y misericordia, concédenos cuanto, con fe, te hemos pedido. Por Jesucristo nuestro Señor.

Todos: Amén.

Formulario II

Sacerdote: Elevemos nuestras oraciones a Dios, nuestro Padre, que benignamente escucha nuestras plegarias, con mucha confianza digamos:

Todos: ESCÚCHANOS, PADRE

1. Oremos por la Iglesia, el pueblo santo de Dios, para que manifieste la fidelidad al mensaje evangélico viviendo el amor y la solidaridad con todos. **Roguemos al Señor.**

2. Oremos por el Papa N., los obispos y presbíteros para que sean auténticos testigos de la Palabra que anuncian al pueblo de Dios. **Roguemos al Señor.**

3. Oremos por los que colaboran en entidades y asociaciones al servicio de la justicia, la paz y la igualdad para que Dios los socorra y no desistan en su labor por restituir la dignidad humana. **Roguemos al Señor.**

4. Oremos por los que viven el dolor y la tristeza de la enfermedad para que pronto alcancen la salud y se reincorporen en sus actividades cotidianas. **Roguemos al Señor.**

5. Oremos por los que cuidan de los enfermos para que lo hagan con ternura y paciencia de modo que su labor se vea recompensada el ciento por uno y la vida eterna. **Roguemos al Señor.**

6. Oremos por nuestra comunidad que peregrina en esta tierra para que nuestra participación en la Eucaristía sea signo de fraternidad a la manera de la primera comunidad cristiana. **Roguemos al Señor.**

Sacerdote: Escucha, Señor Jesús, nuestra oración, y haz de nuestra vida un testimonio de tu Evangelio. Tú que vives y reinas por los siglos de los siglos.

Todos: **Amén.**

Formulario III

Sacerdote: Oremos a Dios nuestro Padre, para que su Espíritu nos renueve constantemente, y nos haga dóciles a su servicio. Digamos confiados:

Todos: TE ROGAMOS, ÓYENOS

1. Oremos por la Iglesia, pueblo santo de Dios, para que sepa renovarse constantemente y anuncie con fidelidad y valentía el mensaje de la Buena Nueva. **Roguemos al Señor.**

2. Oremos por nuestro Presidente de la República N., nuestro Gobernador N., y demás autoridades que acompañan al pueblo para que fieles al mandato del Señor Jesús puedan regir con acierto y solicitud en bien de los ciudadanos. **Roguemos al Señor.**

3. Oremos por los enfermos de nuestra parroquia para que en medio del sufrimiento puedan reconocer la presencia de Dios que los acompaña y asiste. **Roguemos al Señor.**

4. Oremos por los que se encomiendan a nuestras oraciones para que el Señor los asista conforme a su voluntad y les conceda lo que más necesitan. **Roguemos al Señor.**

5. Oremos por los que nos hemos congregado en este día para celebrar el Banquete del Señor para que nuestra presencia en el mundo sea signo de comunión y solidaridad. **Roguemos al Señor.**

Sacerdote: Escucha Señor, las oraciones que te hemos presentado y acoge también aquellas que están en lo profundo de nuestro corazón. Tú que vives y reinas por los siglos de los siglos.
Todos: Amén.

Formulario IV

Sacerdote: Con la confianza de que nuestro Señor Jesús atiende nuestras súplicas pidamos que atienda nuestros ruegos diciendo:

Todos: TE LO PEDIMOS, SEÑOR

1. Pidamos por el Papa N., nuestro Obispo N., sacerdotes y diáconos para que fieles a su ministerio transmitan el Evangelio y den testimonio con sus vidas. **Roguemos al Señor.**

2. Pidamos por todos los gobernantes de las naciones, en especial por los de nuestro país, para que animados por la luz del Espíritu Santo lleven nuestros pueblos por los caminos de la justicia y la paz. **Roguemos al Señor.**

3. Pidamos por los pobres, los enfermos, los encarcelados y los necesitados, para que la gracia de la redención les traiga consuelo y fortaleza. **Roguemos al Señor.**

4. Oremos por toda la comunidad aquí reunida, para que la fuerza de la Palabra que escuchamos y la gracia del Sacramento que celebramos, nos aliente para dar una más intensa respuesta de fe al compromiso de extender el Reino de Dios en el mundo. **Roguemos al Señor.**

Sacerdote: Padre bueno, acepta benignamente estas oraciones que te hemos presentado con fe y confianza, y concédenos lo que más nos conviene. Por Jesucristo, nuestro Señor.

Todos: Amén.

Formulario V

Sacerdote: Movidos por la fuerza del Espíritu Santo, presentemos al Señor nuestras súplicas diciendo:

Todos: PADRE DE MISERICORDIA, ESCÚCHANOS

1. Pedimos por el Papa N., los obispos, los sacerdotes y los religiosos, para que sigan anunciando con valentía y alegría el Evangelio de Cristo en todos los momentos y situaciones. **Roguemos al Señor.**

2. Por los gobernantes de las naciones y los servidores públicos, para que, impulsados por el recto deseo del bien común, consagren sus esfuerzos a iniciativas que promuevan la dignidad de toda persona, la libertad y la justicia. **Roguemos al Señor.**

3. Por los que sufren, los que están tristes, los enfermos, los que viven en soledad, los que experimentan pobreza, para que Cristo, Buen Pastor, los llene de esperanza y el testimonio coherente de nuestra fe les manifieste el amor de Dios. **Roguemos al Señor.**

4. Por todos nosotros, para que demos testimonio de la vida de Jesucristo y vivamos la novedad que nos ha traído, y así podamos llevar a muchos hermanos al encuentro con Él. **Roguemos al Señor.**

Sacerdote: Escucha, Padre Santo, cuanto te hemos pedido con fe y concédenos aquello que nos ayude a vivir en plenitud nuestra vida de cristianos. Por el mismo Jesucristo, nuestro Señor.

Todos: Amén.

Formulario VI

Sacerdote: Antes de participar en la mesa del Señor, presentemos al Padre nuestras oraciones y supliquemos con fe y esperanza diciendo:

Todos: PADRE BUENO, ESCÚCHANOS Y AUMENTA NUESTRA FE

1. Por la santa Iglesia, comunidad de fe, para que pregone de palabra y de obra la nueva vida que proporciona Jesucristo. **Roguemos al Señor.**

2. Por los gobernantes de las naciones, para que iluminados por la luz de Cristo busquen la paz y el bien de sus pueblos. **Roguemos al Señor.**

3. Por todos los que en el mundo, reunidos en el domingo día del Señor, renuevan su compromiso con Cristo, para que sean fortalecidos en la fe y bendecidos constantemente. **Roguemos al Señor.**

4. Por nosotros que nos hemos reunido para celebrar el misterio de la fe para que vivamos el compromiso de la nueva vida inaugurada por Cristo. **Roguemos al Señor.**

Sacerdote: Escucha, Padre, nuestra oración, y derrama tu amor sobre todos los hombres que te invocan sin cesar. Por Jesucristo, nuestro Señor.
Todos: Amén.

Domingo 1 de enero - Santa María, Madre de Dios

Sacerdote: Padre eterno, en este día que recordamos a María Madre de la Iglesia, elevamos nuestras oraciones al cielo junto con ella para pedir que de ti nos vengan las gracias necesarias para iniciar este año con amor, trabajo y felicidad. Por eso te decimos:

Todos: BENDÍCENOS, SEÑOR.

1. Te pedimos Padre bueno por el Papa N., por los obispos, sacerdotes y diáconos, para que fieles a tu Palabra y a ejemplo de Jesús Buen Pastor, guíen a tu Iglesia hacia ti. **Roguemos al Señor.**

2. Te pedimos Padre bueno por los gobernantes, para que dóciles a tu Palabra, conduzcan al pueblo por sendas de justicia y de paz. **Roguemos al Señor.**

3. Te pedimos por todas las familias cristianas, para que en este nuevo año vivan en la armonía y amor que nace de la cercanía de Jesucristo. **Roguemos al Señor.**

4. Te pedimos por cada uno de nosotros, para que en este año que iniciamos seamos, a ejemplo de María Madre de Dios, fieles testigos de Cristo. **Roguemos al Señor.**

Sacerdote: Que este año que inicia, seas tú Señor quien guíe nuestros proyectos y asista en nuestras necesidades, y bajo la intercesión de María, tu Madre, te pedimos que nos acompañe tu gracia durante todo el año. Tú, que vives y reinas por los siglos de los siglos.

Todos: Amén.

Domingo 8 de enero - Epifanía del Señor

Sacerdote: Padre bueno, a ti elevamos nuestras súplicas para pedir que nos mandes las gracias necesarias para vivir adorándote con amor, y seguir en el camino que nos conduce a ti. A cada petición respondemos:

Todos: ESCÚCHANOS, SEÑOR.

1. Te pedimos por el Papa N., los obispos, sacerdotes y diáconos, para que fieles a tu Palabra sean guía y camino que conduzcan a tu Iglesia, como aquella estrella que condujo a los reyes a tu encuentro. **Roguemos al Señor.**

2. Te pedimos Padre bueno por los gobernantes, para que dóciles a tu palabra, se esfuercen en buscar la justicia y la paz. **Roguemos al Señor.**

3. Te pedimos por todas las familias, para que sean como la estrella de Belén, guías que conduzcan a los hombres a Cristo. **Roguemos al Señor.**

4. Te pedimos por los que sufren, para que en Cristo encuentren la paz y el bienestar que necesitan para salir adelante. **Roguemos al Señor.**

5. Te pedimos por los aquí reunidos, para que en nuestra vida sepamos ser manifestación viva de tu presencia en el mundo. **Roguemos al Señor.**

Sacerdote: Señor, así como los Reyes Magos te ofrecieron oro, incienso y mirra, nosotros ofrecemos a ti nuestras plegarias, confiando en tu infinita misericordia, escúchanos y apiádate de nuestras necesidades. Tú, que vives y reinas por los siglos de los siglos.

Todos: Amén.

9 de enero - Bautismo del Señor

Sacerdote: Padre bueno, en este día que recordamos cómo reconociste a Cristo como Hijo tuyo, mediante el bautismo en el Jordán, has que nosotros también lo reconozcamos como tu Hijo y como nuestro hermano, por eso te decimos:

Todos: QUE NUESTRO CORAZÓN RECONOZCA A CRISTO COMO TU HIJO.

1. Te pedimos por la Iglesia, por el Papa N., los obispos, sacerdotes y diáconos, para que se esfuercen en ser ejemplo de tu Hijo que hoy se nos manifiesta. **Roguemos al Señor.**

2. Te pedimos Señor por los gobernantes, para que se esfuercen por buscar caminos de justicia y sigan con esmero tus enseñanzas. **Roguemos al Señor.**

3. Te pedimos por todos los bautizados y por los que van a ser bautizados, para que aceptando el ser hijos por adopción, aprendamos a dar testimonio como verdaderos hijos de Dios. **Roguemos al Señor.**

4. Te pedimos por nosotros, por nuestros familiares y amigos, para que en el Señor encontremos el aliento para salir adelante en los momentos de dificultad y cada día experimentemos la cercanía de tu amor. **Roguemos al Señor.**

Sacerdote: Padre bueno, ya que por el Bautismo fuimos reconocidos como hijos tuyos, hermanos en Jesucristo y amados en el Espíritu Santo, escucha las intenciones que hoy presentamos en tu altar. Por Jesucristo, nuestro Señor.

Todos: Amén.

Domingo 9 de abril - Domingo de Ramos

Sacerdote: Confiados en la fuerza salvadora del amor de Jesús, oremos hermanos a Dios por nuestras necesidades. A cada petición respondemos:

> **Todos:** ESCÚCHANOS, SEÑOR.

1. Por la Iglesia, extendida por todo el mundo, para que siempre tenga puesta su confianza y seguridad en Jesucristo que se entregó por nosotros. **Roguemos al Señor.**

2. Por los gobernantes de las naciones, para que todas sus acciones y deseos sean siempre los de construir un mundo donde reine la justicia y la paz. **Roguemos al Señor.**

3. Por todos los que sufren injusticias, para que Dios les dé la paciencia y la perseverancia para que sus súplicas sean escuchadas. **Roguemos al Señor.**

4. Por todos los que han perdido la fe y la esperanza, que estos días santos sean para ellos un motivo para poder volver a creer y renovar estos dones. **Roguemos al Señor.**

Sacerdote: Dios y Padre nuestro, escucha nuestras súplicas y has que siempre vivamos en la plenitud de tu vida. Por Jesucristo nuestro Señor.

> **Todos: Amén.**

Domingo 23 de abril – de la "Divina Misericordia"

Sacerdote: Presentemos a Jesús Resucitado, Señor de la Misericordia, nuestras oraciones con toda confianza, diciendo:

Todos: ESCÚCHANOS, SEÑOR.

1. Por la Iglesia, extendida por el mundo, para que siga esparciendo la buena nueva de la Resurrección de Jesucristo. **Roguemos al Señor.**

2. Por el Papa N., por nuestros obispos, sacerdotes y diáconos, para que sigan evangelizando al mundo con la alegría de la Pascua. **Roguemos al Señor.**

3. Por los gobernantes, para que sean sembradores de paz y justicia en nuestros pueblos. **Roguemos al Señor.**

4. Por todos nosotros, que hemos venido a celebrar la Eucaristía, para que pongamos en las manos del Señor misericordioso, nuestras alegrías y sufrimientos. **Roguemos al Señor.**

Sacerdote: Escucha, Señor, las plegarias que tu pueblo te presenta con un corazón sincero. Tú, que vives y reinas por los siglos de los siglos.

Todos: Amén.

Domingo 28 de mayo - La Ascensión del Señor

Sacerdote: Invoquemos hermanos a Jesucristo resucitado, alegría de los cristianos diciendo con gozo:

Todos: CRISTO GLORIOSO, ESCÚCHANOS.

1. Por la Iglesia, extendida por el mundo entero, para que sea fermento de nuevos cristianos que se esfuercen por vivir auténticamente el mensaje evangélico. **Roguemos al Señor.**

2. Por los gobernantes y jefes de estado, para que se esfuercen en promover una vida digna para todos los ciudadanos. **Roguemos al Señor.**

3. Por los enfermos y quienes se encuentran afligidos, para que en Cristo encuentren un motivo que renueve su esperanza y su ánimo por la vida. **Roguemos al Señor.**

4. Por los que vivimos en esta tierra, para que un día podamos gozar plenamente del cielo. **Roguemos al Señor.**

5. Por todos los cristianos, para que nuestro obrar nos conduzca al cielo y seamos testimonio de una vida digna y auténtica. **Roguemos al Señor.**

Sacerdote: Padre eterno, que a través de tu Hijo extiendes tu promesa de estar siempre con nosotros, permítenos que, un día, resucitados a la vida eterna, podamos contemplarte a ti y a tu divino Hijo, que vive y reina por los siglos de los siglos.

Todos: Amén.

Domingo 4 de junio - Pentecostés

Sacerdote: Invoquemos hermanos al Espíritu Santo para que descienda sobre el mundo y renueve la tierra y digamos con fe:

Todos: VEN, ¡OH, DIVINO ESPÍRITU!

1. Por la Iglesia, para que bajo la guía del Papa N., de los obispos y sacerdotes, sepan conducir al pueblo que se les ha encomendado por caminos que lleven al encuentro con el Resucitado. **Roguemos al Señor.**

2. Por los gobernantes, para que el Espíritu Santo los ilumine y sepan gobernar con diligencia e inteligencia. **Roguemos al Señor.**

3. Por todos los cristianos, responsables de la evangelización, para que el Espíritu Santo con sus dones, los haga verdaderos e incansables transmisores de la Verdad. **Roguemos al Señor.**

4. Por los profesores y educadores, para que el Espíritu Santo les dé los dones necesarios, para que sepan formar a los futuros responsables del mundo. **Roguemos al Señor.**

5. Por todos nosotros, para que el Espíritu Santo derrame sus dones y surja en cada uno de nosotros un nuevo Pentecostés que nos impulse a seguir trabajando por la construcción del Reino. **Roguemos al Señor.**

Sacerdote: Escucha Padre nuestra súplica, y ya que nos prometiste enviar a tu Divino Espíritu a renovar la tierra, haznos dignos de recibirlo nuevamente. Por Jesucristo, nuestro Señor.

Todos: Amén.

Domingo 11 de junio - La Santísima Trinidad

Sacerdote: Invoquemos hermanos a Dios Padre, Hijo y Espíritu Santo diciendo:

Todos: TÚ QUE ERES NUESTRO DIOS, ESCÚCHANOS.

1. Por la Iglesia que peregrina en este mundo, para que bajo la guía de la Santísima Trinidad sepa buscar caminos que conduzcan al Reino eterno. **Roguemos al Señor.**

2. Por los gobernantes y quienes tienen en sus manos la misión de hacer justicia, para que se esfuercen por buscar caminos de unidad y de paz. **Roguemos al Señor.**

3. Por los que se encuentran en alguna dificultad, para que encuentren consuelo y una mano generosa que los ayude a salir adelante. **Roguemos al Señor.**

4. Por las familias, para que a ejemplo de la Santísima Trinidad sepan ser una verdadera comunidad. **Roguemos al Señor.**

5. Por la sociedad, para que imitando la buena comunicación existente en la Santísima Trinidad, sepa usar la comunicación como un medio eficaz para resolver los conflictos. **Roguemos al Señor.**

6. Por nosotros, para que, formando una verdadera comunidad, reproduzcamos la imagen de la Santísima Trinidad en la tierra. **Roguemos al Señor.**

Sacerdote: Trinidad Santa, que a través de tu inefable misterio revelas tu infinita bondad, concédenos las gracias que necesitamos. Por Jesucristo, nuestro Señor.

Todos: Amén.

Viernes 23 de junio – El Sagrado Corazón de Jesús

Sacerdote: Confiados en el amor de nuestro Señor Jesucristo por cada uno de nosotros, presentemos a su corazón amoroso nuestras intenciones diciendo:

Todos: SAGRADO CORAZÓN, ESCÚCHANOS.

1. Por la santa Iglesia, para que sepa vivir y expresar fielmente la caridad que ha brotado del corazón del Padre. **Roguemos al Señor.**

2. Por todos los gobernantes, para que sepan guiar con caridad a las naciones. **Roguemos al Señor.**

3. Por todos aquellos que padecen alguna enfermedad del cuerpo o del alma, para que encuentren alivio en el corazón amoroso de nuestro Señor Jesúcristo. **Roguemos al Señor.**

4. Por todos los aquí reunidos, para que imitando al Sagrado Corazón de Jesús, vivamos intensamente nuestra fe. **Roguemos al Señor.**

Sacerdote: Padre celestial, que nos has concedido conocer el sagrado corazón de tu Hijo aquí en la tierra, permítenos gozar de sus inmensas bendiciones en la vida eterna. Por Jesucristo, nuestro Señor.
Todos: Amén.

Oración Universal

Martes 12 de diciembre -Nuestra Señora de Guadalupe

Sacerdote: Señor Dios, Padre todopoderoso, que en la Virgen María de Guadalupe nos diste la oportunidad de conocer el amor de nuestro Salvador, te pedimos por intercesión de tu Madre, escuches nuestras súplicas, por eso te decimos:

Todos: POR INTERCESIÓN DE TU MADRE, ESCÚCHANOS SEÑOR.

1. Por la Iglesia, extendida por todo el mundo, para que siempre tenga puesta su confianza y seguridad en Jesucristo, que quiso nacer de la siempre Virgen María. **Roguemos al Señor.**

2. Por los gobernantes de las naciones, para que todas sus acciones y deseos sean siempre los de construir un mundo donde reine la justicia y la paz. **Roguemos al Señor.**

3. Por todos los que sufren injusticias, para que Dios les dé la paciencia y la perseverancia para que sus quejas sean escuchadas y atendidas. **Roguemos al Señor.**

4. Por todos nosotros aquí reunidos, para que a ejemplo de la Virgen, sepamos ser verdaderos discípulos y misioneros de Jesucristo. **Roguemos al Señor.**

Sacerdote: Escucha nuestra súplica Señor, e ilumina las tinieblas de nuestro espíritu y concédenos que, bajo la protección de su Santísima Madre, obtengamos la gracias y bienes que te pedimos. Tú, que vives y reinas por los siglos de los siglos.

Todos: Amén.

Lunes 25 de diciembre - Natividad de Nuestro Señor Jesucristo

Sacerdote: Presentemos a Dios Padre todopoderoso, nuestras necesidades, confiando que así como por amor nos entregó a su Hijo, así también escuchará nuestras súplicas, por eso digamos:

Todos: ESCÚCHANOS, DIOS NUESTRO.

1. Oremos por toda la Iglesia, para que todos los que la formamos reflejemos a Cristo en la caridad y en el anuncio de la buena noticia de su nacimiento. **Roguemos al Señor.**

2. Oremos por aquellas naciones que viven la tragedia de la guerra y de la violencia, para que hoy que celebramos el nacimiento de Dios encarnado, demos testimonio del amor del Padre que nos envía a su Hijo. **Roguemos al Señor.**

3. Oremos por todos los niños necesitados y que se encuentran en dificultades, para que sepamos descubrir en ellos el reflejo de la ternura de Dios hecho niño y nos comprometamos a hacer lo que está a nuestro alcance para ayudarlos. **Roguemos al Señor.**

4. Oremos por todos nosotros, reunidos en esta Navidad, para celebrar con fe la presencia de Jesús, para que en nuestra vida de cada día, hagamos presente la paz y la alegría de esta fiesta. **Roguemos al Señor.**

Sacerdote: Padre, hoy que celebramos el nacimiento de tu Hijo, ponemos ante tu presencia nuestras intenciones, escúchalas y atiéndelas según tu voluntad. Por Jesucristo, nuestro Señor.

Todos: Amén.

Celebraciones
Especiales

Los hará sentar a la mesa y él mismo les servirá

Oración Colecta

Dios nuestro, que das inicio a todas las cosas, te pedimos que durante este ciclo escolar que estamos iniciando no nos falte lo necesario para nuestra vida, para dar testimonio de ti y para salir adelante con los mejores resultados. Por nuestro Señor Jesucristo tu Hijo, que vive y reina contigo en la unidad del Espíritu Santo y es Dios por los siglos de los siglos. Todos: **Amén.**

1ª Lectura

**De la primera carta del apóstol san Pablo
a los tesalonicenses** (4, 1-2. 9-12)

Hermanos: Les rogamos y los exhortamos en el nombre del Señor Jesús a que vivan como conviene, para agradar a Dios, según aprendieron de nosotros, a fin de que sigan ustedes progresando. Ya conocen, en efecto, las instrucciones que les hemos dado de parte del Señor Jesús.

En cuanto al amor fraterno, no necesitan que les escribamos, puesto que ustedes mismos han sido instruidos por Dios para amarse los unos a los otros. Y ya lo practican bien con los hermanos de toda Macedonia. Pero los exhortamos a que lo practiquen cada día más y a que procuren vivir en paz unos con otros, ocupándose cada cual de sus asuntos y trabajando cada quien con sus propias manos, como se lo hemos ordenado a ustedes. En esta forma darán buen ejemplo a los que no son cristianos y no tendrán necesidad de nadie.

Palabra de Dios.

Todos: Te alabamos, Señor.

Salmo Responsorial

Del salmo 1

Dichoso quien confía en el Señor.

Lector: Dichoso aquel que no se guía por mundanos criterios, que no anda en malos pasos ni se burla del bueno; que ama la ley de Dios y se goza en cumplir sus mandamientos. / R.

Lector: Es como un árbol plantado junto al río, que da fruto a su tiempo y nunca se marchita. En todo tendrá éxito. / R.

Lector: En cambio los malvados serán como la paja barrida por el viento. Porque el Señor protege el camino del justo y al malo sus caminos acaban por perderlo. / R.

Aclamación antes del Evangelio

Aleluya, aleluya.

Todos los días te bendecimos y alabamos tu nombre eternamente.

Aleluya.

Evangelio

Del santo Evangelio según san Lucas
(12, 35-40).

En aquel tiempo, Jesús dijo a sus discípulos: "Estén listos, con la túnica puesta y las lámparas encendidas. Sean semejantes a los criados que están esperando a que su señor regrese de la boda, para abrirle en cuanto llegue y toque. Dichosos aquellos a quienes su señor, al llegar, encuentre en vela. Yo les aseguro que se recogerá la túnica, los hará sentar a la mesa y él mismo les servirá. Y si llega a medianoche o a la madrugada y los encuentra en vela, dichosos ellos.

Fíjense en esto: Si un padre de familia supiera a qué hora va a venir el ladrón, estaría vigilando y no dejaría que se le metiera por un boquete en su casa. Pues también ustedes estén preparados, porque a la hora en que menos lo piensen vendrá el Hijo del hombre".

Palabra del Señor.

Todos: **Gloria a ti, Señor Jesús.**

Oración Universal

Oremos, hermanos, al Padre, de quien brota todo conocimiento, a su Hijo, sabiduría eterna, y al Espíritu Santo, luz que ilumina la inteligencia, y pidámosle que nos asista durante todo el curso que nos disponemos a iniciar. A cada invocación respondemos: **Padre bueno, escúchanos.**

1. Por el Papa, obispos, sacerdotes y diáconos, para que en su misión de ser maestros del Pueblo de Dios, nos conduzcan a caminar en la verdadera ciencia y en los diversos conocimientos humanos, roguemos al Señor.

2. Por nuestros gobernantes, que tienen en sus manos el regir los pueblos, para que sepan conducir a nuestra sociedad por caminos de justicia, paz y solidaridad, roguemos al Señor.

3. Por todas las personas que sufren, especialmente por los más abandonados, para que encuentren en el pueblo cristiano fortaleza y ayuda a sus necesidades, roguemos al Señor.

4. Por quienes colaboran en la formación de sus hermanos, especialmente por todos los que en nuestra escuela se dedican a la enseñanza, para que el Señor les conceda una firme voluntad y constancia en su tarea, roguemos al Señor.

5. Por los responsables de los estudios, en especial en nuestra escuela y en los demás centros de enseñanza, para que se esfuercen en educar y velen por la formación integral de los alumnos, roguemos al Señor.

6. Por cada uno de nosotros que estamos iniciando este nuevo curso, para que Cristo sea nuestro modelo y nos permita progresar en nuestros conocimientos junto con los que están a nuestro lado, roguemos al Señor.

eñor Dios, que hoy nos permites iniciar este nuevo curso, escucha nuestra oración y haz que quienes durante este año, vendrán aquí para enseñar o aprender, busquen siempre la verdad y sigan las enseñanzas de la vida cristiana y te reconozcan a ti origen de todo conocimiento. Por Jesucristo, nuestro Señor. **Todos: Amén.**

Oración sobre las Ofrendas

ue sean de tu agrado, Señor, las ofrendas que te presentamos, para que todos los que celebramos con alegría el comienzo de este año escolar, alcancemos la perseverancia y nos encontremos contigo y con tu amor en este curso. Por Jesucristo, nuestro Señor. **Todos: Amén.**

Oración después de la Comunión

compaña, Señor, a los que han participado en este sacramento de la Eucaristía, para que durante todo este año escolar los peligros no sean un obstáculo para siempre confiar en tu protección. Por Jesucristo, nuestro Señor. **Todos: Amén.**

Juegos y Actividades

Ayúdanos a descifrar el mensaje del pergamino con este código secreto. ¡Es muy importante!

Ya no se acuerda de su angustia

Oración Colecta

Dios nuestro, que siempre nos escuchas cuando te hablamos, te damos gracias por que eres bueno y por este año escolar que termina, enséñanos a cuidar los regalos que nos das todos los días y amarte con todo nuestro corazón. Por nuestro Señor Jesucristo tu Hijo, que vive y reina contigo en la unidad del Espíritu Santo y es Dios por los siglos de los siglos. Todos: **Amén.**

1ª Lectura

De la primera carta del apóstol san Pablo a los corintios (1, 3-9)

Hermanos: Gracia y paz a ustedes de parte de Dios, nuestro Padre, y de Cristo Jesús, el Señor.

Continuamente agradezco a mi Dios los dones divinos que les ha concedido a ustedes por medio de Cristo Jesús, ya que por él los ha enriquecido con abundancia en todo lo que se refiere a la palabra y al conocimiento; porque el testimonio que damos de Cristo ha sido confirmado en ustedes a tal grado, que no carecen de ningún don ustedes, los que esperan la manifestación de nuestro Señor Jesucristo. Él los hará permanecer irreprochables hasta el fin, hasta el día de su advenimiento. Dios es quien los ha llamado a la unión con su Hijo Jesucristo, y Dios es fiel.

Palabra de Dios.

Todos: **Te alabamos, Señor.**

Salmo Responsorial

Del salmo 137

Te daré, Señor, las gracias por tu amor.

Lector: Te doy gracias, Señor, de corazón por haber escuchado mis lamentos. Te cantaré delante de tus ángeles, me postraré mirando hacia tu templo. / R.

Lector: Y te daré, Señor, las gracias, por tu fidelidad y por tu amor, y porque tu promesa, tu fama superó. Siempre que te invoqué, tú me escuchaste y me diste valor. / R.

Lector: Que den gracias también todos los reyes al oír las palabras de tu boca, y alaben los designios del Señor, porque inmensa es su gloria. / R.

Aclamación antes del Evangelio

(Sal 137, 1)

Aleluya, aleluya.

De todo corazón te damos gracias, Señor, porque escuchaste nuestros ruegos.

Aleluya, Aleluya.

Evangelio

Del santo Evangelio según san Juan
(16, 20-22)

En aquel tiempo, Jesús dijo a sus discípulos: "Les aseguro que ustedes llorarán y se entristecerán, mientras el mundo se alegrará. Ustedes estarán tristes, pero su tristeza se transformará en alegría.

Cuando una mujer va a dar a luz, se angustia, porque le ha llegado la hora; pero una vez que ha dado a luz, ya no se acuerda de su angustia, por la alegría de haber traído un hombre al mundo. Así también ahora ustedes están tristes, pero yo los volveré a ver, se alegrará su corazón y nadie podrá quitarles su alegría".

Palabra del Señor.

Todos: **Gloria a ti, Señor Jesús.**

Oración Universal

Oremos, hermanos, al Señor, que hace maravillas a favor nuestro y pidámosle que siga bendiciendo a cada uno de nosotros con la abundancia de sus dones. A cada invocación decimos: **Escúchanos, Señor.**

1. Por la Iglesia, para que el Señor infunda en nuestros guías espirituales y en todos los fieles, una participación más activa y consciente en la alabanza y acción de gracias. Oremos.

2. Por los gobernantes y jefes de estado, para que en su labor, descubran los signos del amor de Dios y reconozcan en cada uno de los hermanos la mano bondadosa del Creador. Oremos.

3. Por los que sufren en el cuerpo y en el alma, para que Dios derrame sobre ellos los dones que su vida necesita de manera que puedan dar gracias con nosotros por los favores recibidos. Oremos.

4. Por nuestros maestros, guías, papás y compañeros que durante este año compartimos juntos el esfuerzo y el trabajo de este curso que estamos terminando, para que juntos elevemos a Dios nuestra acción de gracias por todos los momentos que hemos vivido y compartido. Oremos.

5. Por cada uno de nosotros que hoy damos gracias por un logro más en nuestra vida al concluir un año más en nuestra formación académica, para que sepamos ser agradecidos por todo lo que se nos da, y para que lo que hemos aprendido rinda frutos en cada uno de nosotros. Oremos.

Dios nuestro, lleno de bondad, que nos has concedido abundantes gracias, bendiciones y bienes, escucha nuestra oración y continúa protegiendo con tu ayuda a los que has alegrado con tus dones. Por Jesucristo, nuestro Señor. Todos: **Amén.**

Oración sobre las Ofrendas

Te ofrecemos, Señor, en esta Eucaristía, nuestro agradecimiento por los dones que hemos recibido durante este curso que termina, y te pedimos que nos concedas que todos los regalos y dones que recibimos durante este año, los usemos para darte gracias y servir a nuestros hermanos. Por Jesucristo, nuestro Señor. Todos: **Amén.**

Oración después de la Comunión

Señor Dios, que nos regalaste por amor a tu Hijo para que se quedara entre nosotros, te damos gracias por este curso que termina, y te pedimos que los dones y conocimientos que recibimos nos ayuden para seguir preparándonos con alegría para servirte a ti y a nuestros hermanos. Por Jesucristo, nuestro Señor. **Todos: Amén.**

Juegos y Actividades

Ahí estoy yo en medio de ellos

Oración Colecta

Señor Dios, que nos conoces a cada uno, que vez los peligros que hay a nuestro alrededor, concédenos que con tu ayuda podamos salir adelante y evitemos ser víctimas el mal. Por nuestro Señor Jesucristo tu Hijo, que vive y reina contigo en la unidad del Espíritu Santo y es Dios por los siglos de los siglos. **Todos: Amén.**

1ª Lectura

De la carta del apóstol san Pablo a los romanos (12, 3-13)

Hermanos: Por la autoridad que me ha sido dada, exhorto a todos y a cada uno de ustedes a que no sobrevaloren su función en la Iglesia, sino a que cada uno se estime en lo justo según los dones que Dios le haya concedido.

Nuestro cuerpo, siendo uno, tiene muchos miembros y cada uno de ellos tiene una función diferente. Pues en la misma forma, todos nosotros, aun siendo muchos, formamos un solo cuerpo unidos a Cristo, y todos y cada uno somos miembros los unos de los otros. Pero tenemos dones diferentes, según la gracia concedida a cada uno. El que tenga el don de profecía, que lo ejerza de acuerdo con la fe; el que tenga el don de servicio, que se dedique a servir; el que enseña, que se consagre a enseñar; el que exhorta, que se entregue a exhortar. El que da, hágalo con sencillez; el que preside, presida con solicitud; el que atiende a los necesitados, hágalo con alegría.

Diversas circunstancias

Que el amor de ustedes sea sincero. Aborrezcan el mal y practiquen el bien; ámense cordialmente los unos a los otros, como buenos hermanos; que cada uno estime a los otros más que a sí mismo. En el cumplimiento de su deber, no sean negligentes y mantengan un espíritu fervoroso al servicio del Señor. Que la esperanza los mantenga alegres; sean constantes en la tribulación y perseverantes en la oración. Ayuden a los hermanos en sus necesidades y esmérense en la hospitalidad. Palabra de Dios.

Todos: **Te alabamos, Señor.**

Salmo Responsorial

Del salmo 99

El Señor es nuestro Dios y nosotros su pueblo.

Lector: Alabemos al Señor sus fieles todos, sirvamos al Señor con alegría y entremos en su templo, jubilosos. / R.

Lector: Reconozcamos que el Señor es Dios, que él nos hizo y a él pertenecemos, que formamos su pueblo y su rebaño. / R.

Lector: Entremos por sus puertas dando gracias, por sus atrios, con himnos, alabando al Señor y bendiciéndolo. / R.

Lector: Porque el Señor es bueno, eterna es su bondad y su fidelidad no tiene término. / R.

Aclamación antes del Evangelio

(Cfr. Mt 7, 8)

Aleluya, aleluya.

En mi casa, dice el Señor, todo el que pide recibe;
el que busca encuentra, y al que toca se le abre.

Aleluya, Aleluya.

Evangelio

Del santo Evangelio según san Mateo
(18, 15-20)

En aquel tiempo, Jesús dijo a sus discípulos: "Si tu hermano comete un pecado, ve y amonéstalo a solas. Si te escucha, habrás salvado a tu hermano. Si no te hace caso, hazte acompañar de una o dos personas, para que todo lo que se diga conste por boca de dos o tres testigos. Pero si ni así te hace caso, díselo a la comunidad; y si ni a la comunidad le hace caso, apártate de él como de un pagano o de un publicano.

Yo les aseguro que todo lo que aten en la tierra, quedará atado en el cielo, y todo lo que desaten en la tierra, quedará desatado en el cielo.

Yo les aseguro también que si dos de ustedes se ponen de acuerdo para pedir algo, sea lo que fuere, mi Padre celestial se lo concederá; pues donde dos o tres se reúnen en mi nombre, ahí estoy yo en medio de ellos".

Palabra del Señor.

Todos: **Gloria a ti, Señor Jesús.**

Oración Universal

O remos, hermanos, al Señor, para que renovados en nuestra esperanza, presentemos a Dios nuestras peticiones y acuda en nuestra ayuda. A cada petición respondemos:

Padre bondadoso, escúchanos.

1. Para que el Señor ayude al Papa N., a nuestro obispo N., y a todos los ministros de la Iglesia, en su tarea evangelizadora. Oremos.

2. Para que asista a los que gobiernan a las naciones y les conceda docilidad de espíritu en la dirección de los pueblos. Oremos.

3. Para que ayude y consuele a los ancianos, a los pobres y desvalidos, y encuentren una mano generosa que los asista en sus necesidades. Oremos.

4. Para que el Señor conceda la paz al mundo y nos conceda vivir como verdaderos hermanos. Oremos.

5. Para que cada uno de nosotros que participamos en esta acción de gracias seamos generosos y sepamos valorar lo que cada día nos regalas. Oremos.

E scucha, Señor, nuestra oración y concédenos perseverar en la fe con ánimo alegre y fe firme. Por Jesucristo, nuestro Señor.
Todos: **Amén.**

Diversas circunstancias

Oración sobre las Ofrendas

Recibe, Señor, nuestras oraciones y ofrendas que te presentamos, para que quienes hemos caído en tentaciones del mal, podamos buscar tu perdón y el de nuestros hermanos. Por Jesucristo, nuestro Señor. Todos: **Amén.**

Oración después de la Comunión

Míranos, Señor, con bondad y por tu gran amor que nos tienes, ayúdanos en nuestras necesidades y aleja de nosotros todos los peligros. Por Jesucristo, nuestro Señor. Todos: **Amén.**

Juegos y Actividades

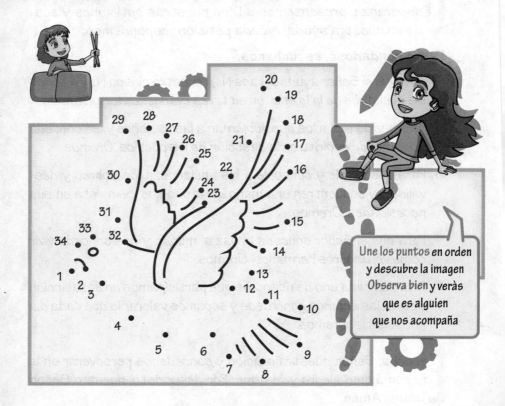

Une los puntos en orden y descubre la imagen Observa bien y verás que es alguien que nos acompaña